CB054942

O CIRCO *da* NOITE

Título original: THE NIGHT CIRCUS

Direção editorial: Victor Gomes
Coordenação editorial: Aline Graça
Acompanhamento editorial: Mariana Navarro
Tradução: Isadora Prospero
Preparação: Letícia Nakamura
Revisão: Marina Constantino
Capa original: ©Kate Forrester
Adaptação de capa: Vanessa S. Marine
Projeto gráfico e diagramação: Vanessa S. Marine
Imagens internas: © Kate Forrester

Dados Internacionais de Catalogação na Publicação (CIP)

M851c Morgenstern, Erin
O circo da noite / Erin Morgenstern ; Tradução: Isadora Prospero. — São Paulo : Morro Branco, 2022.
448 p. ; 14 x 21 cm.

ISBN: 978-65-86015-52-2

1. Literatura americana — Romance. 2. Ficção americana. I. Prospero, Isadora. II. Título.
CDD 813

Todos os direitos desta edição reservados à:
EDITORA MORRO BRANCO
Alameda Santos, 1357, 8º andar
01419-908 – São Paulo, SP – Brasil
Telefone (11) 3373-8168
www.editoramorrobranco.com.br

Impresso no Brasil
2022

O CIRCO da NOITE

ERIN
MORGENSTERN

TRADUÇÃO
ISADORA PROSPERO

EXPECTATIVA

O circo chega sem aviso.

Nenhum anúncio o precede — nenhum cartaz colado em postes ou outdoors no centro da cidade, nenhuma menção ou propaganda nos jornais locais. Ele simplesmente está lá, quando ontem não estava.

As tendas colossais listradas de preto e branco, sem qualquer dourado ou carmesim à vista. Não se vê cor alguma, exceto pelas árvores ao redor e pela grama dos campos circundantes. Listras brancas e pretas contra o céu cinza; incontáveis tendas de formas e tamanhos variados, rodeadas por uma cerca de ferro forjado intricada em um mundo desprovido de cor. Mesmo o pouco chão que é visível pelo lado de fora é preto ou branco, pintado ou coberto de pó, ou tratado com algum outro truque circense.

Mas o circo não está aberto. Ainda não.

Em questão de horas, todos na cidade ouviram falar dele. À tarde, a notícia se espalhou para várias cidades vizinhas. O boca a boca é um método de divulgação mais eficaz do que palavras impressas e pontos de exclamação em panfletos ou pôsteres. A aparição súbita de um circo misterioso é uma novidade impressionante e incomum. As pessoas admiram a altura inacreditável das tendas maiores. Encaram o relógio situado logo atrás dos portões e que ninguém consegue descrever adequadamente.

E observam a placa preta pintada com letras brancas acima dos portões, que diz:

Abre ao cair da noite
Fecha ao amanhecer

— Que tipo de circo só abre à noite? — perguntam as pessoas. Ninguém tem uma resposta razoável, mas, conforme o crepúsculo se aproxima, um número considerável de espectadores começa a se reunir do lado de fora.

Você está entre eles, é claro. A curiosidade levou a melhor, tal como a curiosidade tende a fazer. Você espera em pé, na luz evanescente, com um cachecol ao redor do pescoço para se proteger da brisa fria do fim de tarde, esperando para ver pessoalmente que tipo de circo só abre quando o sol se põe.

A bilheteria, bem visível dentro dos portões, está fechada atrás de barras. As tendas estão imóveis, exceto por uma levíssima ondulação ao vento. A única coisa que se mexe dentro do circo é o relógio que conta os minutos que passam, se é que aquela escultura extraordinária pode sequer ser chamada de relógio.

O circo parece vazio e abandonado. Mas você acha que consegue sentir o aroma de caramelo flutuando na brisa do entardecer, por baixo do aroma revigorante das folhas de outono. Uma doçura sutil às margens do frio.

Quando os últimos raios de sol desaparecem do céu, a luminosidade remanescente do crepúsculo se transforma aos poucos em escuridão. As pessoas ao seu redor estão ficando inquietas de tanto esperar — um mar de pés se arrasta e há resmungos sobre abandonar aquela empreitada em busca de um lugar mais quente para passar a noite. Você também está cogitando partir, mas aí acontece.

Primeiro, há um estalo. O som é quase inaudível em meio ao vento e às conversas. É um barulho suave, como uma chaleira prestes a ferver. Em seguida, vem a luz.

Em todas as tendas, pequenas luzes começam a tremular, como se todo o circo estivesse coberto de vaga-lumes especialmente brilhantes. A multidão à espera se aquieta enquanto assiste ao espetáculo de luzes. Alguém perto de você arqueja. Uma criancinha bate palmas de alegria com a cena.

Quando as tendas estão todas iluminadas, brilhando contra o céu noturno, a placa se revela.

Estendidas acima dos portões, escondidas pelas curvas de ferro forjado, mais luzes começam a despontar como vaga-lumes. Elas estalam ao acender, algumas acompanhadas por uma chuva de faíscas brancas e um pouco de fumaça. As pessoas mais próximo aos portões dão alguns passos para trás.

A princípio, são apenas luzes acesas aleatoriamente. Mas, à medida que mais delas se iluminam, fica evidente que estão alinhadas em uma fileira de letras rebuscadas. Um *c* fica distinguível, então é seguido por mais formas: um *q*, estranhamente, e várias letras *e*. Quando a última lâmpada se acende e a fumaça e as faíscas se dissipam, a placa elaborada e incandescente enfim fica legível. Inclinando-se à esquerda a fim de visualizar melhor, você pode ler os dizeres:

Le Cirque des Rêves

Alguns na multidão sorriem, com um olhar cúmplice, enquanto outros franzem o cenho e observam, confusos, as pessoas ao redor. Uma criança perto de você puxa a manga da mãe, em busca de saber o que está escrito na placa.

— O Circo dos Sonhos. — Vem a resposta. A garota sorri, encantada.

Os portões de ferro estremecem e se abrem, como se por vontade própria. Abrindo-se para fora, convidam a multidão para dentro.

Agora o circo está aberto.

Agora você pode entrar.

PARTE I

PRIMORDIUM

Le Cirque des Rêves é integralmente formado por séries de círculos. Talvez seja uma homenagem à origem da palavra "circo", derivada do grego *kirkos*, que significa "círculo", ou "anel". Há muitas alusões parecidas ao fenômeno do circo em um sentido histórico, embora dificilmente seja um circo tradicional. Em vez de uma única tenda com picadeiros no interior, esse circo traz aglomerados de tendas como pirâmides, algumas grandes e outras bem pequenas. Sua disposição se dá em rotas circulares, contidas por uma cerca circular. Um circuito contínuo.

— FRIEDRICK THIESSEN, 1892

O sonhador é aquele que encontra seu caminho ao luar, e sua punição é ver a aurora antes do restante do mundo.

— OSCAR WILDE, 1888

Uma correspondência inesperada

NOVA YORK, FEVEREIRO DE 1873

O homem anunciado na programação como Prospero, o Mágico, recebe uma quantidade considerável de correspondências pelo escritório do teatro, mas esse é o primeiro envelope que contém um bilhete de suicídio, e também o primeiro a chegar cuidadosamente preso por um alfinete no casaco de uma menina de cinco anos.

O advogado que a acompanhou até o teatro se recusa a fornecer explicações, apesar dos protestos do gerente, abandonando a garota o mais rápido possível sem nada além de um dar de ombros e um toque no chapéu.

O gerente do teatro não precisa ler o envelope para saber com quem a menina veio falar. Os olhos brilhantes espiando sob uma nuvem de cachos castanhos desgrenhados são versões menores e mais arregaladas dos olhos do mágico.

Ele a toma pela mão; os dedinhos dela pendem frouxos dentro dos dele. A garota se recusa a tirar o casaco, apesar do calor ali no teatro, e apenas nega com a cabeça terminantemente quando ele pergunta por quê.

O gerente leva a menina ao seu escritório, sem saber o que fazer. Em silêncio, ela se senta em uma cadeira desconfortável sob uma fileira de pôsteres emoldurados, anúncios de produções antigas, cercada por caixas de ingressos e recibos. O gerente lhe traz uma xícara de chá com um torrão extra de açúcar, mas a xícara permanece na escrivaninha, intocada, até esfriar.

A garota não se mexe nem se remexe no assento. Fica perfeitamente imóvel e com as mãos apoiadas no colo. Seu olhar está voltado para baixo, focado nas botas que não chegam a tocar o chão. Há um leve arranhão em um dedão, mas os cadarços estão amarrados com laços perfeitos.

O envelope selado fica pendendo do segundo botão do casaco até Prospero chegar.

Ela o ouve antes de a porta se abrir, seus passos pesados ecoando no corredor, diferentes da passada contida do gerente, que entrou e saiu diversas vezes da sala, silencioso como um gato.

— Também há uma... entrega para o senhor — avisa o gerente ao abrir a porta, gesticulando ao mágico para que entre no escritório abarrotado antes de escapulir para cuidar de outras questões do teatro, sem nenhum desejo de presenciar o possível resultado do encontro.

O mágico corre os olhos pelo escritório, com um maço de cartas em uma mão e uma capa preta de veludo forrada com seda inacreditavelmente branca cascateando pelas costas, à espera de uma caixa embrulhada em papel ou um caixote. Só quando a garota o fita com seus próprios olhos, ele percebe a que o gerente se referia.

A reação imediata de Prospero, o Mágico, ao conhecer sua filha é uma declaração simples:

— Ah, merda.

A menina volta a encarar as botas.

O mágico fecha a porta atrás de si, jogando o maço de cartas na escrivaninha, ao lado da xícara de chá, enquanto estuda a garota.

Ele arranca o envelope do casaco dela, deixando o alfinete preso com firmeza ao botão.

Embora a escrita na frente traga seu nome artístico e o endereço do teatro, a carta no interior o chama por seu nome de registro: Hector Bowen.

Ele varre o conteúdo com os olhos, mas qualquer impacto emocional desejado pela remetente falha de modo miserável e por completo. Ele se detém no único fato que julga relevante: essa menina, agora deixada sob sua custódia, é, obviamente, sua própria filha, e o nome dela é Celia.

— Ela devia ter chamado você de Miranda — diz o homem chamado Prospero, o Mágico, com uma risadinha. — Mas suponho que não era inteligente o bastante pra pensar nisso.

A garota o observa de novo. Olhos escuros se estreitam sob seus cachos.

A xícara na mesa passa a tremer. Ondulações perturbam a superfície calma conforme rachaduras estouram pelo verniz, até que a xícara desmorona em lascas de porcelana florida. O chá frio se empoça no pires e pinga no chão, deixando rastros pegajosos na madeira polida.

O sorriso do mágico desaparece. Ele olha de novo para a escrivaninha, com o cenho franzido, e o chá derramado começa a ser sugado do chão. Os cacos trincados e lascados se levantam e se reconstroem ao redor do líquido até que a xícara fica inteira novamente, fios suaves de vapor erguendo-se no ar.

A garota encara a xícara com os olhos esbugalhados.

Hector Bowen toma o rosto da filha na mão enluvada, perscrutando a sua expressão durante um momento antes de soltá-la. Seus dedos deixam longas marcas vermelhas na bochecha da menina.

— Talvez você seja interessante — diz ele.

A garota não responde.

Ele faz várias tentativas de rebatizá-la nas semanas seguintes, mas ela se recusa a responder a qualquer nome, exceto Celia.

Vários meses depois, quando ele decide que a menina está pronta, o mágico escreve uma carta. Apesar de não ter incluído endereço, a carta ainda alcança o seu destino, do outro lado do oceano.

Uma aposta entre cavalheiros

LONDRES, OUTUBRO DE 1873

Esta noite é a última apresentação de um espetáculo de temporada curta. Prospero, o Mágico, não dá o ar da graça nos palcos londrinos há certo tempo, e comprometeu-se com uma única semana de apresentações, sem matinês.

Os ingressos, apesar do preço exorbitante, se esgotaram rapidamente, e o teatro está tão lotado que muitas mulheres mantêm os leques à mão, abanando o decote e afastando o calor espesso que permeia o ar, apesar da brisa outonal soprando do lado de fora.

Em dado momento da noite, cada um desses leques subitamente se transforma em um pequeno pássaro, até que revoadas deles volteiam o teatro ao som de aplausos ensurdecedores. Quando cada pássaro retorna, transformando-se outra vez em leques cuidadosamente dobrados e caindo no colo das respectivas donas, os aplausos só se intensificam, embora algumas das mulheres estejam atônitas demais para aplaudir e se limitem a virar os leques de penas e renda nas mãos, abismadas, completamente esquecidas a respeito do calor.

O homem de terno cinza sentado no camarote à esquerda do palco não aplaude. Nem esse nem qualquer outro truque ao longo da apresentação. Ele observa o mágico no palco com um olhar firme e esquadrinhador que não vacila ao longo de toda a apresentação. Em nenhum momento ergue as mãos enluvadas para aplaudir. Nem sequer arqueia uma sobrancelha diante de façanhas que extraem aplausos ou suspiros, até mesmo um gritinho ocasional de surpresa, do restante da plateia extasiada.

Ao fim da apresentação, o homem de terno cinza abre caminho com facilidade entre a multidão de espectadores no saguão do teatro. Ele atravessa, furtivamente e sem ser visto, uma cortina que leva aos camarins. Assistentes de palco e de figurino nem relanceiam em sua direção.

Ele dá uma batidinha leve na porta ao final do corredor com o castão prateado da bengala.

A porta se abre sozinha, revelando um camarim abarrotado e revestido de espelhos, cada qual refletindo um ângulo diferente de Prospero.

Seu fraque foi jogado preguiçosamente sobre uma poltrona de veludo, e seu colete pende desabotoado sobre a camisa com punhos em renda. A cartola, que teve um papel proeminente na apresentação, está pendurada em um mancebo próximo.

O homem aparentava ser mais jovem no palco, a idade oculta sob as luzes berrantes do cenário e camadas de maquiagem. O rosto no espelho tem rugas e o cabelo está quase inteiramente grisalho. Mas há algo jovial no sorriso maroto que ele abre ao avistar o homem parado à porta.

— Detestou, imagino? — pergunta ele sem se virar do espelho, dirigindo-se ao reflexo cinzento e fantasmagórico. Limpa uma camada espessa de pó do rosto com um lenço que talvez já tenha sido branco.

— É um prazer vê-lo também, Hector — responde o homem de terno cinza, fechando a porta silenciosamente.

— Você odiou cada minuto, posso ver — comenta Hector Bowen com uma risada. — Eu estava observando, nem tente negar.

Ele se vira e estende uma mão que o homem de terno cinza não aceita. Em resposta, Hector dá de ombros e gesticula de um jeito dramático na direção da parede oposta. A poltrona de veludo desliza para a frente, a partir de um canto abarrotado com baús e cachecóis, enquanto o fraque flutua dela como uma sombra, obedientemente se posicionando em um guarda-roupa.

— Sente-se, por favor — convida Hector. — Mas receio que não seja tão confortável quanto as lá de cima.

— Não posso afirmar que aprovo tais demonstrações — diz o homem de terno cinza, removendo as luvas e espanando com elas o pó da cadeira, antes de se sentar. — Fazer manipulações passarem como truques e ilusões e cobrar ingresso por isso.

Hector joga o lenço coberto de pó em uma mesa cheia de escovas e latas de maquiagem.

— Nenhuma pessoa naquela plateia acreditou por um segundo sequer que o que fiz lá em cima é real — explica ele, gesticulando na direção aproximada do palco. — É aí que reside a beleza. Já viu as geringonças que os supostos *mágicos* constroem para realizar os feitos mais mundanos? São um bando de peixes cobertos de penas tentando convencer o público de que podem voar, e sou apenas um pássaro no meio deles. O público não consegue enxergar a diferença, só sabe que eu sou melhor.

— Isso não torna a empreitada menos frívola.

— Essas pessoas entram na fila para ficarem desconcertadas — continua Hector. — Consigo desconcertá-las melhor do que a maioria. Parece um desperdício não aproveitar a oportunidade. Também paga melhor do que você imagina. Aceita uma bebida? Há garrafas escondidas em algum lugar por aqui, mas não tenho certeza se há taças. — Ele faz uma tentativa de organizar os conteúdos de uma mesa, afastando pilhas de jornais e uma gaiola de pássaro que não contém pássaro algum.

— Não, obrigado — recusa o homem de terno cinza, remexendo-se na poltrona e apoiando as mãos no castão da bengala. — Achei sua apresentação curiosa, e a reação do público um tanto enigmática. Você carecia de precisão.

— Não posso ser bom demais se quero que acreditem que sou tão falso quanto os outros — explica Hector com uma risada. — Agradeço por ter vindo e suportado meu espetáculo. Estou surpreso por sequer ter aparecido. Estava começando a perder as esperanças. Deixei aquele camarote reservado para você a semana toda.

— Não recuso convites com frequência. Sua carta alegava que você tinha uma proposta para mim.

— Tenho mesmo! — afirma Hector, batendo as palmas uma na outra uma vez. — Eu esperava que você estivesse disposto a um jogo. Faz tempo demais que não jogamos. Mas primeiro você precisa conhecer meu novo projeto.

— Eu estava com a impressão de que você tinha desistido de ensinar.

— E tinha, mas essa oportunidade era tão única que não pude resistir. — Hector segue até uma porta praticamente oculta por um espelho alto. — Celia, querida — chama ele na sala adjacente antes de voltar à sua cadeira.

Um momento depois, uma menininha aparece na porta, bem-vestida demais para aquele cômodo empoeirado e caótico. Está toda embrulhada em laços e renda, perfeita como uma boneca recém-saída da loja, exceto por alguns cachos rebeldes que escapam das tranças. A garota hesita, detendo-se na soleira, quando vê que o pai não está sozinho.

— Está tudo bem, querida. Entre, entre — diz Hector, chamando-a com um aceno. — Este é um velho colega meu, não precisa ficar tímida.

Ela se aproxima alguns passos e executa uma mesura perfeita, a bainha rendilhada do vestido varrendo as tábuas gastas do assoalho.

— Esta é minha filha, Celia — diz Hector ao homem de terno cinza, colocando a mão na cabeça da garota. — Celia, este é Alexander.

— Prazer em conhecê-lo — responde ela. A voz é um sussurro quase inaudível, e tem um tom mais grave do que seria esperado de uma menina do seu tamanho.

O homem de terno cinza dá um aceno cortês.

— Eu gostaria que você mostrasse a esse cavalheiro o que pode fazer — pede Hector. Ele tira do colete um relógio prateado preso em um longo cordão e o deposita na mesa. — Vá em frente.

A garota arregala os olhos.

— O senhor disse que eu não devia fazer isso na frente de qualquer pessoa — diz ela. — Me fez prometer.

— Esse cavalheiro não é qualquer pessoa — responde Hector com uma risada.

— O senhor disse "sem exceções" — protesta Celia.

O sorriso do pai se esvanece. Ele a toma pelos ombros e a encara com severidade.

— Este é um caso muito especial — insiste ele. — Por favor, mostre a este homem o que você pode fazer, como nas suas aulas. — Ele a empurra em direção à mesa em que jaz o relógio.

A garota assente com seriedade e transfere a atenção ao relógio, apertando as mãos atrás das costas.

Após um momento, o relógio começa a rotacionar com lentidão, girando na superfície da mesa, arrastando a corrente atrás de si em uma espiral.

Em seguida, o relógio se ergue, flutua no ar e paira como se estivesse boiando na água.

Hector olha para o homem de terno cinza à espera de uma reação.

— Impressionante — comenta o homem. — Mas bastante elementar.

As sobrancelhas de Celia se curvam sobre os olhos escuros e o relógio se estilhaçava, arremessando engrenagens pelo ar.

— Celia — repreende o pai.

O tom ríspido a faz corar e murmurar uma desculpa. As engrenagens flutuam de volta ao relógio, assentando-se no lugar até que a peça esteja restabelecida, os ponteiros contando os segundos como se nada tivesse acontecido.

— Agora, *isso* é um pouco mais impressionante — admite o homem de terno cinza. — Mas ela tem um gênio forte.

— Ela é jovem — pontua Hector, dando um tapinha no topo da cabeça de Celia e ignorando a careta dela. — Não completou nem um ano de estudo, mas quando crescer será inigualável.

— Eu poderia tirar qualquer criança da rua e ensiná-la a fazer isso. "Inigualável" é uma opinião sua e pode ser facilmente desmentida.

— Há! — exclama Hector. — Então está disposto a jogar.

O homem de terno cinza hesita apenas um momento antes de assentir.

— Se for algo um pouco mais complexo do que da última vez, talvez eu esteja interessado — responde ele. — Quem sabe.

— É claro que vai ser mais complexo! — diz Hector. — Tenho um talento natural para usar. Não vou apostar *isso* por nada simples.

— Talento natural é um fenômeno questionável. Pode haver inclinação, talvez, mas habilidade inata é extremamente rara.

— Ela é minha filha, é claro que tem habilidade inata.

— Você admitiu que ela teve aulas — diz o homem de terno cinza. — Como pode ter tanta certeza?

— Celia, quando começaram as aulas? — pergunta Hector, sem olhar para a menina.

— Março — responde ela.

— De que ano, querida? — acrescenta Hector.

— Deste — responde ela, como se fosse uma pergunta particularmente idiota.

— Oito meses de aulas — esclarece Hector. — E ela mal completou seis anos. Se me recordo corretamente, você já começou com alunos ainda mais jovens. É claro que Celia está mais avançada do que estaria se não tivesse habilidade natural. Conseguiu levitar aquele relógio na primeira tentativa.

O homem de terno cinza volta a sua atenção para Celia.

— Você quebrou aquilo acidentalmente, não foi? — pergunta ele, inclinando a cabeça para o relógio na mesa.

Celia franze o cenho e faz um aceno mínimo.

— Para uma menina tão nova, ela tem um controle notável — diz o homem a Hector. — Mas o gênio forte é sempre um elemento indesejável. Pode levar a comportamentos impulsivos.

— Ou ela vai superá-lo ou vai aprender a controlá-lo. Não é um grande problema.

O homem de terno cinza mantém os olhos na menina, mas quando fala de novo se dirige a Hector. Aos ouvidos de Celia, os sons não formam mais palavras, e ela parece confusa quando as respostas do pai adquirem a mesma qualidade embaralhada.

— Você apostaria a própria filha?

— Ela não vai perder — garante Hector. — Sugiro que você encontre um aluno de quem tolere se separar, se já não tiver um à disposição.

— Presumo que a mãe dela não tem uma opinião a respeito disso?

— Presume corretamente.

O homem de terno cinza avalia a garota por mais alguns momentos antes de falar de novo, e ela ainda não compreende as palavras quando ele continua.

— Entendo sua confiança nas habilidades dela, embora o incentive a pelo menos considerar a possibilidade de perdê-la, se a competição não acabar se concluindo em favor dela. Encontrarei um jogador que seja um desafio à altura. Caso contrário, não há motivo para eu participar. A vitória dela não pode ser garantida.

— É um risco que estou disposto a correr — afirma Hector sem sequer olhar para a filha. — Se quiser oficializar aqui e agora, vá em frente.

O homem de terno cinza olha de novo para Celia e, quando ele fala, a menina volta a entender as palavras.

— Muito bem — diz ele com um aceno.

— Você me fez não ouvir direito — sussurra a garota quando o pai se volta para ela.

— Eu sei, querida, e não foi muito educado — responde Hector enquanto a guia para mais perto da poltrona, onde o homem a examina com olhos quase tão claros e cinza quanto seu terno.

— Você sempre foi capaz de fazer coisas assim? — pergunta ele para a garota, lançando outro olhar para o relógio.

Celia assente.

— Minha... a mamãe sempre disse que eu era filha do demônio — replica em voz baixa.

O homem de terno cinza se inclina para a frente e sussurra algo no ouvido dela, baixo demais para que o pai entreouça. Um sorrisinho ilumina o rosto da menina.

— Estenda a mão direita — pede ele, reclinando-se na cadeira. Celia estica a mão no mesmo instante, com a palma para cima, sem saber o que esperar. Mas o homem de terno cinza não põe nada na palma dela. Em vez disso, vira a mão da garota e tira um anel prateado do próprio dedo mindinho, que desliza no anelar dela, embora a peça fique frouxa nos dedos esguios, enquanto mantém a outra mão ao redor do punho dela.

Ela abre a boca a fim de pontuar o fato óbvio de que o anel, embora muito bonito, não cabe no seu dedo, quando percebe que o objeto está encolhendo em sua mão.

Sua alegria momentânea com o ajuste é sobrepujada pela dor que se segue conforme o anel continua a se fechar ao redor do dedo, o metal queimando a pele. Ela tenta recuar, mas o homem de terno cinza mantém um aperto firme ao redor do seu punho.

O anel vai afinando até se esvanecer, deixando só uma cicatriz vermelho-viva ao redor do dedo de Celia.

O homem de terno cinza solta o pulso dela e ela dá um passo para trás, recuando para um canto e encarando a mão.

— Boa menina — elogia o pai.

— Vou precisar de algum tempo para preparar meu próprio jogador — anuncia o homem de terno cinza.

— É claro — fala Hector. — Leve todo o tempo de que precisar. — Ele tira um anel dourado da própria mão e o coloca na mesa. — Para quando encontrar o seu.

— Não prefere fazer as honras pessoalmente?

— Confio em você.

O homem de terno cinza assente e tira um lenço do casaco, pegando o anel sem tocá-lo e depositando-o no bolso.

— Espero que não esteja fazendo isso porque o meu jogador venceu o último desafio.

— Claro que não — nega Hector. — Estou fazendo isso porque tenho uma jogadora capaz de vencer seja lá quem você escolha opor a ela, e porque os tempos mudaram o suficiente para tornar a competição interessante. Além disso, acredito que o placar geral pende a meu favor.

O homem de terno cinza não contesta a afirmação, somente observa Celia com o mesmo olhar perscrutador. Ela tenta sair da linha de sua visão, mas a sala é pequena demais.

— Suponho que já tenha um palco em mente? — pergunta ele.

— Não exatamente — replica Hector. — Pensei que seria mais divertido ter um pouco de flexibilidade no que se refere ao palco. Deixar espaço para surpresas, por assim dizer. Estou familiarizado com um produtor teatral aqui em Londres que aceitaria criar algo menos convencional. Vou preparar o terreno até a hora chegar, e tenho certeza de que ele pensará em algo apropriado. Melhor competir em território neutro, mas achei que você apreciaria começar as coisas do seu lado da lagoa.

— E qual é o nome desse cavalheiro?

— Lefèvre. Chandresh Christophe Lefèvre. Dizem que é o filho ilegítimo de um príncipe indiano ou algo assim. A mãe era uma bailarina vagabunda qualquer. Tenho o cartão dele em algum lugar nessa bagunça. Você vai gostar dele, é um homem de visão. Rico e excêntrico. Um pouco obsessivo, um tanto imprevisível, mas suponho que isso é esperado quando se tem um temperamento artístico. — A pilha de papéis em uma mesa próxima se agita e rearranja até que um único cartão de visitas abre caminho rumo à superfície e sai voando pela sala. Hector o pega e o lê antes de entregá-lo ao homem de terno cinza. — Ele promove festas maravilhosas.

O homem de terno cinza coloca o cartão no bolso sem sequer fitá-lo.

— Nunca ouvi falar — comenta ele. — E não gosto de locais públicos para tais questões. Mas vou considerar o seu caso.

— Bobagem, o local público é metade da diversão! Há tantas restrições, tantos parâmetros desafiadores a serem superados.

O homem de terno cinza considera isso por um segundo antes de assentir.

— Teremos uma cláusula de quebra de sigilo? Seria justo, dado que estou ciente da sua escolha de jogadora.

— Vamos ficar sem cláusulas além das regras básicas de interferência e ver o que acontece — sugere Hector. — Quero forçar os limites desta vez. Sem limites de tempo, também. Até concedo a primeira jogada.

— Muito bem, temos um acordo. Entrarei em contato. — O homem de terno cinza se levanta, limpando uma poeira invisível da manga. — Foi um prazer conhecê-la, srta. Celia.

Celia faz outra mesura perfeita, o tempo todo observando-o com cautela.

O homem de terno cinza toca a aba do chapéu em despedida a Prospero e sai furtivamente pela porta e depois do teatro, movendo--se como uma sombra na rua movimentada.

—··—

Em seu camarim, Hector Bowen ri consigo mesmo enquanto a filha espera em silêncio num canto, encarando a cicatriz na mão. A dor sumiu tão rápido quanto o próprio anel, mas a marca vermelha permanece.

Hector pega o relógio prateado da mesa, comparando a hora com a do relógio de parede. Ele dá corda lentamente, seguindo os ponteiros com atenção conforme giram sobre o mostrador.

— Celia — ele chama a menina sem fitá-la —, por que damos corda no nosso relógio?

— Porque tudo exige energia — recita ela de maneira obediente, ainda fitando a mão. — Precisamos pôr esforço e energia em qualquer coisa que desejamos mudar.

— Muito bem. — Ele dá uma sacudidela no relógio e o guarda no bolso.

— Por que chamou aquele homem de Alexander? — pergunta Celia.

— Essa é uma questão boba.

— Não é o nome dele.

— E como você saberia disso? — pergunta à filha, erguendo o queixo da menina até ambos se encararem e ele examinar os olhos tão escuros quanto os seus.

Celia fita de volta, sem saber bem como explicar. Ela repassa mentalmente a impressão que teve do homem usando o terno cinza e de olhos claros e feições severas, na tentativa de entender por que o nome não combina perfeitamente com ele.

— Não é um nome real — diz ela. — Não é o nome que ele sempre levou consigo. É um nome que ele usa como um chapéu e pode tirar quando quer. Como Prospero é para você.

— Você é até mais esperta do que eu tinha esperado — observa Hector, sem se dar ao trabalho de refutar ou confirmar as suposições dela sobre a nomenclatura do colega. Ele tira a cartola do mancebo e a deposita na cabeça da menina, onde a peça desliza e oculta os olhos inquisidores atrás de uma jaula de seda preta.

Matizes de cinza

LONDRES, JANEIRO DE 1874

O prédio é tão cinza quanto a calçada abaixo e o céu acima, parecendo tão impermanente quanto as nuvens, como se pudesse se dissipar no ar sem aviso. A pedra cinza comum o torna indistinguível dos prédios ao redor, exceto por uma placa enferrujada que pende ao lado da porta. Até a diretora no interior está usando roupas cinza-carvão.

Mesmo assim, o homem de terno cinza parece deslocado.

O corte do seu terno é elegante demais; o castão da bengala, polido demais sob as luvas imaculadas.

Ele se apresenta, mas a diretora esquece o nome dele quase no mesmo instante e fica com vergonha de lhe pedir que o repita. Mais tarde, quando ele assina os documentos necessários, a assinatura é completamente ilegível, e aquele formulário específico se perde poucas semanas após ser arquivado.

Ele tem critérios incomuns para o que procura. A diretora fica confusa, mas, após perguntas e esclarecimentos, traz três crianças para vê-lo: dois meninos e uma menina. O homem pede para entrevistá-los em particular e a diretora concorda com relutância.

Com o primeiro menino, ele só fala por alguns minutos antes de dispensá-lo. Quando ele passa no corredor, as duas outras crianças o contemplam em busca de algum indício do que esperar, mas ele se limita a balançar a cabeça.

A garota fica mais tempo, mas também é dispensada, com a testa franzida de confusão.

O outro menino então é levado à sala a fim de falar com o homem de terno cinza. Pede-se que se sente em uma cadeira do outro lado da mesa, enquanto o homem permanece em pé.

Esse menino não se remexe tanto no lugar quanto o primeiro. Ele espera com paciência, os olhos verde-acinzentados absorvendo com discrição cada detalhe da sala e do homem, notando tudo, mas não o encarando abertamente. Seus cabelos escuros têm um corte desleixado, como se o barbeiro tivesse se distraído durante o processo, e alguém tentou alisá-lo. As roupas são puídas, mas bem cuidadas, embora as calças sejam curtas demais e de uma cor que poderia ter sido azul ou marrom ou verde, mas se desbotou muito para que se tenha certeza.

— Há quanto tempo você está aqui? — pergunta o homem após examinar a aparência desalinhada do garoto por alguns momentos silenciosos.

— Desde sempre — responde o menino.

— Qual é a sua idade?

— Vou fazer nove anos em maio.

— Parece mais novo.

— Não estou mentindo.

— Não quis insinuar que estava.

O homem de terno cinza encara o garoto sem se pronunciar por um tempo.

O garoto retribui o olhar.

— Presumo que saiba ler? — indaga o homem.

O menino assente.

— Gosto de ler — replica ele. — Não tem muitos livros aqui. Já li todos.

— Ótimo.

Sem aviso, o homem de terno cinza joga a bengala para o menino. Ele a pega em uma mão com facilidade, sem se encolher, embora seus olhos se estreitem em confusão ao fitar da bengala para o homem e depois de volta.

O homem assente para si mesmo e recupera a bengala, tirando um lenço branco do bolso para limpar da superfície as digitais do menino.

— Muito bem — conclui o homem. — Você virá estudar comigo. Posso lhe assegurar que tenho uma enorme quantidade de livros. Farei os preparativos necessários, e então nos poremos a caminho.

— Tenho escolha?

— Deseja permanecer aqui?

O menino reflete por um momento.

— Não — assevera ele.

— Muito bem.

— Não quer saber meu nome? — pergunta o menino.

— Nomes não são nem de longe tão importantes quanto as pessoas supõem — rebate o homem de terno cinza. — Uma mera etiqueta que o identifica, atribuída por esta instituição ou por seus pais falecidos, e não apresenta nem interesse nem valor para mim. Se em algum momento você achar que tem necessidade de um nome, pode escolher um para si mesmo. Por enquanto, será desnecessário.

O menino se retira em busca de aprontar uma mala pequena com suas escassas posses. O homem de terno cinza assina papéis e responde às perguntas da diretora de um modo que ela não entende completamente, mas a mulher não faz objeções à transação.

Quando o menino está pronto, o homem de terno cinza o leva do edifício de pedra cinza para nunca mais retornar.

Aulas de magia

1875-1880

Celia cresce em uma série de teatros. A maioria em Nova York, mas ela passa longos períodos em outras cidades. Boston. Chicago. São Francisco. Há excursões ocasionais para Milão, Paris ou Londres. As cidades se mesclam em uma névoa de mofo, veludo e serragem, ao ponto em que às vezes ela não lembra em que país se encontra — não que isso importe.

O pai a leva para todo canto enquanto ela é pequena, exibindo-a como um cãozinho adorado em vestidos caros para que seus colegas e conhecidos a bajulem em pubs após as apresentações.

Quando decide que a menina ficou alta demais para ser um acessório bonitinho, começa a abandoná-la em camarins ou hotéis.

Toda noite, Celia se pergunta se o pai vai retornar, mas ele sempre chega cambaleante em horas avançadas, às vezes dando um tapinha gentil na sua cabeça enquanto ela finge dormir, outras vezes ignorando-a por completo.

As aulas dela se tornam menos formais. Se antes ele a fazia sentar em horários fixos, embora irregulares, agora está sempre a testando, mas nunca em público.

Ele a proíbe de fazer manualmente até tarefas tão simples quanto amarrar as botas. Ela encara os pés, ordenando em silêncio que os cadarços se amarrem e desamarrem em laços desleixados e franzindo o cenho quando eles se emaranham e formam nós.

O pai não revela muito quando ela faz perguntas. A única coisa que ela descobriu é que o homem de terno cinza, que o pai chamara de Alexander, também tem um aluno, e haverá algum tipo de jogo.

— Como xadrez? — pergunta ela certa vez.

— Não — retruca o pai. — Não vai ser como xadrez.

—··—

O garoto cresce em uma casa em Londres. Ele não vê ninguém, nem quando as refeições são entregues ao seu quarto, aparecendo à porta em bandejas cobertas e desaparecendo do mesmo modo. Uma vez por mês, um homem que não fala nada é trazido para cortar o seu cabelo. Uma vez por ano, o mesmo homem tira as medidas dele para fazer roupas novas.

O garoto passa a maior parte do tempo lendo — e escrevendo, é claro. Ele copia trechos de livros e escreve palavras e símbolos que a princípio não entende, mas que se tornam intimamente familiares sob os dedos manchados de tinta, formados e reformados em linhas cada vez mais regulares. Lê livros de história, mitologia e romances. Aos poucos, aprende outras línguas, embora tenha dificuldade em pronunciá-las.

Ocorrem excursões ocasionais a museus e livrarias, após os horários de pico, quando há poucos visitantes — ou nenhum. O garoto adora os passeios em questão, tanto pelo conteúdo dos prédios quanto pela mudança na rotina. Mas eles são raros, e o garoto não tem permissão para sair da casa desacompanhado.

O homem de terno cinza o visita em seus aposentos todo dia, em geral trazendo uma nova pilha de livros, e passa exatamente uma hora discursando sobre coisas que o garoto não tem certeza se um dia entenderá com perfeição.

Só uma vez ele pergunta se um dia terá permissão de fazer alguma coisa, o tipo de coisas que o homem de terno cinza demonstra raramente durante aquelas aulas estritamente planejadas.

"Quando você estiver pronto" é a única resposta que recebe.

Ele não é considerado pronto por um longo tempo.

As pombas que aparecem no palco e às vezes na plateia durante as apresentações de Prospero são mantidas em gaiolas intricadas, entregues a cada teatro junto ao restante da bagagem e dos acessórios dele.

A batida de uma porta faz uma pilha de baús e maletas sair rolando no camarim, derrubando uma gaiola cheia de pombas.

Os baús se endireitam instantaneamente, mas Hector ergue a gaiola em busca de inspecionar os danos.

Embora a maioria das pombas só esteja atordoada após a queda, uma delas claramente quebrou a asa. Com cuidado, Hector tira o pássaro ali de dentro. As barras danificadas se consertam enquanto ele abaixa a gaiola.

— Você consegue consertar? — pergunta Celia.

O pai olha para a pomba ferida e depois para a filha, à espera de que ela faça uma pergunta diferente.

— *Eu* consigo consertar? — indaga ela após um momento.

— Tente — incentiva ele, entregando-lhe a pomba.

De modo gentil, Celia afaga a pomba trêmula, encarando com atenção a asa quebrada.

O pássaro emite um som dolorido e estrangulado muito diferente do arrulho normal.

— Não consigo — conclui Celia, com lágrimas nos olhos, erguendo o pássaro para o pai.

Hector pega a pomba e rapidamente torce o pescoço do animal, ignorando o grito de protesto da filha.

— Coisas vivas têm regras diferentes — diz ele. — Você deveria praticar com algo mais simples. — Ele pega a única boneca de Celia, que está em uma cadeira próxima, e a joga no chão. A cabeça de porcelana se estilhaça.

No dia seguinte, quando Celia retorna ao pai com a boneca perfeitamente reparada, ele só assente em aprovação antes de dispensá-la com um gesto, retornando aos preparativos para o espetáculo.

— Você podia ter curado o pássaro — diz Celia.

— Se tivesse, você não teria aprendido nada — rebate Hector. — É preciso entender suas limitações para superá-las. Você quer ganhar, não quer?

Celia assente, contemplando a boneca. Ela não exibe qualquer sinal de que foi danificada; não há sequer uma rachadura no rosto vazio e sorridente.

Ela a joga embaixo de uma cadeira e não a leva consigo quando eles deixam o teatro.

———•••———

O homem de terno cinza leva o garoto para passar uma semana na França no que não é exatamente uma viagem de férias. A viagem é uma surpresa, e a pequena mala do menino é arrumada sem que ele saiba disso.

O garoto imagina que estão lá para algum tipo de aula, mas nenhuma área de estudo é especificada. Depois do primeiro dia, ele conjectura se estão visitando apenas por causa da comida, encantado com o estalar delicioso de pães saídos do forno nas *boulangeries* e com a variedade imensa de queijos.

Há visitas a museus silenciosos em horários mais calmos, em que o garoto tenta — sem sucesso — caminhar tão silenciosamente por galerias quanto seu instrutor, estremecendo a cada vez que um passo ecoa. Embora ele peça um bloco de rascunho, o instrutor insiste que será melhor capturar as imagens na memória.

Certa noite, o garoto é mandado ao teatro.

Ele espera ver uma peça ou talvez um balé, mas a apresentação é muito incomum.

O homem no palco, um sujeito barbado com cabelo oleoso, cujas luvas brancas se movem como aves contra o terno preto, executa truques simples e prestidigitações. Pássaros desaparecem de gaiolas com fundos falsos, lenços deslizam para fora de bolsos e são novamente escondidos em punhos de mangas.

O garoto assiste com curiosidade tanto ao mágico como à sua plateia modesta. Os espectadores parecem impressionados pelos truques, sempre aplaudindo por educação.

Quando ele questiona o instrutor após o espetáculo, ouve que a questão só será discutida ao retornarem a Londres, no fim da semana.

Na noite seguinte, o garoto é levado a um teatro maior e novamente deixado sozinho para ver a apresentação. O tamanho da plateia o deixa nervoso — ele nunca esteve em um lugar com tantas pessoas.

O homem neste palco parece mais velho do que o mágico da noite anterior. Ele usa um terno mais elegante. Seus movimentos são mais precisos. Cada truque é não apenas incomum, mas também fascinante.

Os aplausos não são apenas por educação.

E esse mágico não esconde lenços dentro das mangas da camisa rendada. Os pássaros que aparecem de todo canto não estão presos em gaiolas. Ele executa façanhas que o garoto só vira em suas aulas. Manipulações e ilusões que ele foi enfaticamente informado, vez após vez, que devem ser mantidas em segredo.

O garoto também aplaude quando Prospero, o Mágico, faz a última mesura à plateia.

Novamente, o instrutor se recusa a responder a quaisquer perguntas até eles retornarem a Londres.

Quando estão de volta à casa na cidade, retomando uma rotina que agora parece nunca ter sido interrompida, o homem de terno cinza primeiro pede ao garoto para apontar as diferenças entre as duas apresentações.

— O primeiro homem estava usando dispositivos mecânicos e espelhos, fazendo a plateia olhar para lugares diferentes quando não queria que vissem algo, para criar uma impressão falsa. O segundo homem, que tem o nome do duque de *A tempestade*, fingia fazer coisas parecidas, mas não usou espelhos ou truques. Ele fazia as coisas do jeito que você faz.

— Muito bem.

— Você conhece aquele homem? — indaga o garoto.

— Conheço aquele homem há muito tempo — responde o instrutor.

— Ele ensina aquelas coisas também, como você me ensina?

O instrutor dá um aceno, mas não oferece mais detalhes.

— Como a plateia não vê a diferença? — pergunta o garoto. Para ele foi nítido, embora não soubesse articular com exatidão o porquê. Foi algo que sentiu no ar tanto quanto viu.

— As pessoas veem o que desejam ver. E, na maioria dos casos, veem o que lhes dizem que estão vendo.

Os dois não voltam a discutir a questão.

Embora haja outras viagens não exatamente de férias, por mais raras que sejam, o garoto não é levado para assistir a outros mágicos.

Prospero, o Mágico, usa um canivete para cortar a ponta dos dedos da filha, uma por vez, observando-a, sem dizer nada, enquanto a menina chora até se acalmar o suficiente para fechar os cortes, fazendo as gotas de sangue lentamente retornarem para o corpo.

A pele se funde e os sulcos curvos das digitais se reencontram, fechando-se com firmeza mais uma vez.

Celia baixa os ombros, liberando a tensão que os mantinha rígidos, o alívio palpável enquanto abraça a si mesma.

O pai só lhe dá alguns momentos de descanso antes de cortar de novo cada um dos dedos recém-curados.

O homem de terno cinza tira um lenço do bolso e o atira à mesa, onde ele cai com um baque oco que indica algo pesado escondido nas dobras da seda. Ele ergue o lenço quadradinho, deixando o conteúdo — um único anel dourado — rolar na mesa. A joia está levemente escurecida e gravada com alguma coisa que o garoto pensa serem palavras em latim, mas as letras são cheias de curvas e floreios, e ele não consegue distinguir as palavras.

O homem de terno cinza devolve o lenço ao bolso.

— Hoje vamos aprender sobre vinculação — anuncia ele.

Quando chegam ao momento da aula que inclui a demonstração prática, ele instrui o garoto a pôr o anel na própria mão. Ele jamais toca o garoto, independentemente das circunstâncias.

O garoto tenta, em vão, arrancar o anel do dedo à medida que ele se dissolve em sua pele.

— Vínculos são permanentes, meu garoto — afirma o homem de terno cinza.

— A que estou vinculado? — pergunta o garoto, franzindo o cenho para a cicatriz remanescente onde o anel estivera momentos antes.

— Uma obrigação que você já tinha, e uma pessoa que ainda não vai conhecer por um tempo. Os pormenores não são importantes no momento. Esse é um mero detalhe necessário.

O garoto só assente e não faz mais perguntas, mas, naquela noite, quando está sozinho de novo e não consegue dormir, passa horas encarando a mão sob o luar, perguntando-se quem poderia ser a pessoa a quem ele está conectado.

—•••—

A milhares de quilômetros dali, em um teatro lotado que retumba com aplausos para o homem no palco, escondida nas sombras projetadas entre partes de cenário inutilizadas nos bastidores, Celia Bowen se abraça em posição fetal e chora.

Le Bateleur

LONDRES, MAIO-JUNHO DE 1884

Pouco antes de o rapaz completar dezenove anos, o homem de terno cinza o tira da casa londrina sem aviso, acomodando-o em um apartamento de tamanho modesto com vista para o Museu Britânico.

A princípio, ele imagina ser um arranjo temporário. Nos últimos tempos, eles têm feito viagens de semanas ou até meses à França, à Alemanha e à Grécia, onde a maior parte do tempo é dedicada a estudos, e não a passeios. Mas essa não é uma daquelas viagens não-exatamente-de-férias passadas em hotéis luxuosos.

O apartamento é simples e mobiliado com simplicidade, tão parecido com seus aposentos anteriores que ele acha difícil sentir algo como saudade — exceto pela biblioteca, embora ele ainda possua um número impressionante de livros.

Há um guarda-roupa cheio de ternos pretos e elegantes, mas discretos. Camisas brancas passadas à perfeição. Uma fileira de chapéus-coco feitos sob medida.

Ele pergunta quando vai começar aquilo que o instrutor chama de *desafio*. O homem de terno cinza não revela, mas a mudança claramente marca o fim da sua educação formal.

No lugar das aulas, ele passa a estudar de maneira independente. Junta cadernos cheios de símbolos e glifos, revisando as velhas anotações e encontrando novos elementos para considerar. Sempre leva consigo volumes menores, transcrevendo-os em cadernos maiores quando os completa.

Ele inicia todo caderno da mesma maneira: com um desenho detalhado de uma árvore feito com tinta preta no lado interno da capa. Os ramos pretos se estendem para as páginas seguintes, conectando linhas que formam letras e símbolos, até que cada página esteja inteiramente coberta de tinta. Tudo isso — runas e palavras e glifos — está entrelaçado e enraizado na árvore inicial.

Ele tem uma floresta dessas árvores, cuidadosamente catalogadas em suas estantes.

Pratica as lições que aprendeu, embora seja difícil julgar a eficácia de suas ilusões sozinho. Passa um bom tempo contemplando reflexos em espelhos.

Com a agenda sem compromissos e livre das antigas restrições, ele faz longas caminhadas pela cidade. O volume de pessoas é angustiante, mas a alegria de poder sair do apartamento sempre que quer compensa o medo de acidentalmente trombar com os pedestres ao tentar atravessar as ruas.

Ele se senta em parques e cafés, onde observa pessoas que não prestam atenção nele conforme se perde nas multidões de jovens rapazes em ternos semelhantes e chapéus-coco.

Certa tarde, ele volta à sua antiga casa, pensando que não vai incomodar o instrutor se o visitar para algo tão simples quanto um chá, mas o prédio está abandonado e as janelas fechadas com tábuas.

Ao caminhar de volta ao apartamento, enfia uma mão no bolso e percebe que seu caderno sumiu.

Ele xinga em voz alta, atraindo o olhar feio de uma transeunte que desvia com brusquidão quando ele para de chofre na calçada movimentada.

Ele refaz os próprios passos, ficando mais ansioso a cada esquina.

Uma chuva leve começa a cair, pouco mais do que névoa, mas vários guarda-chuvas se abrem na multidão. Ele ajusta a aba do chapéu-coco para proteger melhor os olhos enquanto vasculha a calçada cada vez mais úmida em busca de qualquer sinal do caderno.

Por fim, para numa esquina sob o toldo de um café, observando os postes se acendendo e apagando por toda a rua e ponderando se deve esperar até a multidão se dissipar ou a chuva amainar. Então repara em uma garota parada a alguns passos dali, também abrigada sob o toldo, lendo atentamente as páginas de um caderno que ele tem quase certeza de ser o seu.

Talvez tenha dezoito anos, talvez seja um pouco mais nova. Seus olhos são claros e seus cabelos são de uma cor indeterminada que não se decide entre loiro e castanho. Ela usa um vestido que teria estado na moda dois anos antes, molhado de chuva.

Ele dá um passo em sua direção, mas ela não repara, compenetrada no caderno. Até tirou uma das luvas para virar as páginas delicadas com mais cuidado. Agora ele pode ver que é, de fato, o seu caderno, aberto na página em que há uma carta colada, sobre a qual há a imagem de criaturas aladas rastejando sobre uma roda com raios. A letra dele cobre a carta e o papel ao redor, incorporando-o no texto.

Ele observa a expressão da garota conforme vira as páginas com uma mistura de confusão e curiosidade.

— Acredito que a senhorita está com o meu caderno — anuncia ele após um momento. A garota pula de surpresa e quase o deixa cair, mas consegue apanhá-lo no último momento, embora no processo sua luva caia na calçada. Ele se curva para pegá-la e, quando se endireita e a estende para a garota, ela parece surpresa ao vê-lo sorrindo.

— Perdoe-me. — Ela se desculpa, aceitando a luva e empurrando com rapidez o caderno para o rapaz. — O senhor deixou cair no parque e eu ia tentar devolver, mas o perdi de vista na multidão e então... perdoe-me. — Ela se cala, encabulada.

— Não tem problema — replica ele, aliviado de tê-lo de novo em sua posse. — Eu estava com medo de tê-lo perdido de vez, o que teria sido um transtorno. Devo-lhe minha maior gratidão, senhorita...?

— Martin — responde a garota, e o nome soa como uma mentira. — Isobel Martin. — Segue-se um olhar inquiridor na expectativa do nome dele.

— Marco — diz ele. — Marco Alisdair. — O nome deixa um gosto estranho em sua língua, dado que as oportunidades de o pronunciar em voz alta são poucas e espaçadas. Ele escreveu tantas vezes essa variante do seu nome de registro, combinado com uma forma do pseudônimo do seu instrutor, que ele parece ser seu, mas acrescentar sons aos símbolos é um processo totalmente diferente.

A facilidade com que Isobel o aceita o faz parecer mais real.

— É um prazer conhecê-lo, sr. Alisdair — diz ela.

Ele deveria agradecer-lhe, pegar o caderno e ir embora — é a atitude sensata a se tomar. Mas não está particularmente inclinado a voltar ao apartamento vazio.

— Posso oferecer uma bebida como prova da minha gratidão, srta. Martin? — pergunta ele, depois de guardar o caderno no bolso.

Isobel hesita, provavelmente ciente de que não deveria aceitar convites de homens estranhos em esquinas escuras, mas, para a surpresa dele, ela assente.

— Seria um prazer, obrigada — responde ela.

— Muito bem — diz Marco. — Mas há cafés melhores do que este aqui. — Ele gesticula para a vitrine ao lado — A uma curta distância, se não se incomoda em andar sob a garoa. Infelizmente estou sem meu guarda-chuva.

— Não me incomodo — replica Isobel. Marco oferece-lhe o braço, que ela toma, e ambos seguem caminho na rua sob a chuva leve.

Andam só uma ou duas quadras e entram em um beco estreito. Marco sente-a tensionar na escuridão, mas ela relaxa quando ele para diante de uma porta bem iluminada, ao lado de uma janela de vitral. O rapaz segura a porta aberta para ela, e ambos entram num minúsculo café, que logo se tornou um dos preferidos dele nos últimos meses — um dos poucos lugares em Londres em que se sente de fato à vontade.

Velas tremeluzem em castiçais de vidro sobre cada superfície disponível, e as paredes foram pintadas de um vermelho escuro e vivo. Há poucos clientes espalhados no espaço aconchegante e muitas mesas vazias. Os dois se sentam em uma mesinha perto da janela. Marco acena para a mulher atrás do bar, que traz duas taças de bordeaux, deixando a garrafa na mesa ao lado de um vasinho que contém uma rosa amarela.

Enquanto a chuva tamborila com suavidade nas janelas, os dois conversam de modo educado sobre assuntos desimportantes. Marco oferece poucas informações sobre si, e Isobel retribui na mesma moeda.

Quando ele pergunta se ela está com fome, ela dá uma resposta vaga e cortês que trai o fato de que está faminta. Ele chama a atenção da mulher atrás do bar outra vez, que retorna minutos depois com uma bandeja de queijo com frutas e fatias de uma baguete.

— Como achou um lugar assim? — pergunta Isobel.

— Tentativa e erro — explica. — E muitas taças de vinho horríveis.

Isobel ri.

— Desculpe — diz ela. — Mas pelo menos funcionou no final. Esse lugar é maravilhoso. Como um oásis.

— Um oásis com excelente vinho — concorda Marco, inclinando a taça na direção dela.

— Me lembra da França — comenta a moça.

— Você é de lá?

— Não, mas morei lá por um tempo.

— Eu também — diz Marco. — Mas foi há muito tempo. E você tem razão, este lugar é muito francês; acho que é parte do encanto. Tantos lugares aqui não se dão ao trabalho de serem encantadores.

— Você é encantador — elogia Isobel, então imediatamente ruboriza, parecendo querer enfiar as palavras de volta na boca.

— Obrigado — responde o rapaz, sem saber como reagir.

— Desculpe-me — pede Isobel, claramente encabulada. — Eu não quis... — A frase vai se dissipando, mas, talvez encorajada por uma taça e meia de vinho, ela continua: — Há encantos no seu caderno. — E olha para ele, esperando uma reação, mas o rapaz não diz nada e ela desvia o olhar. — Encantamentos — esclarece, para preencher o silêncio. — Talismãs, símbolos... não sei o que significam, mas são encantamentos, não são?

A moça sorve um golinho do vinho, ansiosa, antes de ousar erguer os olhos para ele de novo.

Marco escolhe as palavras com cuidado, preocupado com a direção que a conversa está tomando.

— E o que uma jovem que já viveu na França sabe sobre encantamentos e talismãs? — pergunta ele.

— Só coisas sobre as quais li em livros. Não lembro o que todas elas significam. Só conheço os símbolos astrológicos e alguns dos alquímicos, e não particularmente bem. — Ela faz uma pausa, como se não conseguisse se decidir se quer se aprofundar no assunto ou não, mas então acrescenta: — *La Roue de Fortune*, A Roda da Fortuna. A carta no seu livro. Eu a conheço. Tenho um baralho também.

Embora mais cedo Marco tivesse decidido que ela não era nada além de uma jovem levemente intrigante e razoavelmente bonita, essa revelação é instigadora. Ele se inclina sobre a mesa, contemplando-a com um interesse consideravelmente maior do que o de meros momentos antes.

— Está dizendo que lê tarô, srta. Martin?

Isobel assente.

— Sim, ou pelo menos tento — responde ela. — Mas só para mim mesma, então suponho que não vale como leitura. É... é só um passatempo que começou anos atrás.

— Você está com seu baralho agora? — pergunta Marco. A moça assente de novo. — Eu gostaria muito de vê-lo, caso não se incomode — acrescenta ele, quando ela não faz menção de tirá-lo da bolsa. Isobel espia ao redor do café e os outros clientes. Marco faz um gesto tranquilizador. — Não se preocupe com eles. É preciso mais do que um baralho para assustar esta clientela. Mas se preferir não o pegar, entendo.

— Não, não, não me incomodo — replica Isobel, erguendo a bolsa e tirando com cuidado um baralho embrulhado em um pedaço de seda preta. Tira as cartas do seu invólucro e as põe sobre a mesa.

— Posso? — pergunta Marco enquanto estende a mão para elas.

— É claro — responde Isobel, surpresa.

— Alguns leitores não gostam que outras pessoas toquem em suas cartas — explica Marco, recordando detalhes das aulas de adivinhação conforme ergue o baralho com delicadeza. — E não quero tomar liberdades. — Ele vira a carta de cima, *Le Bateleur.* O Mago. Marco não consegue conter um sorriso antes de devolvê-la à pilha.

— Você lê? — pergunta Isobel.

— Ah, não — responde ele. — Conheço as cartas, mas elas não falam comigo, não de um jeito que me permita ler direito. — Ele ergue os olhos do baralho para Isobel, ainda sem saber o que pensar dela. — Mas elas falam com a senhorita, não é?

— Nunca pensei dessa forma, mas acho que sim — conclui a jovem. Continua sentada em silêncio, vendo-o passar as cartas. Ele as trata com o mesmo cuidado que ela dispensou ao caderno, segurando-as com delicadeza pelas bordas. Depois de ver o baralho inteiro, devolve-o à mesa.

— São muito antigas — observa ele. — Muito mais do que você, arrisco dizer. Posso perguntar como entraram em sua posse?

— Eu as encontrei em uma caixa de joias numa loja de antiguidades em Paris, anos atrás — conta Isobel. — A mulher nem quis me vendê-las, só me disse para levá-las e tirá-las da loja. Eram as cartas do diabo, ela me disse. *Cartes du Diable.*

— As pessoas têm crenças ingênuas sobre tais coisas — diz Marco, uma frase muitas vezes repetida pelo instrutor, tanto como censura quanto como alerta. — E preferem considerá-las malignas a tentar entendê-las. É lamentável, mas é a verdade.

— De que se trata seu caderno? — indaga Isobel. — Não quero me intrometer, só achei interessante. Espero que me perdoe por ter lido.

— Bem, estamos quites agora que me deixou examinar suas cartas — pontua ele. — Mas receio que o assunto seja muito complexo, não muito fácil de explicar... ou de acreditar.

— Estou aberta a acreditar em muitas coisas — revela a jovem. Marco não fala nada, só a observa tão atentamente quanto observou as cartas. Isobel retribui o olhar sem virar o rosto.

É tentador demais encontrar alguém que possa talvez começar a entender o mundo no qual ele viveu a maior parte da vida. Ele sabe que devia encerrar a conversa por ali, mas não consegue.

— Posso mostrar para você, se quiser. — O rapaz oferece após um momento.

— Eu gostaria disso — diz Isobel.

Eles terminam o vinho e Marco acerta a conta com a mulher atrás do balcão. Ele veste o chapéu-coco e toma o braço de Isobel quando deixam o calor do café, imergindo outra vez na chuva.

Marco para de súbito no meio da quadra seguinte, em frente ao portão de um vasto pátio. O lugar é recuado da rua, um abrigo formado por paralelepípedos e muros de pedra cinza.

— Pode ser aqui — sugere ele. Conduz Isobel na calçada até o espaço entre o muro e o portão, posicionando-a de modo que suas costas fiquem contra a pedra fria e úmida, e então se coloca à frente dela, tão próximo que ela consegue enxergar cada gota de chuva na aba do chapéu-coco.

— O *que* pode ser aqui? — pergunta a moça, com uma nota de apreensão na voz. A chuva ainda cai ao redor e não há para onde fugir. Marco apenas ergue uma mão enluvada para interrompê-la, concentrando-se na chuva e no muro atrás da cabeça dela.

Ele nunca teve alguém com quem tentar esse feito específico nem tem certeza de que será capaz de realizá-lo.

— Confia em mim, srta. Martin? — pergunta o jovem, observando-a com o mesmo olhar intenso que tinha no café, exceto que dessa vez os olhos dele estão a meros centímetros dos dela.

— Sim — responde ela, sem hesitação.

— Ótimo — diz Marco, e com um movimento ágil ergue a mão e cobre firmemente os olhos de Isobel.

Espantada, Isobel congela. Sua visão está completamente obscurecida; ela não consegue ver nada e sente apenas o couro úmido contra a pele. Estremece, sem saber se em razão do frio ou da chuva. Uma voz próxima ao seu ouvido sussurra palavras que ela tem de se esforçar para escutar e que não entende. No momento seguinte, não consegue mais ouvir a chuva, e o muro de pedra atrás de si parece áspero, embora momentos antes fosse liso. A escuridão, de algum modo, tornou-se mais clara, e então Marco abaixa a mão.

Piscando a fim de se adaptar à luz, Isobel primeiro vê Marco à frente, mas alguma coisa está diferente. Não há gotas de chuva na aba do seu chapéu. Não há qualquer gota de chuva; em vez disso, a luz do sol projeta um brilho suave ao redor dele. Mas não é isso que faz Isobel arquejar.

O que a faz perder o fôlego é o fato de estarem parados em uma floresta e as costas dela estarem pressionadas contra o tronco de uma árvore enorme e antiga. Os galhos estão nus e pretos, estendendo-se para a extensão do céu azul brilhante acima. O chão está coberto com uma leve camada de neve que cintila à luz do sol. É um dia de inverno perfeito e não há qualquer prédio à vista por quilômetros, só uma longa extensão de neve e bosque. Um pássaro pia em uma árvore próxima, e outro responde à distância.

Isobel está perplexa. É real. Ela consegue sentir o sol na pele e a casca da árvore sob os dedos. O frio da neve é palpável, mas ela percebe que seu vestido não está mais úmido da chuva. Até o ar que está inspirando para os pulmões é claramente o ar fresco do campo, sem qualquer sinal da neblina enfumaçada de Londres. Não pode ser real, mas é.

— Isso é impossível — afirma, voltando-se para Marco. Ele sorri, os olhos verdes luminosos e deslumbrantes sob o sol invernal.

— Nada é impossível — rebate ele. Isobel dá uma risada alta e extasiada como a de uma criança.

Um milhão de perguntas cruzam sua mente e ela não consegue articular nenhuma delas em palavras. E então a imagem clara de uma carta surge em sua mente: *Le Bateleur.*

— Você é um mágico — conclui.

— Acho que ninguém nunca me chamou assim antes — responde Marco. Isobel ri de novo, e continua rindo quando ele se inclina e a beija.

O casal de pássaros circula acima enquanto um vento suave sopra pelos galhos das árvores ao redor.

Aos transeuntes da rua londrina mergulhada em sombras, eles não parecem nada fora do normal — só jovens amantes se beijando na chuva.

Falsos pretextos

JULHO-NOVEMBRO DE 1884

Prospero, o Mágico, não dá nenhum motivo oficial para se aposentar dos palcos. Suas turnês têm sido tão esporádicas nos últimos anos que a falta de apresentações passa praticamente sem alarde.

Mas Hector Bowen ainda está em turnê, em certo sentido, ainda que Prospero, o Mágico, não esteja.

Ele viaja de uma cidade a outra, oferecendo a filha de dezesseis anos como médium espiritual.

— Odeio isso, papai — protesta Celia com frequência.

— Se consegue pensar num jeito melhor de passar o tempo antes que seu desafio comece, e não ouse dizer lendo, fique à vontade para fazer qualquer coisa, contanto que seja tão lucrativo quanto isso. Ademais, é um bom treino se apresentar na frente de uma plateia.

— Essas pessoas são insuportáveis — reclama Celia, embora não seja exatamente isso que ela quer dizer. As pessoas a deixam desconfortável, fitando-a com os olhos suplicantes e o rosto manchado de lágrimas. Eles a veem como uma coisa, uma ponte para os entes queridos a quem se agarram tão desesperadamente.

Falam sobre Celia como se ela nem estivesse na sala, como se fosse tão insubstancial quanto seus amados espíritos. Ela precisa se esforçar para não se encolher quando inevitavelmente a abraçam, agradecendo-lhe entre soluços.

— Essas pessoas não significam nada — pontua o pai. — Elas não conseguem nem começar a compreender o que acham que estão vendo e escutando, e para elas é mais fácil acreditar que estão recebendo comunicações milagrosas do além. Por que não tirar vantagem disso, em especial se estão tão dispostas a se separar do seu dinheiro em troca de algo tão simples?

Celia insiste que nenhuma quantia vale uma experiência tão excruciante, mas Hector não cede e, portanto, eles continuam a viajar, levitando mesas e produzindo batidas fantasmas em paredes cobertas por todo tipo de papel.

Ela continua perplexa ao ver como seus clientes anseiam por comunicação, por conforto. Em nenhum momento ela desejou contatar sua mãe falecida, e duvida que a mãe iria querer falar com ela, se pudesse, especialmente através de métodos tão complexos.

Isso é tudo mentira, ela quer lhes dizer. *Os mortos não estão pairando por perto à espera de bater educadamente em xicarazinhas e topos de mesa e sussurrar através de cortinas esvoaçantes.*

De vez em quando ela quebra objetos valiosos dos clientes e culpa os espíritos inquietos.

O pai escolhe nomes diferentes para ela à medida que vão de um lugar para outro, mas com frequência usa Miranda, aparentemente porque sabe como ela acha isso irritante.

Depois de vários meses, ela está exausta devido às viagens, ao estresse e ao fato de que o pai mal a deixa comer, alegando que parecer uma órfã de rua a torna mais convincente, mais próxima do lado de lá.

Só depois que ela de fato desmaia durante uma sessão, em vez de desfalecer perfeita e dramaticamente como tinham coreografado, ele lhe concede uma folga na casa em Nova York.

Dada tarde, durante o chá, entre olhares desaprovadores para a quantidade de geleia e creme que ela passa nas broas, ele menciona que vendeu os serviços dela no fim de semana para uma viúva chorosa do outro lado da cidade, que concordou em pagar o dobro da taxa normal.

— Eu disse que você podia descansar — diz o pai quando Celia recusa, sem erguer os olhos da pilha de jornais que ele espalhou na mesa. — Você tem três dias, deve ser o bastante. Sua aparência está boa. Você vai ser até mais bonita do que sua mãe.

— Estou surpresa que você se lembra da cara da minha mãe — retruca Celia.

— *Você* se lembra? — questiona ele, encarando-a e prosseguindo quando a garota só enruga o cenho em resposta: — Posso ter passado apenas algumas semanas na companhia dela, mas me lembro com mais clareza do que você, e você esteve com ela por cinco anos. O tempo é uma coisa peculiar. Um dia você vai aprender.

Retorna a atenção aos jornais.

— E quanto a esse desafio para o qual supostamente está me treinando? — pergunta a garota. — Ou é só mais um jeito de você ganhar dinheiro?

— Celia, minha querida — diz Hector. — Você tem grandes façanhas à sua frente, mas nós abdicamos o controle de quando elas vão começar. O nosso lado não fará a primeira jogada. Seremos notificados quando for a hora de colocá-la no tabuleiro, por assim dizer.

— Então por que importa o que faço no meio-tempo?

— Você precisa de treino.

Celia inclina a cabeça, encarando-o enquanto espalma as mãos na mesa. Todos os jornais se dobram, assumindo formas elaboradas: pirâmides, hélices e pássaros de papel com asas farfalhantes.

O pai ergue os olhos, irritado. Ele levanta um peso de papel, em vidro e pesado, e o derruba na mão dela, tão forte que quebra o punho da garota com um estalo alto.

Os papéis se desdobram e flutuam de volta para a mesa.

— Você precisa de treino — repete ele. — Ainda carece de controle.

Celia abandona a sala sem dizer nada, aninhando o punho e contendo lágrimas.

— E pelo amor de Deus, pare de *chorar*! — grita o pai atrás dela.

Ela leva quase uma hora para endireitar e reparar o osso.

—•••—

Isobel está sentada em uma poltrona raramente ocupada no canto do apartamento de Marco, com um arco-íris de laços de seda enrolados nos dedos tentando em vão transformá-los em uma única trança elaborada.

— Isso parece tão bobo — comenta ela, franzindo o cenho para o emaranhado de laços.

— É um encantamento simples — explica Marco da escrivaninha onde está sentado, cercado por livros abertos. — Um laço para cada elemento, amarrado com nós e intenções. São como suas cartas, só que influenciam o objeto em vez de apenas adivinhar o sentido. Mas não vai funcionar se você não acreditar neles, sabe disso.

— Talvez eu não esteja com o ânimo certo para acreditar — diz Isobel, soltando os nós e deixando os laços de lado para que caiam sobre o braço da poltrona. — Tentarei de novo amanhã.

— Então me ajude — pede o rapaz, erguendo os olhos dos livros. — Pense em alguma coisa. Um objeto. Um objeto importante sobre o qual não sei nada.

Isobel suspira, mas obedientemente fecha os olhos e se concentra.

— É um anel — fala Marco após um momento, extraindo a imagem da mente dela com tanta facilidade quanto se ela a tivesse desenhado. — Um anel de ouro com uma safira entre dois diamantes.

Os olhos de Isobel se abrem abruptamente.

— Como sabe disso? — pergunta a moça.

— É um anel de noivado? — replica ele com um sorrisinho.

Ela leva a mão à boca antes de assentir.

— Você o vendeu — continua Marco, apanhando fragmentos da lembrança conectados ao próprio anel. — Em Barcelona. Fugiu de um casamento arranjado, é por isso que está em Londres. Por que não me contou?

— Não é exatamente um assunto apropriado para uma conversa educada — diz Isobel. — E você não me contou quase nada sobre si mesmo, pode ter fugido de um casamento arranjado também.

Os dois se encaram por um momento, enquanto Marco tenta achar uma resposta adequada, mas então Isobel ri.

— Ele provavelmente passou mais tempo atrás do anel do que de mim — diz ela, olhando para a mão nua. — Era uma coisinha linda;

eu não queria me desfazer dele, mas não tinha dinheiro e mais nada para vender.

Marco começa a dizer que pode ver que ela ganhou uma boa quantia pelo anel, mas uma batida soa na porta do apartamento.

— É o proprietário? — sussurra a moça, mas Marco leva um dedo aos lábios e balança a cabeça.

Só uma pessoa bate naquela porta sem aviso.

O jovem faz um gesto para que Isobel entre no escritório antes de abrir a porta.

O homem de terno cinza não entra no apartamento. Ele nunca pisou lá dentro desde que organizou a mudança e empurrou seu aluno para o mundo.

— Você vai se candidatar a um trabalho para esse homem — avisa ele à guisa de cumprimento, pegando um cartão de visitas esmaecido do bolso. — Talvez vá precisar de um nome.

— Tenho um nome.

O homem de terno cinza não pergunta qual seria.

— A entrevista está marcada para amanhã à tarde — prossegue. — Resolvi uma série de questões para o monsieur Lefèvre nos últimos tempos e o recomendei a ele enfaticamente, mas você deve fazer o que for necessário para assegurar a posição.

— É o começo do desafio? — pergunta Marco.

— É uma manobra preliminar, para situá-lo em uma posição vantajosa.

— Então quando começa o desafio? — indaga o jovem, embora já tenha lhe direcionado a questão dezenas de vezes e jamais recebido uma resposta clara.

— Isso ficará claro quando chegar a hora — responde o homem de terno cinza. — Quando começar, será sábio focar sua atenção na competição em si... — os olhos dele se movem significativamente para a porta fechada do escritório — ... e abandonar quaisquer distrações.

Ele se vira e parte pelo corredor, deixando Marco na porta lendo e relendo o nome e o endereço no cartão esmaecido.

—•••—

Hector Bowen eventualmente cede à insistência da filha para que permaneçam em Nova York, mas o faz por seus próprios motivos.

Embora comente de vez em quando que Celia deveria estar praticando mais, na maior parte do tempo ele a ignora, passando seu tempo sozinho na sala de visitas do andar superior.

Celia fica perfeitamente contente com esse arranjo, e fica a maior parte do tempo lendo. Ela sai às escondidas e visita livrarias, surpreendendo-se quando o pai não pergunta de onde vieram as pilhas de volumes recém-encadernados.

E pratica, muito, quebrando diversos itens pela casa a fim de repará-los. Faz livros voarem por seu quarto como pássaros e calcula quão longe podem ir antes que ela deva ajustar a técnica.

Ela se torna muito hábil em manipular tecidos, modificando seus vestidos com tanta habilidade quanto um alfaiate experiente a fim de acomodar o peso que recuperou — seu corpo parece ser seu novamente.

Tem de lembrar ao pai que saia da sala para fazer as refeições, embora nos últimos tempos ele tenha se recusado cada vez mais e praticamente não deixe mais o cômodo.

Hoje, ele nem responde às batidas insistentes dela. Irritada, e ciente de que o pai enfeitiçou as fechaduras para que ela não possa entrar sem as chaves dele, Celia abre a porta com um chute e, para sua surpresa, ela se abre.

O pai está parado na frente de uma janela, observando com atenção o braço estendido à frente do corpo. A luz do sol entra pelo vidro fosco e recai na sua manga.

A mão dele esvanece completamente e então retorna. Ele estica os dedos, franzindo o cenho quando as articulações produzem um estalo alto.

— O que está fazendo, papai? — pergunta Celia, a curiosidade vencendo a irritação. Ela nunca o vira fazer aquilo antes, nem no palco nem em suas aulas privadas.

— Nada com que você deva se preocupar — responde o pai, puxando o punho rendado da camisa sobre a mão.

A porta se fecha na cara dela com um estrondo.

Treino de mira

LONDRES, DEZEMBRO DE 1884

O alvo equilibra-se precariamente na parede do escritório, entre estantes altas e pinturas a óleo com molduras ornamentadas. Está quase camuflado nas sombras, apesar do padrão chamativo, mas a adaga atinge o alvo toda vez que é lançada, muito próxima do centro obscurecido por um recorte de jornal preso por um alfinete.

O recorte é uma crítica teatral, um artigo cuidadosamente retirado do *Times* londrino. É uma crítica positiva; alguns poderiam até chamá-la de "efusiva". Entretanto foi colocada naquela posição de execução, e a adaga de cabo prateado está sendo arremessada contra ela. A adaga atravessa o papel e afunda na cortiça do alvo. É recuperada e removida, e o processo é repetido.

Ela é jogada com elegância, a partir do cabo, de modo que gire à perfeição várias vezes antes que a ponta da lâmina encontre o alvo, por Chandresh Christophe Lefèvre, cujo nome está impresso em letras nítidas na última linha do recorte de jornal anteriormente mencionado.

A frase que contém o nome dele é a que especificamente inflamou o monsieur Lefèvre a ponto de jogar adagas. É uma única frase, que diz o seguinte: "monsieur Chandresh Christophe Lefèvre continua a superar os limites do palco moderno, deslumbrando suas plateias com um espetáculo quase transcendente".

A maioria dos produtores teatrais ficaria lisonjeada com um comentário como esse. Recortariam o artigo para montar um álbum de críticas e citariam a frase em anúncios de seus espetáculos.

Mas não é o que faz este produtor teatral específico. Não, em vez disso o monsieur Chandresh Christophe Lefèvre se concentra naquela penúltima palavra. Quase. *Quase.*

A adaga voa outra vez pela sala, acima de móveis de veludo e madeira intricadamente entalhada, passando perigosamente perto de uma licoreira de cristal contendo conhaque. Ela faz cambalhotas velozes, o cabo se erguendo sobre a lâmina, e se vê de novo enterrada no alvo. Dessa vez, acerta o papel agora quase retalhado entre as palavras "plateias" e "espetáculo", obscurecendo por completo as palavras "com um".

Chandresh segue atrás da adaga, puxando de maneira cuidadosa a lâmina do alvo, mas com força considerável. Ele volta pela sala com a adaga em uma mão e uma taça de conhaque na outra, e gira-se depressa sobre os calcanhares, deixando a faca voar mais uma vez, mirando naquela palavra terrível. Quase.

Claramente, deve estar fazendo algo errado. Se as produções dele são apenas *quase* transcendentes, então a possibilidade de transcendência verdadeira existe em algum lugar próximo, à espera de ser atingida, e há algo adicional a ser feito.

Ele vem ponderando a esse respeito desde que a crítica foi deixada na sua mesa, cuidadosamente recortada e etiquetada por seu assistente. Cópias adicionais foram arquivadas em outros lugares para a posteridade e por motivos de segurança, uma vez que as cópias que param na mesa com frequência encontram um fim medonho à medida que Chandresh se aflige com cada palavra.

Chandresh adora reações. Reações genuínas, não meros aplausos educados. Muitas vezes, valoriza as reações mais do que o próprio espetáculo. Um espetáculo sem plateia não é nada, afinal. A resposta da plateia — é aí que reside o poder de uma apresentação.

Ele foi criado no teatro, assistindo ao balé nos camarotes. Era um garoto inquieto que logo se entediou com a familiaridade das danças e preferia observar, em vez disso, as plateias, ver quando as pessoas sorriam e arquejavam, quando as mulheres suspiravam e os homens começavam a adormecer.

Então talvez não seja terrivelmente surpreendente que agora, muitos anos depois, ele ainda esteja mais interessado na plateia do que na apresentação em si. Contudo, é claro, a apresentação deve ser espetacular para inspirar as melhores reações.

E, como ele não pode observar o rosto de cada membro da plateia em cada apresentação de cada espetáculo (espetáculos que vão de dramas sentimentais a dançarinas exóticas e alguns que criativamente combinam os dois), ele depende das críticas.

No entanto, faz tempo que uma crítica não o aborrece desse jeito. E certamente faz anos desde que alguma instigou o lançamento de adagas.

A adaga voa de novo, dessa vez perfurando a palavra “palco”.

Chandresh vai recuperá-la, bebericando o conhaque no caminho. Com curiosidade, ele contempla o artigo quase dizimado por um momento, examinando as palavras quase ilegíveis. Em seguida, grita por Marco.

ESCURIDÃO E ESTRELAS

Com o ingresso em mãos, você segue uma fila contínua de espectadores para dentro do circo, observando os movimentos rítmicos do relógio preto e branco conforme espera.

Além da bilheteria, o único caminho adiante é através de uma pesada cortina com listras. Uma a uma, as pessoas a cruzam e desaparecem de vista.

Ao chegar a sua vez, você puxa o tecido e dá um passo à frente, só para ser engolido pela escuridão quando a cortina se fecha de novo.

Leva alguns momentos até seus olhos se adaptarem, e então pontinhos de luz começam a surgir como estrelas, percorrendo as paredes escuras diante de si.

Embora momentos antes você estivesse tão perto dos outros visitantes que poderia tê-los tocado, agora está sozinho tateando o caminho através de um túnel labiríntico.

O túnel dá voltas e voltas, as luzinhas fornecendo a única iluminação. Você não tem como discernir quanto caminhou ou em qual direção está se movendo.

Por fim, aparece outra cortina. Um tecido macio como veludo se abre facilmente quando você o toca.

A luz do outro lado é ofuscante.

Verdade ou desafio

CONCORD, MASSACHUSETTS, SETEMBRO DE 1897

Eles estão sentados no carvalho sob o sol da tarde, os cinco. A irmã dele, Caroline, está no galho mais alto, porque ela sempre sobe mais do que todos. A melhor amiga dela, Millie, está empoleirada embaixo. Os irmãos Mackenzie, que jogam bolotas de carvalho nos esquilos, estão um pouco mais abaixo, mas não tanto que a altura seria considerada algo exceto alta. Ele fica sempre nos galhos mais baixos. Não por medo de altura, mas devido à posição no grupo — quando sequer lhe permitem integrar o grupo. Nesse sentido, ser o irmão mais novo de Caroline é tanto uma bênção como uma maldição. Bailey às vezes pode se juntar a eles, mas é sempre lembrado do seu lugar.

— Verdade ou desafio — diz Caroline dos galhos mais altos. Ela não recebe resposta, então joga uma bolota na cabeça do irmão. — Verdade. Ou desafio. Bailey — repete.

Bailey esfrega a cabeça por cima do chapéu. Talvez a bolota o faça optar pela escolha a seguir. "Verdade" é uma resposta resignada, uma rendição à versão abusiva do jogo de Caroline, em que bolotas são atiradas à sua cabeça. "Desafio" é ligeiramente mais provocador. Mesmo que ele esteja entrando na brincadeira, pelo menos não é covarde.

Parece a coisa certa a dizer, e ele se sente muito orgulhoso de si quando Caroline leva um momento para responder. A irmã está sentada a uns cinco metros acima dele, balançando a perna e observando o campo enquanto formula o desafio. Os irmãos Mackenzie continuam a azucrinar os esquilos. Então Caroline sorri e limpa a garganta para fazer a proclamação:

— O desafio de Bailey… — Ela começa, tornando-o explicitamente o desafio *dele* e de mais ninguém, e com isso deixando-o sem saída; ele começa a ficar nervoso antes que ela sequer revele no que consiste o desafio. Caroline faz uma pausa dramática antes de declarar: — O desafio de Bailey é invadir o Circo da Noite.

Millie arqueja. Os irmãos Mackenzie param de jogar bolotas e erguem os olhos para a garota, esquecendo-se imediatamente dos esquilos. Caroline abre um sorriso enorme ao fitar Bailey.

— E tem de trazer algo de lá como prova. — Ela acrescenta, sem conseguir esconder uma nota de triunfo na voz.

É um desafio impossível, e todos sabem disso.

Bailey observa o campo onde as tendas do circo estão acomodadas como montanhas no meio do vale. O local fica completamente imóvel durante o dia, sem luzes, nem música, nem plateias. Só um monte de tendas listradas, parecendo mais amarelas e cinzentas do que pretas e brancas sob o sol da tarde. Parece estranho, talvez um pouco misterioso, mas não extraordinário. Não no meio do dia. E nem tão assustador, pensa Bailey.

— Aceito — anuncia ele. Pula do galho baixo e parte pelo campo, sem esperar para ouvir as respostas, não querendo que Caroline retire o desafio. Tem certeza de que ela esperava sua recusa. Uma bolota passa voando ao lado da orelha dele, mas nada mais acontece.

E, por motivos que Bailey não consegue muito bem pôr em palavras, ele está caminhando na direção do circo com considerável determinação.

O circo está igual à primeira vez em que o viu, quando ainda não tinha completado seis anos.

Ele se materializou no mesmo lugar daquela vez, e agora parece nunca ter saído dali. Como se tivesse ficado invisível no período de cinco anos em que o campo permaneceu vazio.

Aos quase seis anos, não o deixaram visitar o circo. Os pais o consideraram novo demais, então ele só pôde encarar de longe, encantado, as tendas e as luzes.

Esperava que o circo permanecesse ali até ele atingir a idade apropriada, mas as tendas sumiram sem aviso após duas semanas, deixando o jovem Bailey arrasado.

Mas agora ele voltou.

Chegou poucos dias atrás e ainda é uma novidade. Se estivesse ali por mais tempo, Caroline provavelmente teria escolhido um desafio diferente, mas o circo é o grande assunto na cidade e Caroline gosta de manter seus desafios *en vogue*.

Na noite anterior, Bailey teve a primeira experiência real com o circo.

Ele nunca tinha visto nada parecido. As luzes, as fantasias — era tudo tão diferente. Como se ele tivesse escapado da vida cotidiana e caído por acidente em outro mundo.

Ele imaginava que seria como um espetáculo. Algo a que você se sentava numa cadeira e assistia.

Logo percebeu como estava errado.

O circo era algo a ser explorado.

Investigou-o o melhor possível, embora se sentisse terrivelmente despreparado. Não sabia quais tendas escolher entre dezenas de opções, cada uma com placas convidativas sugerindo os conteúdos. A cada curva que fazia pelos caminhos listrados e sinuosos, ia parar em mais tendas, mais placas, mais mistérios.

Encontrou uma tenda cheia de acrobatas e ficou entre eles enquanto giravam e rodopiavam, até que seu pescoço começou a doer de tanto olhar para cima. Vagou por uma tenda repleta de espelhos e encontrou centenas e milhares de Baileys retribuindo o olhar, cada um com um boné cinza igual ao seu.

Até a comida era incrível. Maçãs mergulhadas em caramelo tão escuro que pareciam quase pretas, mas continuavam leves, doces e crocantes. Morcegos de chocolate com asas impossivelmente delicadas. A sidra mais deliciosa que Bailey já experimentou.

Tudo era mágico — e parecia continuar para sempre. Nenhum dos caminhos tinha fim; apenas se curvavam e mesclavam em outros ou davam a volta até retornar ao pátio.

Ele não conseguiu descrever muito bem depois. Só conseguiu assentir quando a mãe perguntou se tinha se divertido.

Não ficou tanto quanto teria gostado. Bailey teria permanecido a noite toda se os pais assim o tivessem permitido; ainda havia muitas tendas a explorar. Mas ele foi levado para casa depois de poucas horas e consolado com promessas de que poderia voltar no fim de semana seguinte, embora ansiosamente se lembrasse de como o circo desaparecera depressa da outra vez. Ansiava por voltar quase no exato momento que saiu do circo.

Ele pondera se aceitou o desafio, em parte, para retornar mais cedo.

Bailey leva quase dez minutos para atravessar o campo e, quanto mais perto chega, mais altas e intimidadoras parecem as tendas e mais a sua convicção vacila.

Ele já está pensando em como inventar alguma coisa para usar de prova sem ter de entrar quando chega aos portões.

Eles têm facilmente o triplo da altura dele. As letras no topo que dizem LE CIRQUE DES RÊVES são quase indistinguíveis à luz diurna, cada uma talvez do tamanho de uma abóbora grande. As curvas de ferro ao redor das letras lembram vinhas de abóbora. Há uma fechadura, que parece complicada, mantendo os portões trancados, e uma pequena placa que diz:

Os portões se abrem ao cair da noite e se fecham ao amanhecer

em letras cheias de floreios, e sob elas, em letrinhas simples:

Intrusos serão exsanguinados

Bailey não sabe o que "exsanguinados" significa, mas acha que não parece nada bom. O circo parece estranho durante o dia, silencioso demais. Não há música nem barulhos, só o trinado de pássaros próximos e o farfalhar das folhas nas árvores. Nem parece haver alguém lá, como se o lugar inteiro estivesse deserto. O cheiro é o mesmo que tem à noite — caramelo e pipoca e fumaça da fogueira —, só que mais brando.

Bailey se vira para o campo. Os outros ainda estão na árvore, embora pareçam minúsculos àquela distância. Sem dúvida estão observando, então ele decide contornar a cerca até o outro lado. Não tem mais tanta certeza se quer fazer aquilo, mas, se e quando o fizer, não deseja ser observado.

A maior parte da cerca depois dos portões margeia as tendas, então não há lugar por onde entrar. Bailey continua andando.

Minutos depois de perder o carvalho de vista, ele encontra uma parte da grade que não está diretamente encostada numa tenda e margeia uma pequena passagem, como um beco entre elas, curvando-se pelo lado de uma tenda e desaparecendo ao redor de um canto. É um lugar tão bom quanto qualquer outro para sua tentativa de entrada.

Bailey percebe que, na verdade, ele quer mesmo entrar. Não só por causa do desafio, mas também porque está curioso. Terrível e incontrolavelmente curioso. E, além de se provar para Caroline e o grupo dela, subjazendo à curiosidade, aquela necessidade para retornar o chama.

As barras de ferro são grossas e lisas, e Bailey sabe, sem nem tentar, que não vai conseguir escalá-las. Além do fato de que não há bons apoios depois de alguns metros, o topo da cerca se curva para fora em floreios que parecem espetos. Não são muito intimidadores, mas definitivamente não são convidativos.

Mas parece que a cerca não foi construída com o propósito de evitar a entrada de garotos de dez anos, pois, embora as barras sejam sólidas, estão a cerca de trinta centímetros uma da outra. E Bailey, que é pequeno, consegue se espremer com relativa facilidade entre elas.

Ele hesita por um momento, mas sabe que vai odiar a si mesmo mais tarde se ao menos não tentar, não importa o que possa acontecer depois.

Pensou que a sensação seria diferente lá dentro, como era à noite, mas, ao se espremer através da cerca e parar na passagem entre as tendas, sente-se exatamente igual como do lado externo. Se a magia ainda existe durante o dia, ele não consegue senti-la.

E o circo parece completamente abandonado, sem qualquer sinal de trabalhadores ou artistas.

Está mais silencioso lá dentro; ele não consegue ouvir os pássaros. As folhas que farfalhavam a seus pés do lado de fora não o seguiram além da cerca, embora haja espaço suficiente para a brisa carregá-las entre as barras.

Bailey se pergunta para qual lado deve ir e o que poderia contar como prova para o desafio. Não vê nada que possa ser levado, só o chão e os lados lisos e listrados das tendas. Elas parecem bem velhas e desgastadas sob o sol, e ele conjectura há quanto tempo o circo está viajando e aonde vai quando parte. Pensava que o circo devia ter um trem, embora não tenha aparecido na estação mais próxima e, até onde ele sabe, ninguém jamais viu um trem desses chegar ou partir.

Bailey vira à direita no fim da passagem e se vê em uma fileira de tendas, cada qual com uma porta e uma placa anunciando seus conteúdos. FANTASIAS E FANTASMAGORIAS, diz uma; ENIGMAS ETÉREOS, diz outra. Bailey segura o fôlego ao passar por uma identificada como FERAS TEMÍVEIS & CRIATURAS ESTRANHAS, mas não ouve som algum sair ali de dentro. Não encontra nada que pode levar, uma vez que não quer roubar uma placa e os únicos outros objetos à vista são pedacinhos de papel e a ocasional pipoca esmagada.

O sol da tarde projeta longas sombras sobre as tendas, espalhando-se sobre a terra seca. Ela foi pintada ou coberta de pó branco em determinadas áreas e de preto em outras. Bailey consegue ver a terra marrom por baixo, pisoteada por muitos pés. Enquanto vira outro canto, se pergunta se repintam o chão toda noite e, como está olhando para baixo, quase se choca contra a garota.

Ela está no meio do caminho entre as tendas, parada ali como se o esperasse. Parece ter mais ou menos a mesma idade que ele e usa o que poderia ser chamado de fantasia, uma vez que com certeza não são roupas normais. Botas brancas com muitos botões, meia-calça branca e um vestido branco feito de retalhos de cada tecido imaginável, pedaços de renda, seda e algodão combinados, com um casaco branco e curto de estilo militar por cima e luvas brancas. Cada centímetro do pescoço para baixo está coberto de branco, o que torna o cabelo ruivo dela excepcionalmente chocante.

— Você não devia estar aqui — diz a garota ruiva em voz baixa. Ela não parece aborrecida nem surpresa. Bailey a encara em silêncio por instantes antes de conseguir responder.

— Eu… hã, eu sei — replica ele, o que parece a coisa mais idiota do mundo que ele podia falar, mas a garota se limita a continuar olhando-o. — Sinto muito? — acrescenta, o que soa ainda mais idiota.

— É melhor ir, antes que mais alguém o veja — sugere a garota, olhando por cima do ombro, mas Bailey não sabe o que ela está procurando. — Por onde entrou?

— Ali atrás, hã… — Bailey se vira, mas não consegue refazer os passos. O caminho se curva e ele não consegue enxergar nenhuma placa para explicar por quais passou. — Não tenho certeza — conclui.

— Tudo bem, venha comigo. — A garota pega a mão dele na sua mão enluvada e o puxa por uma das passagens. Ela não diz mais nada ao atravessarem as tendas, embora o faça parar em um canto e eles não se movam por quase um minuto. Quando ele abre a boca para perguntar o que estão esperando, ela apenas ergue um dedo aos lábios para silenciá-lo e continua andando depois de mais alguns segundos.

— Você consegue passar pela cerca? — pergunta a garota, e o menino assente. Ela faz uma curva brusca atrás de uma das tendas, por uma passagem que Bailey ainda não tinha visto, então lá estão novamente a cerca e o campo do lado de fora.

— Saia por aqui — orienta. — Você deve ficar bem.

Ela ajuda Bailey a se espremer pelas barras, que são um pouco mais estreitas nessa parte. Quando ele chega ao outro lado, vira-se para ela.

— Obrigado — agradece ele. Não consegue pensar em mais nada.

— De nada — responde a menina. — Mas você devia tomar mais cuidado. Não pode entrar aqui durante o dia, vai ser considerado um intruso.

— Eu sei, sinto muito — diz Bailey. — O que significa "exsanguinar"?

A garota sorri.

— Significa drenar todo o seu sangue — explica. — Mas eles não fazem isso de verdade. Eu acho.

Ela se vira e começa a voltar pela passagem.

— Espere — diz Bailey, embora não saiba por que pretende que ela espere. A garota retorna à cerca. Não se pronuncia, só aguarda para ouvir o que ele tem a dizer. — Eu... devia levar algo de volta — complementa, arrependendo-se de imediato. A garota franze o cenho, encarando-o através das barras.

— Levar algo de volta? — repete ela.

— É — confirma Bailey, encarando os próprios sapatos marrons arranhados e as botas brancas dela do outro lado da cerca. — Foi um desafio — explica, torcendo para que ela entendesse.

A garota sorri. Morde o lábio por um segundo e parece pensativa, então retira uma das luvas brancas e a entrega através das barras. Bailey hesita.

— Tudo bem, pode pegar — insiste a menina. — Tenho uma caixa cheia delas.

Bailey pega a luva branca e a coloca no bolso.

— Obrigado — agradece ele de novo.

— De nada, Bailey — responde e, quando ela se vira de novo, ele não fala mais nada e ela desaparece atrás do canto de uma tenda listrada.

O menino permanece parado por um longo momento antes de voltar pelo campo. Não há mais ninguém no carvalho quando chega, só um monte de bolotas no chão e o sol, que está começando a se pôr.

A meio caminho de casa, Bailey percebe que nunca revelou seu nome à garota.

Sócios e conspiradores

LONDRES, FEVEREIRO DE 1885

Os Jantares à Meia-Noite são uma tradição na *maison* Lefèvre. Originalmente foram concebidos por Chandresh como um capricho, causado por uma combinação de insônia crônica e das horas de funcionamento do teatro, junto a uma aversão inata à etiqueta adequada para jantares sociais. Existem locais onde é possível fazer uma refeição depois do expediente, mas nenhum deles combina bem com os gostos de Chandresh.

Então ele começou a promover jantares elaborados com diversos pratos, o primeiro deles servido à meia-noite. Sempre precisamente à meia-noite, no instante exato que o relógio de pêndulo no saguão começa a soar, os primeiros pratos são postos na mesa. Chandresh sente que isso cria uma sensação de cerimônia. Os primeiros Jantares à Meia-Noite foram reuniões pequenas e íntimas de amigos e colegas. Com o tempo, tornaram-se mais frequentes e extravagantes, por fim adquirindo uma fama de clandestinidade. Um convite a um Jantar à Meia-Noite é uma coisa cobiçada em certos círculos.

São seletos, esses jantares. Embora às vezes reúnam até trinta pessoas, muitas vezes chegam apenas a cinco. A média é de doze a quinze convidados. A comida é primorosa, independentemente do número de pessoas.

Chandresh nunca prepara menus para esses eventos. Alguns jantares parecidos — se é que há jantares que podem ser considerados parecidos — oferecem menus escritos à mão em papel espesso que descrevem cada prato em grandes minúcias, ou talvez só listem um título ou nome intrigante.

Mas os Jantares à Meia-Noite já são imbuídos de um ar de mistério noturno, e Chandresh descobriu que não fornecer um cardápio, nenhum mapa do roteiro culinário, intensifica a experiência. Prato após prato é trazido à mesa, alguns facilmente identificáveis como codorna ou lebre ou cordeiro, servidos em folhas de bananeira ou assados com maçãs ou acompanhados por cerejas marinadas em conhaque. Outros são mais enigmáticos, ocultos sob molhos doces ou sopas apimentadas; carnes desconhecidas escondidas dentro de massas ou debaixo de coberturas.

Se uma conviva pergunta sobre a natureza de um prato específico, questiona a origem de uma iguaria ou tempero, um sabor que não consegue identificar (pois mesmo aqueles com o paladar mais refinado nunca conseguem identificar todos os sabores), ela não vai receber uma resposta satisfatória.

Chandresh vai responder que "as receitas pertencem aos chefs e não gosto de negar a eles sua privacidade". A convidada curiosa vai se voltar novamente ao prato misterioso à sua frente, talvez comentando que, quaisquer que sejam os segredos, é muito impressionante, e continuando a se perguntar qual pode ser a origem do sabor peculiar ao degustar cada garfada com profunda concentração.

A conversa nesses jantares ocorre majoritariamente nos intervalos entre pratos.

Na verdade, Chandresh prefere não saber todos os ingredientes e não entender cada técnica. Ele alega que a ignorância dá vida a cada prato, tornando-o mais do que a soma de suas partes.

("Ah", comenta um convidado quando o assunto surge. "Você prefere não ver as engrenagens do relógio para dizer melhor as horas.")

As sobremesas são sempre deslumbrantes. Doces delirantes feitos com chocolate e caramelo, frutinhas explodindo com cremes e licores. Bolos com tantas camadas que alcançam alturas impossíveis e massas folhadas mais leves do que o ar. Figos pingando mel, açúcar confeitado na forma de flores e floreios. Com frequência, os convivas comentam que são bonitos ou impressionantes demais para comer, mas sempre dão um jeitinho no final.

Chandresh nunca revela a identidade dos chefs. Corre um boato de que ele raptou gênios culinários do mundo todo e os encarcerou em suas cozinhas, onde são forçados, por métodos questionáveis, a atender a todos os seus caprichos. Outro sugere que a comida não é preparada na propriedade, sendo, na verdade, trazida dos melhores restaurantes de Londres, que recebem hora extra para ficarem abertos até a madrugada. Esse boato com frequência inspira debates acerca dos métodos para manter quente a comida quente e fria a comida fria, que nunca chegam a quaisquer conclusões satisfatórias e tendem a deixar os debatedores famintos.

Independentemente de sua origem, a comida é sempre deliciosa. A decoração na sala de jantar (ou salas, dependendo do tamanho do evento) é tão extraordinária quanto a do restante da casa, em vermelhos e dourados suntuosos, com arte e artefatos de todo o mundo expostos em cada superfície disponível. Tudo é iluminado por lustres cintilantes e velas em profusão, de modo que a luz não é forte, mas profunda, quente e vivaz.

Muitas vezes há entretenimentos de algum tipo: dançarinos, mágicos, músicos exóticos. As reuniões mais íntimas são tipicamente acompanhadas pela pianista pessoal de Chandresh, uma linda jovem que toca a noite toda e não dirige sequer uma palavra a ninguém.

São jantares como quaisquer outros, embora a ambientação e o horário tardio os transformem em algo distinto, incomum e curioso. Chandresh tem um instinto inerente por coisas incomuns e curiosas — ele entende o poder da atmosfera.

Nesta noite em particular, o Jantar à Meia-Noite é relativamente íntimo, com apenas cinco convidados. E o evento não é apenas um encontro social.

A primeira a chegar (após a pianista, que já começou a tocar) é madame Ana Padva, uma *prima ballerina* romena aposentada que foi uma grande amiga da mãe de Chandresh. Ele a chamava de *tante*

— tia — Padva quando criança, e continua até hoje. É uma mulher majestosa, a graciosidade de dançarina ainda visível na idade avançada, assim como seu estilo impecável, que é a principal razão para ela ter sido convidada esta noite. É uma aficionada por estética, com um olhar aguçado para a moda que é tanto único como cobiçado, e que lhe garante uma renda considerável desde que se aposentou do balé.

A mulher faz mágica com as roupas, alegam os jornais. Verdadeiros milagres. Madame Padva recusa tais elogios, mas brinca que, com seda suficiente e um espartilho de força industrial, poderia transformar Chandresh na dama mais elegante da sociedade.

Esta noite, madame Padva está usando um vestido de seda preta, bordado à mão com padrões intricados de flores de cerejeira, algo como um quimono reencarnado na forma de vestido. Seu cabelo prateado está preso no topo da cabeça e fixo com uma gaiola preta incrustada de joias. Uma gargantilha de rubis carmesins perfeitamente lapidados circula o pescoço, transmitindo a impressão vaga de que sua garganta foi cortada. O efeito total é levemente mórbido e incrivelmente elegante.

O sr. Ethan W. Barris é um engenheiro e arquiteto de certo renome e o segundo convidado a chegar. Seu aspecto sugere que entrou acidentalmente na casa errada e estaria mais à vontade em um escritório ou banco, com seu jeito tímido, óculos prateados e o cabelo penteado de modo a disfarçar a calvície. Só falou com Chandresh uma vez, em um simpósio sobre arquitetura grega antiga. O convite para o jantar foi uma surpresa; o sr. Barris não é o tipo de homem que recebe convites para reuniões sociais incomuns tarde da noite — ou quaisquer reuniões sociais, a bem da verdade —, mas considerou que seria rude recusar. Além disso, há tempos deseja espiar a casa de Lefèvre, que é uma espécie de lenda entre seus colegas que trabalham com design de interiores.

Meros momentos após sua chegada, ele se vê com uma taça de espumante na mão, trocando cortesias com uma mulher que fora *prima ballerina*. Decide então que até gosta de reuniões sociais incomuns tarde da noite, e deveria se esforçar para comparecer a mais delas.

As irmãs Burgess chegam juntas. Tara e Lainie fazem um pouco de tudo. Às vezes são dançarinas, às vezes atrizes. Já foram bibliotecárias, mas esse é um assunto que só discutem quando estão seriamente embriagadas. Nos últimos tempos, fundaram algo como uma empresa de consultoria — sobre qualquer assunto. Oferecem conselhos quanto a temas que variam de relacionamentos e finanças a viagens e sapatos. O segredo (que elas também discutem se embriagadas o suficiente) é a habilidade deveras aperfeiçoada de observação. Elas veem cada detalhe, notam as mais ínfimas nuances. E se Tara deixa algo passar, Lainie compensa o lapso (e vice-versa).

Elas descobriram que gostam de resolver os problemas das pessoas via sugestões mais do que executar o trabalho por si mesmas. É mais satisfatório, dizem.

Elas são parecidas: ambas têm os mesmos cachos de cabelos castanhos e grandes olhos castanhos cintilantes que as fazem parecer mais jovens do que na realidade são, não que qualquer uma das duas admita a idade ou revele qual é a mais velha. Esta noite usam vestidos da moda que não combinam, exatamente, mas se coordenam belamente, complementando-se.

Madame Padva as cumprimenta com o desinteresse ensaiado que reserva para jovenzinhas bonitas, mas fica mais calorosa quando elas elogiam entusiasticamente seus cabelos, joias e vestido. O sr. Barris se vê encantado por ambas, embora talvez seja culpa do vinho. Ele tem uma dificuldade considerável em entender o sotaque escocês pesado das duas, se é que são escocesas. Ele não tem certeza.

O último convidado chega logo antes do jantar, quando o restante está se acomodando à mesa e o vinho está sendo servido. É um homem de idade indeterminada e com feições indistintas. Usa um fraque cinza imaculado e entrega sua cartola e bengala na porta, e um cartão com o nome "Sr. A. H—". Assente de modo educado para os outros convidados quando se senta, mas não diz nada.

A essa altura, Chandresh se junta a eles, seguido de perto por seu assistente, Marco, um jovem bonito com olhos verdes impactantes que rapidamente atrai a atenção das duas irmãs Burgess.

— Convidei todos vocês aqui por um motivo — começa Chandresh —, como tenho de certeza de que já entenderam. Entretanto, quero fazer uma proposta de negócios e acho melhor discuti-la de barriga cheia, então deixemos a conversa oficial para depois da sobremesa. — Ele faz um gesto vago para um dos garçons e, quando o relógio no saguão começa as batidas graves e pesadas que reverberam doze vezes pela casa, o primeiro prato é trazido.

A conversa flui de maneira tão agradável quanto o vinho ao longo dos pratos subsequentes. As damas falam mais do que os homens. Na verdade, o homem de terno cinza mal profere uma palavra sequer. E, embora alguns deles já se conheçam, quando os *plats principaux* são levados embora, um observador pensaria que são amigos de longa data.

Assim que a sobremesa é retirada, minutos antes das duas da manhã, Chandresh se levanta e pigarreia.

— Se puderem fazer a gentileza de me acompanhar ao escritório para um café e conhaque, podemos ir ao que interessa — convida ele. Acena para Marco, que desaparece de modo discreto e se junta a eles de novo no escritório no segundo andar, trazendo vários cadernos grandes e rolos de papel. As bebidas são servidas e os convidados se acomodam em vários sofás e poltronas ao redor da lareira crepitante. Depois de acender um cigarro, Chandresh começa o discurso, pontuando-o com baforadas propositadamente espaçadas.

— A companhia dos senhores foi requisitada esta noite porque estou começando um projeto... uma empreitada, por assim dizer. Acredito ser uma empreitada que vai interessar a todos, e que cada um dos senhores possa, do seu jeito único, ajudar no planejamento. A sua assistência, que é inteiramente voluntária, será tanto apreciada como bem recompensada — explica.

— Deixe de rodeios e nos diga de que se trata seu novo jogo, Chandresh, querido — pede madame Padva, girando o conhaque na taça. — Alguns de nós já não têm tanto tempo de vida. — Uma das irmãs Burgess abafa uma risadinha.

— É claro, *tante* Padva. — Chandresh faz uma mesura na direção da mulher. — Meu novo jogo, como a senhora tão adequadamente o chamou, é um circo.

— Um circo? — repete Lainie Burgess com um sorriso. — Que esplêndido!

— Tipo um festival? — pergunta o sr. Barris, parecendo levemente confuso.

— Mais do que um festival — diz Chandresh. — Mais do que um circo, na verdade; será diferente de qualquer circo que já existiu. Não terá um único pavilhão, e sim uma série de tendas, cada qual com uma exibição particular. Nada de elefantes ou palhaços; não, estou atrás de algo mais refinado. Nada comum. Vai ser diferente, uma experiência completamente única, um banquete para os sentidos. Uma experiência teatral sem um teatro, um entretenimento imersivo. Vamos destruir as suposições e noções preconcebidas do que é um circo e criar algo inteiramente diverso, algo novo. — Ele gesticula para Marco, que estende os rolos de papel na mesa, prendendo os cantos com vários pesos de papel e outros objetos curiosos (um crânio de macaco, uma borboleta preservada em âmbar).

Os planos são, em maioria, rascunhos cercados de notas. Eles mostram só fragmentos de ideias: um círculo de tendas e um pátio central. Listas de possíveis atrações ou atos estão rabiscadas dos lados, algumas riscadas ou circuladas. Videntes. Acrobatas. Ilusionistas. Contorcionistas. Dançarinos. Cuspidores de fogo.

As irmãs Burgess e o sr. Barris se debruçam sobre os desenhos, lendo cada observação conforme Chandresh continua a falar. Madame Padva sorri, mas permanece sentada, bebericando o conhaque. O sr. A. H— não se move, sua expressão inescrutável e imutável.

— A ideia ainda está nos estágios conceituais, e é por isso que convidei todos aqui e agora, para a criação e o desenvolvimento. O que falta é estilo, extravagância. Engenhosidade na organização e na estrutura. Precisamos tornar o projeto fascinante, talvez um pouco misterioso. Acredito que vocês são o grupo perfeito para isso. Se alguém discorda, está livre para se retirar. Só peço, de maneira respeitosa, que não fale sobre o projeto com ninguém. Prefiro que os planos continuem inteiramente confidenciais, pelo menos por ora. São informações muito delicadas, afinal. — Ele dá um longo trago no charuto, soprando a fumaça com lentidão antes de concluir. — Se fizermos as coisas do jeito certo, sem dúvida assumirá uma vida própria.

Um silêncio se instaura quando ele termina. Só o estalar do fogo preenche a sala por vários momentos conforme os convidados se entreolham, esperando que alguém responda.

— Posso pegar um lápis emprestado? — pergunta o sr. Barris. Marco lhe entrega um e o sr. Barris começa a desenhar, tomando o rascunho rudimentar da disposição do circo e o transformando em uma planta complexa.

Os convidados de Chandresh permanecem quase até o raiar do dia e, quando por fim partem, há três vezes mais diagramas, planos e notas do que havia quando chegaram, os papéis espalhados e colados nas paredes do escritório como mapas que levam a um tesouro desconhecido.

Condolências

NOVA YORK, MARÇO DE 1885

A matéria no jornal afirma que Hector Bowen, mais conhecido como Prospero, o Mágico, artista de grande renome, morreu de ataque cardíaco em sua casa no dia quinze de março.

O texto discorre longamente sobre seu trabalho e legado. A idade listada está errada, um detalhe que poucos leitores percebem. Um curto parágrafo ao fim do obituário menciona que ele deixa uma filha de dezessete anos, uma certa srta. Celia Bowen. Esse número é mais preciso. Também há um aviso de que o velório será particular e as condolências podem ser enviadas ao endereço de um dos teatros locais.

Os cartões e as cartas são coletados, depositados em sacolas e levados por mensageiros até a residência privada dos Bowen, uma casa já transbordante de arranjos florais sóbrios e apropriados à ocasião. O aroma de lírios é sufocante e, quando Celia não consegue mais tolerá-lo, transforma todas as flores em rosas.

Ela deixa as condolências empilhadas na mesa da sala de jantar até que começam a transbordar para a sala de estar. Não quer lidar com elas, mas não consegue se convencer a jogá-las fora sem as ler.

Já não podendo mais ignorar o problema, prepara um bule de chá e começa a enfrentar as montanhas de papel. Abre cada correspondência, uma por uma, e as classifica em pilhas.

Há carimbos postais de toda parte do mundo. Há epístolas longas e sinceras repletas de desespero genuíno. Há votos insinceros e elogios insignificantes acerca dos talentos do pai. Muitos comentam que os remetentes não sabiam que o grande Prospero tinha uma filha. Outros se lembram com carinho dela, descrevendo uma garotinha adorável que Celia não se recorda de jamais ter sido. Alguns incluem propostas de casamento perturbadoras.

Essas, especificamente, Celia transforma em bolinhas de papel, então põe as missivas amassadas na palma uma por vez e se concentra até que explodam, não sobrando nada na mão além de cinzas que ela sopra para o ar.

— Eu já sou *casada* — comenta ela para o ar, girando o anel na mão direita que cobre uma cicatriz antiga e distinta.

Entre as cartas e cartões, há um envelope cinza e simples.

Celia o puxa da pilha, rasgando-o com o abridor de cartas prateado, pronta para lançá-lo junto ao restante.

Mas este envelope, ao contrário dos demais, está endereçado ao pai dela, embora o carimbo traga uma data posterior ao dia da morte. O cartão no interior não expressa sentimentos nem condolências pela perda.

A carta não tem saudação nem assinatura. As palavras escritas à mão no papel dizem:

Sua vez

e nada mais.

Celia vira o cartão, mas o verso está em branco. Não há nem o selo da papelaria na superfície. Nenhum endereço do remetente no envelope.

Ela lê as duas palavras no papel cinza várias vezes.

Não consegue afirmar se a sensação subindo pela coluna é empolgação ou temor.

Abandonando as condolências remanescentes, Celia pega o cartão e deixa o cômodo, ascendendo uma escada sinuosa que leva à sala do segundo andar. Ela tira um chaveiro do bolso e, de maneira impaciente, destranca três fechaduras para acessar a sala, inundada pelo sol forte da tarde.

— O que é isso? — pergunta ela, estendendo o cartão quando entra.

A figura parada na janela se vira. Onde o sol o atinge, ele é praticamente invisível. Parte de um ombro parece estar faltando e o topo da cabeça desaparece em meio a uma nuvem de poeira flutuando ao sol. O resto é transparente, como um reflexo no espelho.

O que resta de Hector Bowen lê a carta e ri com prazer.

A tatuagem da contorcionista

LONDRES, SETEMBRO DE 1885

Aproximadamente uma vez por mês, há Jantares à Meia-Noite não muito regularmente programados que os convidados passam a chamar de Jantares do Circo. São um amálgama noturno de evento social e reunião de negócios.

Madame Padva sempre comparece, e uma ou ambas as irmãs Burgess são presença cativa. O sr. Barris se junta sempre que sua agenda permite, dado que viaja bastante e não tem horários tão flexíveis quanto gostaria.

O sr. A. H— raras vezes aparece. Tara comenta que as reuniões pós-jantar parecem mais produtivas quando ele está lá, embora só ofereça sugestões ocasionais quanto ao funcionamento do circo.

Nesta noite específica, apenas as damas estão presentes.

— Onde está nosso sr. Barris hoje? — pergunta madame Padva quando as irmãs Burgess chegam sozinhas, pois ele geralmente as acompanha.

— Na Alemanha — respondem Lainie e Tara em perfeito uníssono, fazendo Chandresh rir ao estender taças de vinho às duas.

— Está perseguindo um relojoeiro — continua Lainie, sozinha. — Mencionou algo sobre encomendar uma peça para o circo, e estava bem entusiasmado antes de partir.

O jantar desta noite não tem nenhum entretenimento programado, nem o acompanhamento padrão no piano, mas uma artista inesperada bate à porta mesmo assim.

Ela se apresenta como Tsukiko, embora não esclareça se é o nome ou o sobrenome.

É baixa, mas não miúda. O cabelo preto como a madrugada está habilmente trançado e preso ao redor da cabeça. Ela veste um casaco escuro e grande demais para o corpo, mas se porta de tal forma que ele parece pender como um manto, e o efeito é bastante elegante.

Marco a deixa no foyer, esperando de modo paciente sob a alta estátua dourada com cabeça de elefante, enquanto tenta explicar a situação para Chandresh, o que naturalmente leva todo o grupo do jantar ao saguão para ver do que se trata o alvoroço.

— O que a traz aqui a esta hora? — questiona Chandresh, perplexo. Já aconteceram coisas mais estranhas na *maison* Lefèvre do que artistas chegando sem aviso, e é verdade que a pianista às vezes manda um substituto quando está indisponível para o jantar.

— Sempre fui uma pessoa noturna. — É a única resposta de Tsukiko, e ela não entra em detalhes sobre as reviravoltas do destino que a trouxeram a este ponto dessa vez, mas o sorriso que acompanha a frase enigmática é caloroso e contagiante. As irmãs Burgess imploram a Chandresh que a deixe ficar.

— Estávamos prestes a nos sentar à mesa — conta Chandresh com o cenho franzido —, mas a senhorita é bem-vinda para se unir a nós na sala de jantar e... fazer o que quer que faça.

Tsukiko faz uma mesura e o sorriso reaparece.

Enquanto o restante do grupo entra em fila na sala de jantar, Marco toma o casaco dela, hesitando ao ver o que há por baixo.

Ela está usando um vestido tão curto que seria considerado escandaloso em qualquer outra companhia, mas este grupo não se escandaliza com facilidade. É mais uma faixa delicada de seda vermelha, mantida no lugar por um espartilho firmemente amarrado, do que um vestido de verdade.

E não é a relativa transparência da vestimenta que faz Marco encará-la, e sim a tatuagem serpenteante que lhe recobre a pele.

A princípio, é difícil distinguir o que é a chuva de marcas pretas que se curva ao redor do ombro e do pescoço, terminando logo acima do decote no seio e desaparecendo atrás dos laços do espartilho nas costas. É impossível afirmar até onde, além desse ponto, a tatuagem se estende.

Com um olhar mais atento, Marco discerne que os floreios da tatuagem são mais do que simples marcas pretas. Formam uma cascata de símbolos alquímicos e astrológicos, marcas antigas para planetas e elementos, todos inscritos em tinta preta sobre a pele clara dela. Mercúrio. Chumbo. Antimônio. Uma lua crescente se acomoda na nuca dela; um *ankh* egípcio se encontra perto de sua clavícula. Há outros símbolos também: runas nórdicas, ideogramas chineses. Há incontáveis tatuagens, mas elas se fundem e fluem para compor um único desenho gracioso que a adorna como uma joia rara e elegante.

Tsukiko percebe Marco a encarando e, embora ele não pergunte nada, ela diz em voz baixa:

— É parte de quem eu era, quem sou e quem serei.

Com isso, ela sorri e entra na sala de jantar, deixando Marco sozinho no saguão, no exato momento que o relógio começa a badalar a meia-noite e o primeiro prato é servido.

Ela tira os sapatos ao entrar pela porta e caminha descalça até a área perto do piano, mais bem iluminada pelos lustres e candelabros.

A princípio, apenas fica imóvel, calma e relaxada, enquanto os convivas a observam com curiosidade, até que fica claro qual tipo de entretenimento oferece.

Tsukiko é uma contorcionista.

Tradicionalmente, contorcionistas se dobram para a frente ou para trás, a depender da flexibilidade de suas respectivas colunas, e seus truques e apresentações se baseiam em tal distinção. Tsukiko, entretanto, é uma das raras contorcionistas cuja flexibilidade é igual nas duas direções.

Ela se movimenta com a elegância de uma bailarina profissional, um detalhe que madame Padva repara e menciona num sussurro para as irmãs Burgess antes mesmo que as façanhas de agilidade mais impressionante comecem.

— A senhora conseguia fazer coisas assim quando era dançarina? — pergunta Tara à medida que Tsukiko puxa uma perna sobre a cabeça a uma altura impossível.

— Eu teria tido um calendário social bem mais agitado se conseguisse — responde madame Padva, sacudindo a cabeça.

Tsukiko é uma artista consumada. Ela acrescenta toques perfeitos, mantém posições e faz pausas ideais. Embora torça o corpo em posições inimagináveis que aparentam ser dolorosas, seu sorriso encantador continua no lugar.

O público modesto esquece as conversas e o jantar enquanto observa.

Lainie comentará com a irmã mais tarde que tinha certeza de que havia música, embora não haja som exceto o farfalhar de seda contra pele e o crepitar da lareira.

— É disso que estive falando — exclama Chandresh, batendo na mesa com o punho e de súbito quebrando o silêncio hipnotizante. Tara quase derruba o garfo que segurava distraída, pegando-o antes que caia sobre o prato abandonado de ostras escaldadas em vermute, mas Tsukiko continua os movimentos graciosos sem se perturbar, embora o sorriso fique consideravelmente mais largo.

— Isso? — indaga madame Padva.

— Isso! — repete Chandresh, acenando para Tsukiko. — Esse é exatamente o sabor que o circo deveria ter. Incomum, mas belo. Provocativo, mas ainda elegante. A chegada dela esta noite foi o destino. Simplesmente precisamos dela; não aceitarei nada menos. Marco, providencie uma cadeira para a dama.

Um lugar é posto para Tsukiko; ela sorri confusa quando se junta a eles na mesa.

A conversa que se segue envolve mais coerção criativa do que ofertas de emprego diretas, e há desvios para assuntos diversos, como balé, moda contemporânea e mitologia japonesa.

Após cinco pratos e uma boa quantidade de vinho, Tsukiko permite-se ser persuadida a aceitar um convite para se apresentar num circo que ainda não existe.

— Muito bem — diz Chandresh. — Já temos o necessário em termos de contorcionistas. É um bom começo.

— Não deveria haver mais de uma? — pergunta Lainie. — Uma tenda inteira, como a dos acrobatas?

— De modo algum — responde Chandresh. — Melhor ter um único diamante perfeito do que um saco de pedras lascadas. Podemos exibi-la em uma plataforma no pátio ou algo assim.

A questão é considerada como resolvida por ora, e ao longo da sobremesa e das bebidas pós-jantar, o único assunto discutido é o próprio circo.

Ao partir, Tsukiko deixa um cartão com Marco contendo suas informações de contato, e logo se torna presença constante nos Jantares do Circo, muitas vezes se apresentando antes ou depois da refeição para não distrair os convidados ao comerem.

Ela continua como a base de comparação favorita e frequentemente mencionada por Chandresh sobre o que um circo deveria ser.

Horologia

MUNIQUE, 1885

Herr Friedrick Thiessen recebe um visitante inesperado em sua oficina de Munique, um inglês que se apresenta como sr. Ethan Barris. O sr. Barris admite que vem tentando rastreá-lo já há certo tempo, após admirar vários relógios cuco produzidos por Thiessen, e encontrou o endereço correto graças às orientações de um lojista local.

O sr. Barris pergunta se *Herr* Thiessen estaria interessado em produzir uma peça sob encomenda. *Herr* Thiessen recebe um fluxo constante de pedidos customizados e informa o sr. Barris desse fato, apontando para uma estante repleta de variações do tradicional relógio cuco que vão do simples ao ornamentado.

— Não sei se me entendeu, *Herr* Thiessen — diz o sr. Barris. — Essa peça seria para exibição, uma curiosidade. Seus relógios são impressionantes, mas o que estou pedindo seria algo verdadeiramente excepcional, *das Meisterwerk*. E o dinheiro não é um empecilho.

Intrigado, *Herr* Thiessen pede detalhes e especificações. Ele recebe bem poucos. Há determinados limites quanto ao tamanho (que ainda é considerável), e a peça deve ser pintada apenas de preto, branco e tons de cinza. Fora isso, a construção e a decoração ficam a seu critério. Licença poética, alega o sr. Barris. "Onírico" é a única palavra descritiva que menciona.

Herr Thiessen concorda e os homens chegam a um acordo com um aperto de mãos. O sr. Barris diz que entrará em contato e, dias depois, chega um envelope contendo uma quantia excessiva de dinheiro, uma data para a conclusão do trabalho, marcada para dali a alguns meses, e um endereço em Londres para onde o relógio concluído deve ser enviado.

Herr Thiessen precisa da maior parte desses meses para completar o relógio. Ele não trabalha em praticamente mais nada, embora a soma de dinheiro envolvida torne esse arranjo mais do que administrável. Passa semanas focado no projeto e na mecânica. Contrata um assistente para completar parte da carpintaria básica, mas cuida de todos os detalhes pessoalmente. *Herr* Thiessen ama detalhes e ama um desafio. Ele cria o design inteiro com base naquela palavra específica que o sr. Barris usou: *onírico*.

O resultado é resplendente. À primeira vista é apenas um relógio, um relógio preto e grande com um mostrador branco e um pêndulo de prata. Bem esculpido, obviamente, com entalhes em madeira intricados nas bordas e um mostrador perfeitamente pintado, mas ainda assim só um relógio.

Mas isso é antes que lhe deem corda. Antes que comece a tiquetaquear, antes que o pêndulo comece a oscilar firme e regularmente. Então... Então ele se torna algo completamente diferente.

As alterações ocorrem devagar. Primeiro, as cores do mostrador mudam, passando de branco para cinza e, na sequência, nuvens flutuam através dele, desaparecendo quando alcançam o lado oposto.

No meio-tempo, pedacinhos do corpo do relógio se expandem e contraem, como peças de um quebra-cabeça. Como se o relógio estivesse desmantelando-se, lenta e graciosamente.

Tudo isso leva horas.

O mostrador passa a assumir um tom cinza mais escuro, e por fim preto, e estrelas cintilantes surgem onde os números estavam antes. O corpo do relógio, que estava metodicamente virando-se do avesso e expandindo, agora é composto em sua integralidade de tons sutis de branco e cinza. E não são meras partes, são figuras e objetos, flores e planetas e livrinhos com páginas reais que se viram, tudo perfeitamente entalhado. Há um dragão prateado que se enrosca ao redor de parte das engrenagens agora visíveis, uma princesa diminuta em uma torre entalhada que caminha de um lado a outro, aflita, aguardando um príncipe ausente. Bules que servem chá em xícaras e minúsculos fios de vapor que sobem delas conforme os segundos ticam. Presentes embrulhados se abrem. Gatinhos perseguem cãezinhos. Uma partida inteira de xadrez é jogada.

No centro, onde um cuco moraria em um relógio mais tradicional, está o malabarista. Vestido como um arlequim, com uma máscara cinza, ele joga bolas prateadas e brilhantes que correspondem a cada hora. A cada badalar do relógio, mais uma bola se junta ao restante, até que, à meia-noite, ele equilibra doze bolas em um padrão complexo.

Após a meia-noite, o relógio recomeça a se dobrar sobre si mesmo. O mostrador fica claro e as nuvens retornam. O número de bolas jogadas diminui até que o próprio malabarista desaparece.

Ao meio-dia, ele se torna novamente um relógio, e não é mais um sonho.

Semanas após enviá-lo, *Herr* Thiessen recebe uma carta do sr. Barris, oferecendo seus agradecimentos sinceros e maravilhando-se com a engenhosidade da invenção. "É perfeito", ele escreve. A carta é acompanhada por outra quantia exorbitante, o suficiente para *Herr* Thiessen se aposentar em conforto, caso deseje. Mas ele não deseja, e continua produzindo relógios em sua oficina de Munique.

Ele não pensa mais a respeito da invenção, exceto por questionamentos fugazes sobre como estaria o relógio e onde poderia estar (embora presuma, erroneamente, que permanece em Londres), em especial quando está trabalhando em uma peça que o lembra do relógio *Wunschtraum* — que era como *Herr* Thiessen se referia a ele durante os momentos mais difíceis da construção, sem saber se era um sonho capaz de ser realizado.

Ele não tem mais notícias do sr. Barris depois daquela carta.

Audiência

LONDRES, ABRIL DE 1886

Há uma aglomeração sem precedentes de ilusionistas no saguão do teatro. Uma coleção de ternos imaculados e lenços de seda estrategicamente posicionados. Alguns trazem baús e capas, outros portam gaiolas de pássaros ou bengalas com castões de prata. Eles não falam uns com os outros enquanto aguardam ser chamados, um por vez, não por nome (real ou artístico), mas por um número escrito em um papelzinho que receberam ao chegar. Em vez de jogar conversa fora, fofocar ou compartilhar truques do ofício, eles se remexem nos assentos e lançam olhares nada discretos para a garota.

Quando chegaram, alguns erroneamente a consideraram uma assistente, mas ela está sentada em uma das cadeiras com seu próprio papel numerado (23).

A garota não tem baú, capa, gaiola ou bengala. Usa um vestido verde-escuro com uma jaqueta preta de mangas bufantes abotoada por cima dele. Uma pilha de cachos castanhos está presa cuidadosamente sob um chapeuzinho preto que tem uma pena e nenhuma outra distinção. Seu rosto passa uma impressão juvenil, no comprimento dos cílios e no leve beicinho, embora ela seja claramente velha demais para ser chamada de menina. Mas é difícil discernir sua idade e ninguém ousa lhe perguntar. Apesar disso, os outros pensam nela como "a menina", e se referem a ela desse modo quando discutem o caso posteriormente. Ela não parece notar a presença de ninguém, apesar dos olhares óbvios em sua direção e de alguns a fitarem por longos momentos.

Um a um, o número de cada ilusionista é chamado por um homem com uma lista e um bloquinho que os conduz através de uma porta dourada adjacente ao saguão e, um a um, cada um deles retorna ao saguão e deixa o teatro. Alguns permanecem só poucos minutos, enquanto outros ficam no teatro por um longo tempo. Aqueles com números mais altos se remexem com impaciência nos assentos ao esperarem o homem com o bloquinho reaparecer e educadamente chamar o número em seus respectivos papéis.

O último ilusionista a entrar pela porta dourada (um camarada rechonchudo usando cartola e uma capa chamativa) volta ao saguão em pouco tempo, visivelmente agitado, atravessa o teatro de maneira altiva e sai para a rua, deixando as portas baterem atrás de si. O som ainda ecoa no saguão quando o homem do bloquinho reaparece, assente vagamente para a sala e pigarreia.

— Número vinte e três — chama Marco, conferindo a lista.

Todos os olhos na sala se voltam à garota quando ela se levanta do lugar e o segue.

Marco a vê se aproximar, confuso a princípio — até que a confusão é substituída por algo inteiramente diferente.

Ele pôde ver do outro lado da sala que ela era bela, mas quando a garota está perto o suficiente para olhá-lo nos olhos, a beleza — o formato do rosto, o contraste do cabelo com a pele — evolui para algo a mais.

Ela é radiante. Por um momento, ao se encararem, Marco não consegue lembrar o que devia estar fazendo ou por que ela lhe estende um pedaço de papel com o número vinte e três escrito em sua própria letra.

— Por aqui, por favor. — Ele enfim consegue se manifestar ao pegar o número e segura a porta aberta. Ela dá um levíssimo aceno de agradecimento, e o saguão está em polvorosa antes que a porta se feche completamente atrás deles.

—···—

O teatro é enorme e ornamentado, com fileiras e mais fileiras de luxuosas poltronas de veludo vermelho. Plateia, mezanino e galeria se espalham a partir do palco vazio em uma cascata carmesim. Está vazio, exceto por duas pessoas sentadas a cerca de dez fileiras depois do palco. Chandresh Christophe Lefèvre tem os pés apoiados no assento à frente de si. Madame Ana Padva está sentada à direita dele, puxando um relógio da bolsa ao bocejar.

Marco emerge dos bastidores com a garota de vestido verde seguindo-o de perto. Com um gesto, indica que ela deve avançar até o centro do palco, e não consegue tirar os olhos dela conforme a anuncia ao teatro semivazio.

— Número vinte e três — diz ele, antes de descer um pequeno lance de escadas perto do proscênio e parar junto à primeira fileira, com a caneta pousada sobre o bloco aberto.

Madame Padva ergue os olhos e sorri, guardando o relógio de volta na bolsa.

— O que temos aqui? — pergunta Chandresh, sem dirigir a questão a ninguém em particular. A garota não responde.

— Esta é a número vinte e três — repete Marco, verificando suas anotações para conferir o número.

— Esta é uma audição para ilusionistas, minha cara — avisa Chandresh, a voz um pouco alta demais ecoando pelo espaço cavernoso. — Mágicos, prestidigitadores etc. Não precisamos de belas assistentes no momento.

— Sou uma ilusionista, senhor — replica a garota. Sua voz é calma e baixa. — Estou aqui para participar da audição.

— Entendo — rebate Chandresh, franzindo o cenho à medida que examina a garota dos pés à cabeça. Ela permanece perfeitamente imóvel no centro do palco, paciente, como se esperasse aquela reação.

— Há algum problema nisso? — pergunta madame Padva.

— Não sei se é inteiramente apropriado — comenta Chandresh, estudando a garota, pensativo.

— Depois de todo o seu discurso grandiloquente sobre a contorcionista?

Chandresh hesita, ainda fitando a garota no palco. Embora tão elegante quanto, ela não parece particularmente incomum.

— Essa é outra história. — É tudo que ele consegue verbalizar para explicar o raciocínio.

— Francamente, Chandresh — intervém madame Padva. — Deveríamos ao menos deixá-la exibir as habilidades antes de discutir se é apropriado ter uma ilusionista mulher.

— Mas ela tem muito mais mangas para esconder as coisas — protesta ele.

Em resposta, a garota desabotoa a jaqueta com as mangas bufantes e a joga sem cerimônia no chão do palco. Seu vestido verde não tem mangas nem alças, deixando ombros e braços inteiramente nus exceto por uma longa corrente prateada com o que parece ser um medalhão de prata ao redor do pescoço. Em seguida, ela retira as luvas e joga uma e depois a outra sobre a jaqueta também amarrotada. Madame Padva direciona um olhar significativo a Chandresh, recebendo um suspiro em resposta.

— Muito bem — anuncia Chandresh. — Vá em frente. — Ele faz um gesto vago para Marco.

— Sim, senhor — replica Marco, virando-se para a garota. — Temos algumas perguntas preliminares antes da demonstração prática. Seu nome, senhorita?

— Celia Bowen.

Marco registra no bloquinho.

— E seu nome artístico? — ele pergunta.

— Não tenho um nome artístico — responde. Marco anota isso também.

— Onde já se apresentou profissionalmente?

— Nunca me apresentei profissionalmente.

Com isso, Chandresh faz menção de interromper a audição, mas madame Padva o impede.

— Então com quem você estudou? — pergunta Marco.

— Com meu pai, Hector Bowen — responde Celia. Ela faz uma pequena pausa antes de acrescentar: — Mas talvez ele seja mais conhecido como Prospero, o Mágico.

Marco deixa cair a caneta.

— Prospero, o Mágico? — Chandresh tira os pés da cadeira à sua frente e se debruça sobre ela, encarando Celia como se estivesse vendo uma pessoa completamente diferente. — Seu pai é Prospero, o Mágico?

— Era — corrige Celia. — Ele... nos deixou ano passado.

— Sinto muito por sua perda, querida — diz madame Padva. — Mas alguém pode me dizer quem é Prospero, o Mágico?

— Apenas o maior ilusionista da sua geração — responde Chandresh. — Eu o contratava sempre que conseguia pôr as mãos nele, anos atrás. Era absolutamente genial, hipnotizava todas as plateias. Nunca vi ninguém chegar aos pés dele.

— Ele teria ficado feliz em ouvir isso, senhor — comenta Celia, com um olhar de relance para as cortinas nas sombras ao lado do palco.

— Já falei isso pessoalmente, embora não o veja há séculos. Fiquei muito bêbado com Prospero num pub uns anos atrás e ele começou a discursar sobre ampliar os limites do que o teatro poderia ser e inventar algo extraordinário. Acho que teria adorado esta nossa empreitada. É uma pena. — Ele suspira com pesar, sacudindo a cabeça. — Bem, vá em frente, então — pede, reclinando-se no assento e contemplando Celia com interesse considerável.

Marco, novamente com a caneta em mãos, retorna à lista de perguntas.

— A s-senhorita é capaz de se apresentar sem um palco?

— Sim — diz Celia.

— Suas ilusões podem ser vistas de todos os ângulos?

Celia sorri.

— Está procurando alguém que consiga se apresentar no meio de uma plateia? — pergunta ela a Chandresh, que assente. — Entendo — continua Celia. Então, com tanta rapidez que mal parece se mover, ela pega a jaqueta no palco e a arremessa sobre os assentos, onde, em vez de cair, a peça dispara para o alto, dobrando-se sobre si mesma. Em um piscar de olhos, as dobras de seda se tornam asas pretas e reluzentes, grandes asas batendo no ar, e é impossível apontar o momento exato em que é inteiramente um corvo em vez de ser tecido.

O corvo sobrevoa os assentos de veludo vermelho e sobe à galeria, onde voa em círculos curiosos.

— Impressionante — elogia madame Padva.

— A não ser que ela o tivesse escondido naquelas mangas gigantes — murmura Chandresh. No palco, Celia se aproxima de Marco.

— Posso pegar isso emprestado por um momento? — pergunta ela, apontando para o seu bloco. Ele hesita antes de entregá-lo. — Obrigada — agradece, voltando ao centro do palco.

Celia mal olha para a lista de perguntas, elaborada em uma caligrafia caprichada, antes de jogar o bloquinho no ar, onde ele gira de ponta-cabeça até que o borrão de papel esvoaçante se torna uma pomba branca que bate as asas e voa em círculos ao redor do teatro. O corvo crocita para ela do seu poleiro na galeria.

— Há! — exclama Chandresh, tanto em reação à pomba como à expressão de Marco.

A pomba mergulha de novo até Celia, acomodando-se gentilmente em sua mão estendida. Ela lhe afaga as asas e então a solta de volta ao ar. A ave sobe poucos metros acima da cabeça de Celia antes que as asas se tornem papel novamente e o bloco caia depressa. A garota o pega com uma mão e o devolve a Marco, cujo rosto está agora alguns tons mais pálido.

— Obrigada — agradece Celia com um sorriso. Marco assente, distraído, sem encontrar os olhos dela, e rapidamente recua para o seu canto.

— Estupendo, simplesmente estupendo — exclama Chandresh. — Pode funcionar. Sem dúvidas pode funcionar. — Ele se ergue da poltrona e atravessa o corredor entre os assentos, parando o caminhar de modo pensativo em frente ao fosso da orquestra junto às luzes do palco.

— Temos que pensar sobre o traje dela — observa madame Padva para ele, do seu lugar. — Eu só tinha considerado ternos formais, mas suponho que um vestido pode funcionar também.

— De que tipo de traje vocês precisam? — pergunta Celia.

— Temos um esquema de cores fixo, querida — diz madame Padva. — Ou uma falta de cores, na verdade. Nada além de preto e branco. Mas colocá-la em um vestido completamente preto pode ficar um pouco fúnebre.

— Entendo — responde Celia.

Madame Padva se levanta e vai até onde Chandresh está andando de um lado a outro. A mulher lhe sussurra algo no ouvido e ele se vira para confabular, desviando os olhos da direção de Celia por um momento.

Ninguém a está observando, exceto Marco. Ela fica perfeitamente imóvel no palco, esperando com paciência, e então, muito devagar, o vestido começa a mudar.

Começando no decote e escorrendo como tinta, a seda verde se torna de um preto profundo como a madrugada.

Marco arqueja. Chandresh e madame Padva se viram em direção ao som bem a tempo de presenciar o preto, que se esgueira sobre o tecido, esmaecer-se para um branco brilhante como a neve na bainha da saia, até fazer desaparecer toda evidência de que o vestido já foi verde.

— Bem, isso torna meu trabalho muito mais fácil — comenta madame Padva, embora não consiga ocultar o brilho de prazer nos olhos. — Mas talvez o seu cabelo seja um tom claro demais.

Celia sacode a cabeça e os cachos castanhos adquirem um matiz mais escuro, quase negro, tão lustrosos e cor de ébano quanto as asas do seu corvo.

— Estupendo — exalta Chandresh, quase para si mesmo.

Celia apenas sorri.

Chandresh pula no palco, subindo o curto lance de escadas com apenas dois passos. Ele inspeciona o vestido de Celia sob todos os ângulos.

— Posso? — indaga ele antes de cuidadosamente tocar a saia. Celia assente. A seda é indubitavelmente preta e branca, a transição entre os dois é de um tom cinza suave, as fibras distintas visíveis na tessitura.

— O que aconteceu com o seu pai, se não se incomoda com a pergunta intrometida? — pergunta Chandresh, ainda examinando o vestido.

— Não me incomodo — replica Celia. — Um dos truques dele não deu tão certo quanto o planejado.

— É uma grande pena — pontua ele, recuando um passo. — Srta. Bowen, estaria interessada em uma oportunidade de trabalho um tanto peculiar?

Chandresh estala os dedos e Marco se aproxima com seu bloquinho, parando a alguns passos de Celia, seu olhar indo do vestido até o cabelo dela e então de volta, passando um tempo considerável no meio.

Antes que ela possa responder, um crocitar ecoa pelo teatro: o corvo ainda está empoleirado na galeria, observando a cena à sua frente com curiosidade.

— Só um momento — pede Celia. Ela ergue a mão e esboça um gesto delicado para o corvo. Em resposta, ele crocita de novo e abre as grandes asas, alçando voo e precipitando-se em direção ao palco, ganhando velocidade no ar. Mergulha na direção de Celia sem hesitar ou reduzir o embalo até chegar ao palco, aproximando-se a toda velocidade. Chandresh se sobressalta e pula para trás, quase derrubando Marco, quando o corvo colide com Celia em meio a uma chuva de penas.

Então ele some. Não resta uma única pena e Celia novamente está vestindo a jaqueta preta de mangas bufantes, já abotoada sobre o vestido branco e preto.

Na frente da plateia, madame Padva bate palmas.

Celia faz uma mesura, aproveitando a oportunidade para pegar as luvas do chão.

— Ela é perfeita — comenta Chandresh, puxando um charuto do bolso. — Absolutamente perfeita.

— Sim, senhor — concorda Marco atrás dele, o bloquinho em suas mãos tremendo de leve.

——•••——

Os ilusionistas aguardando no saguão resmungam quando recebem agradecimentos pelo seu tempo e são educadamente dispensados.

Estratagema

LONDRES, ABRIL DE 1886

— Ela é boa demais para ficar perdida na multidão — afirma Chandresh. — Simplesmente tem que ter uma tenda própria. Vamos colocar os assentos em um picadeiro ou algo assim, mantendo a plateia bem no meio da ação.

— Sim, senhor — replica Marco, girando o bloquinho nas mãos e correndo os dedos sobre as páginas que eram asas poucos minutos antes.

— Qual é o problema? — pergunta Chandresh. — Você está branco como um lençol. — Sua voz ecoa pelo teatro vazio enquanto conversam sozinhos no palco; madame Padva saiu rapidamente com a srta. Bowen, bombardeando-a com perguntas sobre vestidos e penteados.

— Estou bem, senhor — garante Marco.

— Sua cara está péssima — observa Chandresh, soltando uma baforada do charuto. — Vá para casa.

Marco olha para ele, surpreso.

— Senhor, há papelada para preencher — protesta.

— Preencha amanhã, temos muito tempo para esses detalhes. *Tante* Padva e eu levaremos a srta. Bowen para tomar chá em casa e podemos resolver as questões burocráticas mais tarde. Descanse um pouco, beba algo ou faça o que quer que costume fazer. — Chandresh faz um gesto vago para ele, a fumaça do charuto se erguendo em ondas.

— Se insiste, senhor.

— Insisto! E livre-se do restante dos sujeitos no saguão. Não temos por que ver um bando de ternos com capas quando já achamos algo muito mais interessante. E muito atraente também, eu diria, se as predileções da pessoa pendem nessa direção.

— De fato, senhor — concorda Marco, um rubor esgueirando-se sobre o rosto pálido. — Até amanhã, então. — Ele faz um aceno que é quase uma mesura antes de graciosamente girar nos calcanhares e sair em direção ao saguão.

— Não achei que você se assustava fácil, Marco — comenta Chandresh às suas costas, mas Marco não se vira.

Ele dispensa os ilusionistas no saguão com cortesia, explicando que a vaga foi preenchida e agradecendo-lhes pelo seu tempo. Nenhum deles repara que suas mãos tremem ou que ele aperta a caneta com tamanha força que os nós dos dedos se embranquecem. Também não reparam quando o objeto se parte em seu punho fechado, vazando tinta preta sobre o pulso dele.

Depois que os ilusionistas partiram, Marco reúne seus pertences, limpando a mão coberta de tinta no casaco preto. Ele veste o chapéu-coco antes de deixar o teatro.

A cada passo, fica mais evidentemente transtornado. As pessoas saem do seu caminho na calçada lotada.

Quando chega ao apartamento, larga a bolsa no chão e se reclina contra a porta com um suspiro pesado.

— O que aconteceu? — pergunta Isobel, sentada em uma cadeira próxima à lareira vazia. Ela esconde no bolso a mecha de cabelo que estava trançando, ciente de que terá de retrançar tudo porque sua concentração foi interrompida. É a parte com que tem mais dificuldades: o foco e a concentração.

Por ora, ela deixa a atividade de lado e observa Marco cruzando a sala até chegar às estantes que recobrem as paredes.

— Sei quem é a minha oponente — conta Marco, puxando montes de livros das prateleiras, espalhando-os de maneira aleatória sobre mesas e amontoando vários em pilhas desordenadas no chão. Os tomos que permanecem nas prateleiras desabam, e alguns volumes chegam a cair, mas Marco não parece reparar nisso.

— É aquela japonesa que deixou você tão curioso? — pergunta Isobel, observando o sistema de organização impecável de Marco sucumbir ao caos. O apartamento sempre foi mantido em perfeita ordem, e ela acha inquietante a reviravolta súbita.

— Não — diz Marco ao folhear páginas. — É a filha de Prospero.

Isobel ergue um vasinho de violeta que tombou no encalço dos livros caídos e o devolve à estante.

— Prospero? — pergunta ela. — O mágico que você viu em Paris?

Marco assente.

— Eu não sabia que ele tinha uma filha — Isobel comenta.

— Eu mesmo não estava ciente do fato — diz Marco, descartando um livro e apanhando outro. — Chandresh acabou de contratá-la para ser a ilusionista do circo.

— É mesmo? — pergunta Isobel. Marco não responde. — Então ela vai fazer o que você contou que Prospero fazia, magia real disfarçada de ilusões no palco. Ela fez isso na audição?

— Sim — responde Marco, sem erguer os olhos dos livros.

— Deve ser muito boa.

— Boa demais — concorda Marco, tirando outra prateleira inteira de volumes do lugar usual e levando-os à mesa, tornando a violeta uma vítima inocente outra vez. — Isso pode ser extremamente problemático — comenta, quase pensando consigo mesmo. Uma pilha de cadernos desliza da mesa para o chão em um esvoaçar de páginas e o som lembra as asas de um pássaro.

Isobel ergue a violeta outra vez, posicionando-a do outro lado da sala.

— Ela sabe quem você é? — pergunta.

— Acredito que não — responde o rapaz.

— Isso quer dizer que o circo é parte do desafio?

Marco para de folhear as páginas e olha para ela.

— Deve ser — responde antes de voltar a atenção ao livro. — É provavelmente por isso que fui ordenado a trabalhar para Chandresh, para que eu já estivesse envolvido. O circo é o palco.

— Isso é bom? — pergunta Isobel, mas Marco não responde, perdido outra vez na torrente de papéis e tinta.

Com uma mão, ele remexe no tecido da outra manga. Um borrifo de tinta preta mancha o punho branco.

— Ela mudou o tecido — murmura ele consigo mesmo. — Como ela mudou o tecido?

Isobel leva uma pilha de livros abandonados à mesa onde se encontra seu baralho de Marselha. Ela observa Marco, que está profundamente compenetrado em um volume específico. Em silêncio, espalha as cartas em uma longa fileira na mesa.

Mantendo os olhos em Marco, ela pega uma única carta. Vira-a sobre a superfície e baixa o olhar a fim de observar o que ela tem a dizer sobre a questão.

Um homem está parado entre duas mulheres, um querubim com arco e flecha pairando sobre a cabeça deles. *L'Amoureux.* Os Amantes.

— Ela é bonita? — indaga Isobel.

Marco não responde.

Ela puxa outra carta da fileira e a sobrepõe à primeira. *La Maison Dieu.* A Torre.

Franze o cenho para a imagem da torre desmoronando e da figura que cai. Devolve ambas as cartas ao baralho, formando uma pilha organizada novamente.

— Ela é mais forte do que você? — indaga a jovem.

Marco não responde outra vez, folheando as páginas de um caderno.

Por anos, Marco se sentiu razoavelmente bem-preparado. Treinar com Isobel foi uma vantagem, permitindo que melhorasse aspectos de suas ilusões ao ponto que, mesmo com a familiaridade da moça, ela não consegue discernir o que é real.

Todavia, confrontado com a oponente, seus sentimentos quanto ao desafio mudaram de súbito, substituídos por nervosismo e confusão.

Em parte, esperava que saberia o que fazer quando chegasse a hora.

E tinha cogitado que o momento poderia nunca chegar, que a promessa do jogo era algo para motivar os estudos e nada mais.

— Então a competição vai começar quando o circo abrir? — pergunta Isobel. Ele tinha quase esquecido que ela estava ali.

— Suponho que seja lógico — replica Marco. — Não entendo como devemos competir quando o circo vai viajar e tenho que ficar em Londres. Terei que fazer tudo remotamente.

— Eu poderia ir — sugere Isobel.

— O quê? — pergunta Marco, erguendo os olhos para ela.

— Você disse que o circo ainda precisa de uma vidente, não é? Posso ler minhas cartas. Nunca li para ninguém além de mim mesma, mas estou ficando melhor. Posso escrever cartas para você quando o circo estiver viajando. Isso me daria algum lugar para ficar, se você não deve me manter aqui enquanto está ocupado com o jogo.

— Não sei se é uma boa ideia — comenta Marco, embora não saiba articular por quê. Ele nunca considerou a possibilidade de envolver Isobel em sua vida fora dos limites do apartamento. Sempre a manteve separada de Chandresh e do circo, tanto para ter algo só seu como porque parecia apropriado, em particular considerando o conselho vago do seu instrutor sobre a questão.

— Por favor — insiste Isobel. — Assim posso te ajudar.

Marco hesita, olhando para os seus livros. Seus pensamentos continuam agitados pela imagem da garota do teatro.

— Vai ajudar que fique mais perto do circo — continua ela — e me dará algo para fazer durante o seu desafio. Quando for concluído, posso voltar para Londres.

— Nem sei como o desafio vai funcionar — diz Marco.

— Mas tem certeza de que não posso permanecer aqui durante o jogo? — pergunta ela.

Marco suspira. Eles já discutiram a questão — não em minúcias, mas o suficiente para determinar que, quando o jogo começasse, ela teria de partir.

— Já estou tão ocupado trabalhando para Chandresh, e vou ter que me focar na competição sem... distrações — diz ele, repetindo a palavra empregada por seu instrutor, uma ordem disfarçada de sugestão. Ele não tem certeza a respeito de qual opção o incomoda mais: envolver Isobel no jogo ou abandonar o único relacionamento que não lhe foi ditado na vida.

— Desse jeito eu não seria uma distração, estaria ajudando — insiste Isobel. — E, se você não deve receber ajuda, bem, só vou escrever cartas, qual é o problema nisso? Parece a solução perfeita para mim.

— Eu poderia marcar um encontro com Chandresh — sugere Marco.

— E poderia... poderia convencê-lo a me contratar, não é? — pergunta Isobel. — Caso ele precise ser convencido?

Marco assente, ainda não inteiramente seguro quanto à ideia, porém quase desesperado para ter algum tipo de estratégia. Uma tática para lidar com a oponente recém-revelada.

Ele repassa o nome sem parar na cabeça.

— Qual é o nome da filha de Prospero? — pergunta a jovem, como se pudesse ver o que ele está pensando.

— Bowen — responde. — O nome dela é Celia Bowen.

— É um nome bonito — comenta Isobel. — Aconteceu alguma coisa com a sua mão?

Marco olha para baixo, surpreso ao descobrir que estava segurando a mão direita na esquerda, inconscientemente esfregando o espaço vazio onde um anel foi queimado na sua pele.

— Não — diz ele, pegando um caderno para ocupar a mente. — Não é nada.

Isobel parece satisfeita com a resposta. Ela ergue do chão uma pilha de livros caídos e os empilha na mesa.

Marco fica aliviado por ela não ter a habilidade de extrair a lembrança do anel da sua mente.

FOGO E LUZ

Você entra em um pátio aberto e iluminado cercado por tendas listradas.

Caminhos sinuosos no perímetro levam para longe dele, transformando-se em mistérios invisíveis pontilhados com luzes cintilantes.

Há vendedores cruzando a multidão ao seu redor, oferecendo bebidas e comidas curiosas, criações com sabor de baunilha e mel, chocolate e canela.

Uma contorcionista trajando uma roupa preta e cintilante se retorce em uma plataforma próxima, arqueando o corpo em ângulos impossíveis.

Um malabarista joga esferas pretas e brancas e prateadas alto no ar, onde elas parecem pairar antes de cair novamente em suas mãos, conforme os atentos espectadores aplaudem.

Tudo está banhado em uma luz intensa.

A luz emana de uma vasta fogueira no centro do pátio.

Ao se aproximar, você pode ver que ela está apoiada em um grande caldeirão de ferro preto, equilibrado sobre uma série de pés com garras. Onde estaria a borda de um caldeirão, o ferro se separa em longas faixas de ferro curvado, como se tivesse sido derretido e esticado como caramelo. Os floreios de ferro continuam subindo até se curvar de volta sobre si mesmos, serpentando e trançando-se com outros floreios, passando uma impressão de jaula. As chamas são visíveis nos vãos entre eles e sobem um pouco além da estrutura. Ficam ocultas na base, então é impossível determinar o que está queimando: madeira, carvão ou alguma coisa totalmente diferente.

As chamas não são amarelas nem laranjas — dançam brancas como a neve.

Coisas ocultas

CONCORD, MASSACHUSETTS, OUTUBRO DE 1902

As discussões sobre o futuro de Bailey começam cedo e ocorrem com frequência, embora, a esta altura, muitas vezes recaiam em frases repetitivas e silêncios tensos.

Ele culpa Caroline pela situação, mesmo que o assunto tenha sido levantado por sua avó materna. Bailey gosta muito mais da avó do que da irmã, então deposita a culpa inteiramente nos ombros de Caroline. Se ela não tivesse cedido, ele não teria de brigar de maneira tão ferrenha.

Foi um dos pedidos da avó, disfarçado de sugestão e parecendo bastante inofensivo, que Caroline estudasse na Radcliffe College.

Caroline pareceu intrigada pela ideia ao longo do chá na tranquila saleta almofadada com papel de parede florido da avó na cidade de Cambridge.

Mas sua determinação sumiu assim que voltaram para Concord e o pai deles bateu o martelo.

— De jeito nenhum.

Caroline aceitou a decisão com nada além de um beicinho breve, decidindo que provavelmente seria muito trabalhoso mesmo, e ela não gostava muito da cidade, de qualquer maneira. Além disso, Millie tinha ficado noiva e havia um casamento para planejar, um assunto que Caroline achava muito mais interessante do que a própria educação.

E esse foi o fim.

Então veio a resposta de Cambridge, o decreto da avó de que isso era aceitável, mas que Bailey naturalmente estudaria em Harvard.

Isso não era um pedido disfarçado de nada — era pura exigência. Protestos com base em considerações financeiras foram esmagados antes de sequer serem verbalizados pela afirmação explícita de que ela arcaria com os custos.

As discussões começaram antes que a opinião de Bailey fosse requisitada.

— Eu gostaria de ir. — Ele se manifestou, quando houve uma pausa longa o bastante para encaixar as palavras.

— Você vai cuidar da fazenda. — Foi a resposta do pai.

O mais fácil seria deixar a questão de lado e retomar o assunto mais tarde, especialmente considerando que Bailey ainda não completara dezesseis anos e há um ínterim considerável antes de qualquer opção se concretizar.

Em vez disso, e ele não sabe bem por quê, Bailey mantém o assunto em pauta, mencionando-o sempre que possível. Aponta que sempre pode ir e voltar para a fazenda depois, que quatro anos não é um tempo terrivelmente longo.

Tais afirmações são respondidas primeiro com sermões, mas logo se tornam ordens gritadas e portas batidas. A mãe mantém-se fora das brigas o máximo possível, mas, quando pressionada, concorda com o marido, afirmando ao mesmo tempo, em voz baixa, que a decisão deveria ser de Bailey.

Bailey nem tem certeza se quer ir a Harvard. Ele não gosta mais da cidade do que Caroline, mas parece ser a opção que oferece mais mistérios — mais possibilidades.

Enquanto a fazenda só oferece ovelhas, maçãs e previsibilidade.

Ele já consegue imaginar a vida ali. Todos os dias. Todas as estações. Quando as maçãs vão cair, quando as ovelhas vão precisar ser tosquiadas e quando a geada vai cobrir tudo.

Sempre a mesma coisa, ano após ano.

Ele menciona a repetição infinita à mãe, esperando que se transforme em uma conversa mais razoável quanto à sua partida, mas ela só diz que acha reconfortante a natureza cíclica da fazenda e pergunta se ele terminou todas as obrigações.

Os convites para tomar chá em Cambridge agora são endereçados apenas a Bailey, deixando a irmã completamente de fora. Caroline resmunga algo sobre não ter tempo para essas coisas, de qualquer jeito, e Bailey vai sozinho, grato por poder aproveitar a viagem sem o falatório constante da irmã.

— Eu não me importo em particular se você vai ou não a Harvard — comenta a avó certa tarde, embora Bailey não tenha mencionado o assunto. Em geral, ele tenta evitá-lo, imaginando que sabe perfeitamente qual é a posição dela.

O rapaz acrescenta mais uma colher de açúcar ao chá e espera que ela se explique.

— Acredito que traria mais oportunidades a você — continua ela. — E é algo que eu gostaria que tivesse, mesmo que seus pais não estejam entusiasmados com ideia. Você sabe por que dei permissão à minha filha para se casar com o seu pai?

— Não — responde Bailey. É um tópico que nunca foi discutido em sua presença, embora Caroline uma vez tenha lhe dito em confidência que foi uma espécie de escândalo. Quase vinte anos depois, o pai ainda nunca pisa na casa da avó, e ela nunca vai a Concord.

— Porque ela teria fugido com ele mesmo assim — conclui ela. — Era o que ela queria. Não teria sido minha escolha para ela, mas um filho não deve ter as escolhas ditadas. Ouvi você ler livros em voz alta para os meus gatos. Quando tinha cinco anos, transformou uma bacia de lavar roupa em um navio pirata e lançou um ataque contra as hortênsias do meu jardim. Não tente me convencer de que escolheria a fazenda.

— Tenho responsabilidades — afirma Bailey, repetindo a palavra que começou a odiar.

A avó emite um ruído que pode ser uma risada ou uma tosse ou uma combinação dos dois.

— Siga seus sonhos, Bailey — aconselha ela. — Sejam eles Harvard ou qualquer outra coisa. Não importa o que o seu pai diga ou quão alto ele grite. Ele esquece que ele mesmo já foi o sonho de outra pessoa.

O garoto assente, e a avó se reclina na cadeira e reclama sobre os vizinhos por um tempo, sem mencionar o pai de Bailey ou os sonhos dele outra vez. Mas, antes de o neto partir, ela acrescenta:

— Não esqueça o que eu disse.

— Não vou esquecer — garante ele.

Ele não lhe diz que tem um único sonho e que ele é tão improvável quanto uma carreira como pirata de jardim.

Mas bravamente continua a debater com o pai.

— A minha opinião não importa? — pergunta ele uma noite, antes que a conversa evolua para portas batidas.

— Não, não importa — responde o pai.

— Talvez seja melhor deixar para lá, Bailey — sugere a mãe baixinho depois que o pai deixa a sala.

Bailey começa a passar muito tempo fora de casa.

A escola não ocupa tantas horas quanto ele gostaria. Por determinado tempo ele trabalha mais, nas fileiras mais longínquas dos pomares, escolhendo o ponto mais distante de onde quer que o pai esteja no momento.

Então passa a fazer longas caminhadas através de campos, bosques e cemitérios.

Perambula entre túmulos pertencentes a filósofos e poetas, autores cujos livros viu na biblioteca da avó. E há incontáveis outras lápides, com nomes gravados que ele não reconhece, e outras ainda tão desgastadas pelo tempo e pelo vento que estão ilegíveis, seus ocupantes há muito esquecidos.

Ele caminha sem qualquer destino específico em mente, mas o lugar onde termina com mais frequência é o mesmo carvalho em que costumava se sentar com Caroline e os amigos dela.

A subida é mais tranquila agora que Bailey é mais alto e alcança os galhos mais acima com facilidade. Eles oferecem sombra suficiente para passar uma impressão de isolamento, mas ainda há luz o bastante para ler quando ele traz livros consigo, o que logo se torna parte de sua rotina.

Ele lê histórias, mitologias e contos de fadas, perguntando-se por que parece que só garotas são arrancadas de suas vidas mundanas em fazendas por cavaleiros ou príncipes ou lobos. Parece-lhe injusto não ter a mesma oportunidade fantástica. E ele não se sente apto a resgatar ninguém.

Durante as horas passadas observando as ovelhas vagarem sem rumo pelos campos, ele até deseja que alguém aparecesse para levá-lo embora, mas desejos feitos a ovelhas não parecem funcionar melhor do que aqueles proferidos a estrelas.

Ele repete para si mesmo que não é uma vida ruim. Que não há nada errado em ser um fazendeiro.

Ainda assim, o descontentamento persiste. Até o chão sob seus pés parece insatisfatório às botas.

Então ele continua escapando para a árvore.

Para torná-la sua, até tira do esconderijo a velha caixa de madeira em que guarda suas posses mais valiosas, embaixo de uma tábua solta sob a cama, e a leva para uma reentrância no carvalho — uma abertura que não chega a ser um buraco, mas é segura o bastante para servir a esse propósito.

A caixa é pequena, com dobradiças e fechos de bronze enferrujados. Está embrulhada em um saco de aniagem que a protege bem, e fica acomodada firme o bastante para não ser desalojada até mesmo pelo mais diligente dos esquilos.

Seu conteúdo inclui uma ponta de flecha que ele encontrou em um campo quando tinha cinco anos. Uma pedra atravessada por um buraco que supostamente traz sorte. Uma pena preta. Uma pedra brilhante que a mãe afirmou ser algum tipo de quartzo. Uma moeda que foi sua primeira mesada e ele nunca gastou. A coleira de couro marrom que pertencia ao cão da família, que morreu quando Bailey tinha nove anos. Uma única luva branca que foi ficando cinza devido à combinação do tempo e do fato de ficar guardada em uma caixinha junto a pedras.

E várias folhas amareladas e dobradas escritas à mão.

Depois que o circo partiu, ele registrou cada detalhe de que conseguia se lembrar sobre ele para que não esvanecessem na memória. A pipoca coberta de chocolate. A tenda cheia de pessoas em arquibancadas circulares elevadas, fazendo truques com fogo branco e brilhante. O relógio mágico e cambiante situado do outro lado da bilheteria e que fazia muito mais do que informar as horas.

Embora tenha catalogado cada elemento do circo em uma letra trêmula, não conseguiu registrar seu encontro com a garota ruiva. Nunca contou a ninguém sobre ela. Procurou-a em suas visitas subsequentes ao circo durante o horário noturno de funcionamento, mas não conseguiu encontrá-la.

E aí o circo partiu, sumindo tão subitamente quanto apareceu, como um sonho fugaz.

E não voltou.

A única prova que ele tem agora de que a garota existiu e não foi somente fruto de sua imaginação é a luva.

Mas ele não abre mais a caixa, que permanece firmemente fechada na árvore.

Às vezes Bailey pensa que deveria jogá-la fora, mas não consegue.

Talvez a deixe na árvore e espere a casca crescer sobre ela, selando-a em seu interior.

É uma manhã de sábado cinzenta, e Bailey acordou mais cedo que o restante da família, o que não é raro. Ele cumpre suas obrigações o mais rápido possível, joga uma maçã na bolsa junto a um livro e se dirige rumo à árvore. Na metade do caminho, pensa que talvez deveria ter trazido o cachecol, mas o dia deve esquentar mais. Concentrando-se nesse fato reconfortante, ele escala os galhos mais baixos, aos quais ficou relegado tantos anos antes, subindo além dos ramos reivindicados pela irmã e pelos amigos dela. *Este é o galho de Millie*, pensa ao pisar ali. Sente uma pontada de satisfação quando vai além do galho de Caroline, mesmo após todo esse tempo. Cercado pelas folhas farfalhantes na brisa, Bailey se acomoda no posto favorito, apoiando as botas próximo à caixa de tesouros quase esquecida.

Quando enfim ergue os olhos do livro, Bailey fica tão chocado ao ver as tendas listradas de preto e branco no campo que quase cai da árvore.

PARTE II
ILUMINAÇÃO

Há muita coisa que brilha no circo, de chamas a lampiões e estrelas. Ouço a expressão "truques de luz" aplicada às visões em Le Cirque des Rêves com tanta frequência que às vezes suspeito que o circo todo é uma complexa ilusão de tantas luzes.

— FRIEDRICK THIESSEN, 1894

Noite de inauguração I: Início

LONDRES, 13 E 14 DE OUTUBRO DE 1886

O dia — ou melhor, a noite — de inauguração é espetacular. Cada mínimo detalhe foi planejado, e uma plateia enorme se reúne fora dos portões muito antes do pôr do sol. Quando as pessoas enfim recebem permissão para entrar, seus olhos estão arregalados e, conforme vão de uma tenda a outra, tais olhos só se arregalam mais.

Cada elemento do circo se mescla em uma conexão maravilhosa. Artistas que ensaiaram em diferentes países agora se apresentam em tendas adjacentes, e todas as partes se misturam de modo muito natural com as outras para formar um todo. Cada fantasia, cada gesto, cada placa em cada tenda é mais perfeito do que o anterior.

O próprio ar está ideal, fresco e límpido, permeado de aromas e sons que seduzem e encantam um visitante após o outro.

À meia-noite, a fogueira é acesa cerimonialmente, após passar a primeira parte da noite vazia, parecendo uma simples escultura de ferro forjado. Doze cuspidores de fogo entram em silêncio no pátio com pequenas plataformas que dispõem no perímetro como números em um relógio. Exatamente um minuto antes de bater a hora, cada um sobe em sua respectiva plataforma e puxa das costas um arco e flechas pretos cintilantes. Trinta segundos antes da meia-noite, eles acendem a ponta das flechas com pequenas chamas amarelas e dançantes. Aqueles na plateia que ainda não haviam os notado agora assistem, estupefatos. Dez segundos antes de bater a hora, eles erguem os arcos e miram as flechas em chamas para o caldeirão de ferro retorcido à espera. Quando o relógio começa a badalar perto dos portões, o primeiro arqueiro solta sua flecha, que sobrevoa a plateia e atinge o alvo com uma chuva de faíscas.

A fogueira se incendeia com uma erupção de chamas amarelas.

Quando vem a segunda badalada, o segundo arqueiro atira a flecha para as chamas amarelas, que se tornam azuis como o céu.

Uma terceira badalada, com uma terceira flecha, e as chamas assumem um tom rosa forte e cálido.

Chamas da cor de uma abóbora madura seguem a quarta flecha.

Na quinta, as chamas ficam escarlate.

A sexta aprofunda o tom para um carmesim reluzente.

Sete, e o fogo é mergulhado em uma cor de vinho incandescente.

Oito, e as chamas são de um tom violeta cintilante.

Nove, e o violeta se transforma em índigo.

Uma décima badalada, uma décima flecha, e a fogueira fica de um azul-escuro como o céu ao luar.

Na penúltima badalada, as chamas dançantes azuis ficam pretas e, naquele momento, é difícil diferenciar o fogo de seu caldeirão.

E, na badalada final, as chamas escuras são substituídas por um branco ofuscante, com uma chuva de faíscas que caem ao redor como flocos de neve. Grandes colunas de fumaça branca e densa sobem para o céu noturno.

A reação da plateia é estrondosa. Os espectadores que consideravam partir decidem ficar só mais um pouquinho e comentam, de maneira entusiasmada, sobre a cerimônia do fogo. Aqueles que não a presenciaram pessoalmente não acreditam nas histórias, tenham elas sido contadas minutos ou horas depois.

As pessoas vagam de uma tenda a outra, perambulando por caminhos que se encontram e nunca parecem acabar. Alguns entram em cada tenda por que passam, enquanto outros são mais seletivos, escolhendo as tendas após cuidadosa análise das placas. Alguns consideram uma tenda específica tão fascinante que não conseguem deixá-la, optando por ficar nela durante toda a visita. Os espectadores fazem sugestões uns aos outros ao se cruzarem nos caminhos, apontando as tendas impressionantes que já visitaram. Os conselhos são sempre acatados com prazer, embora seja comum que aqueles que os receberam se distraiam com outras tendas antes de localizar as recomendadas.

É difícil convencer os visitantes remanescentes a saírem conforme o amanhecer se aproxima, e eles só são consolados pela garantia de que podem retornar quando o sol se puser novamente.

De modo geral, a noite de inauguração é um sucesso estrondoso.

Há apenas um contratempo, uma ocorrência inesperada. Ela não é notada por nenhum dos visitantes, e muitos dos artistas só ficam sabendo do ocorrido após o fato.

Logo antes do pôr do sol, à medida que as preparações de última hora estão sendo cumpridas (fantasias ajustadas, caramelo derretido), a esposa do domador de felinos selvagens entra em trabalho de parto. Ela é, quando não está nesse estado delicado, a assistente do marido. A apresentação deles foi sutilmente modificada devido à sua ausência, mas até os felinos parecem agitados.

Ela está grávida de gêmeos, mas eles não eram esperados ainda por algumas semanas. Mais tarde, as pessoas brincariam que os bebês não queriam perder a noite de inauguração.

Um médico é levado ao circo antes que abra ao público e conduzido com discrição aos bastidores a fim de ajudar no parto (uma medida mais fácil do que transportá-la a um hospital).

Seis minutos antes da meia-noite, Winston Aidan Murray nasce.

Sete minutos depois da meia-noite, sua irmã, Penelope Aislin Murray, o segue.

Quando Chandresh Christophe Lefèvre recebe a notícia, fica levemente decepcionado com o fato de os gêmeos não serem idênticos. Ele já tinha pensado em vários papéis para gêmeos idênticos no circo para quando as crianças fossem velhas o bastante. Gêmeos fraternos, por outro lado, não têm a teatralidade que ele esperava, mas, mesmo assim, pede a Marco que entregue dois enormes buquês de rosas vermelhas.

São criaturinhas pequenas, com tufos surpreendentes de cabelos ruivos e brilhantes. Quase não choram, permanecendo despertos e alertas, com pares idênticos de olhos azuis arregalados. São envoltos em restos de retalhos de seda e cetim, brancos para ela e pretos para ele.

Um fluxo constante de artistas os visita entre as apresentações, revezando-se para segurar os bebês e inevitavelmente comentando sobre a esplêndida escolha de momento para nascer. Eles vão se adaptar perfeitamente, todos afirmam, exceto pelo cabelo. Alguém sugere chapéus antes que tenham idade para tingir os cabelos. Outra pessoa comenta que seria um crime mudar aquela cor, um vermelho vívido muito mais intenso do que o castanho da mãe.

— É uma cor auspiciosa — comenta Tsukiko, mas se recusa a explicar mais. Ela beija cada gêmeo na testa e mais tarde faz aves de dobradura para pendurar acima do berço.

Perto do alvorecer, quando o circo está se esvaziando, os gêmeos são levados para um passeio ao redor das tendas e no pátio. A ideia é supostamente fazer com que durmam, mas eles permanecem despertos, observando luzes, fantasias e listras das tendas ao redor, estranhamente alertas para bebês com poucas horas de vida.

Só quando o sol se ergue é que enfim fecham os olhos, lado a lado no berço de ferro forjado preto e forrado com cobertores listrados que já os aguarda, apesar da chegada antecipada. O móvel fora entregue como presente semanas antes, mas não foi acompanhado por nenhum cartão ou bilhete. Os Murray presumiram se tratar de um presente de Chandresh, mas, quando o agradeceram, ele alegou não fazer ideia do que estavam falando.

Os gêmeos gostam muito do berço, independentemente de suas origens duvidosas.

Ninguém lembra com exatidão quem foi que começou a chamá-los de Poppet e Widget. Como aconteceu com o berço, ninguém leva o crédito.

Mas os apelidos pegam, como os apelidos tendem a fazer.

Noite de inauguração II: Faíscas

LONDRES, 13 E 14 DE OUTUBRO DE 1886

Marco passa as primeiras horas da noite de inauguração lançando olhares furtivos para seu relógio, esperando impacientemente que os ponteiros indiquem a meia-noite.

A chegada antecipada e inesperada dos gêmeos Murray já complicou o seu cronograma, mas, se a cerimônia da fogueira prosseguir conforme planejado, deve ser suficiente.

É a melhor solução que conseguiu engendrar, sabendo que em algumas semanas o circo estará a centenas de quilômetros dali, deixando-o sozinho em Londres.

E, por mais que Isobel possa se provar útil, ele precisa de um vínculo mais forte.

Desde que descobriu o palco do desafio, vem lentamente assumindo mais responsabilidades no circo. Fazia tudo o que Chandresh pedia e mais, ao ponto que recebeu carta-branca para cuidar de tudo, desde aprovar o projeto do portão até encomendar a lona para as tendas.

O escopo do vínculo o preocupa. Ele nunca tentara nada nessa escala, mas não há um bom motivo para não começar o jogo do jeito mais forte possível.

A fogueira vai lhe fornecer uma conexão com o circo, mesmo que ele não saiba exatamente quão bem vai funcionar. E, com tantas pessoas envolvidas, parece sensato acrescentar uma garantia de segurança ao local.

Foram necessários meses de preparação.

Chandresh estava mais do que disposto a deixá-lo organizar a cerimônia, considerando-o inestimável ao planejamento do circo após uma leve coerção. Um abanar de mão e todos os detalhes ficaram sob responsabilidade dele.

E, mais importante, Chandresh concordou que fosse um segredo. A própria cerimônia assumiu o ar de um Jantar à Meia-Noite, em que perguntas quanto aos ingredientes ou o menu não eram permitidas.

Não se ofereceu resposta alguma sobre como as flechas foram tratadas para criar o efeito tão impressionante ou como as chamas mudavam de um tom vibrante para outro.

Aqueles que se perguntaram, durante os preparativos e ensaios, ouviram que revelar os métodos arruinaria os efeitos.

Embora, é claro, Marco não pudesse ensaiar a parte mais importante.

Ele não encontra dificuldades para escapar de Chandresh no pátio abarrotado logo antes da meia-noite.

Vai em direção ao ferro retorcido, chegando o mais perto possível do caldeirão vazio. Tira do casaco um caderno grande, encadernado em couro, uma cópia perfeita do que está guardado em segurança no seu escritório. Ninguém no vaivém da multidão repara quando ele o joga no fundo do caldeirão, pousando com um baque abafado pelo som ambiente.

A capa se abre, expondo a árvore de tinta intrincada ao céu salpicado de estrelas.

Ele permanece próximo à borda do metal retorcido conforme os arqueiros assumem suas posições.

Concentra sua atenção nas chamas, apesar de os visitantes que se espremem ao seu redor conforme o fogo é amplificado e passa por um arco-íris de tonalidades.

Quando a última flecha aterrissa, ele cerra os olhos. As chamas brancas queimam vermelhas através de suas pálpebras.

———···———

Celia esperava se sentir como uma imitação fraca do pai durante suas primeiras apresentações, mas — para o seu alívio — a experiência é completamente diferente daquela a que assistiu tantas vezes, em um teatro após o outro.

O espaço é estreito e íntimo. As plateias são modestas o bastante para permanecerem formadas por pessoas individuais em vez de se fundirem em uma multidão anônima.

Ela se descobre capaz de tornar cada apresentação única, deixando a reação da plateia determinar suas escolhas seguintes.

Embora goste daquilo mais do que imaginara, fica grata por ter períodos para si mesma entre cada espetáculo. Quando a meia-noite se aproxima, decide ver se consegue encontrar um lugar para discretamente assistir à cerimônia da fogueira.

Mas, ao se dirigir à área que já está sendo chamada de bastidores, apesar da ausência de um palco, ela é logo arrebatada pelo caos organizado que cerca o nascimento iminente dos gêmeos Murray.

Vários artistas e funcionários se reuniram e estão ansiosos, aguardando. O médico que foi trazido parece achar a situação toda esquisita. A contorcionista entra e sai. Aidan Murray caminha ansiosamente como um dos seus felinos.

Celia tenta ser o mais prestativa possível, o que consiste principalmente em preparar xícaras de chá e encontrar jeitos novos e criativos de garantir às pessoas que tudo ficará bem.

Isso a lembra tanto de consolar seus antigos clientes espiritualistas que ela fica surpresa quando a agradecem usando seu nome.

O choro suave ouvido minutos antes da meia-noite vem como um alívio e é recebido com suspiros e comemorações.

E então alguma outra coisa se segue de imediato.

Celia a sente antes de ouvir os aplausos ecoantes do pátio — a mudança que de súbito se propaga pelo circo como uma onda.

A sensação percorre-lhe o corpo, fazendo um calafrio involuntário descer pela coluna, e ela quase desaba.

— Você está bem? — pergunta uma voz logo atrás. Celia se vira; Tsukiko apoia uma mão cálida no seu braço, visando firmá-la. Uma centelha sagaz que Celia está começando a achar familiar reluz nos olhos sorridentes da contorcionista.

— Estou bem, obrigada — responde a jovem, esforçando-se para recuperar o fôlego.

— Você é uma pessoa sensitiva — comenta Tsukiko. — Não é raro pessoas sensitivas serem afetadas por tais eventos.

Outro choro ecoa do cômodo adjacente, juntando-se ao primeiro em um coro gentil.

— Eles escolheram o momento perfeito — comenta Tsukiko, voltando a atenção aos recém-nascidos.

Celia só consegue assentir.

— É uma pena você ter perdido a cerimônia — continua Tsukiko. — Também foi impressionante.

Enquanto o choro dos gêmeos Murray se aquieta, Celia tenta se livrar da sensação que continua a formigar a pele.

Ela ainda não sabe quem é seu oponente, mas, qualquer que seja a jogada que ele fez, conseguiu abalá-la.

Ela sente o circo inteiro radiando ao seu redor, como se uma rede tivesse sido jogada sobre o lugar, prendendo tudo dentro da cerca de ferro, tremulando como uma borboleta.

E se pergunta como deveria retaliar.

Noite de inauguração III: Cortina de fumaça

LONDRES, 13 E 14 DE OUTUBRO DE 1886

Chandresh Christophe Lefèvre não entra em uma única tenda na noite de inauguração. Em vez disso, perambula pelos caminhos e espaços abertos e percorre o perímetro do pátio seguido por Marco, que toma notas sempre que Chandresh encontra algo para comentar.

Chandresh assiste à multidão, observando como as pessoas decidem em quais tendas entrar. Identifica placas que requerem ajuste ou elevação para serem mais fáceis de ler, portas que não estão visíveis o suficiente e outras que estão chamativas demais, atraindo pouca atenção ou público excessivo.

Mas são detalhes triviais, a bem da verdade, óleo extra para rangidos inaudíveis. A noite não podia ir melhor. As pessoas estão encantadas. A fila da bilheteria serpenteia para além da cerca. O circo todo reluz de empolgação.

Minutos antes da meia-noite, Chandresh se posiciona na borda do pátio para a cerimônia da fogueira. Ele escolhe um ponto de onde pode ver tanto o fogo como uma boa porção da multidão.

— Está tudo pronto para a cerimônia, correto? — pergunta ele.

Ninguém responde.

Ele se vira para a esquerda e a direita, mas encontra apenas visitantes eufóricos.

— Marco? — chama, mas Marco não está em lugar algum.

Uma das irmãs Burgess avista Chandresh e se aproxima, cuidadosamente abrindo caminho no pátio lotado.

— Olá, Chandresh — cumprimenta ela quando o alcança. — Aconteceu alguma coisa?

— Parece que perdi Marco — responde. — Estranho. Mas nada com que você deva se preocupar, minha cara Lainie.

— Tara — corrige ela.

— Vocês são iguais — rebate Chandresh, soltando uma baforada do charuto. — É confuso. Deviam ficar juntas, como um par de vasos, para evitar tais gafes.

— Francamente, Chandresh, nem somos gêmeas.

— Qual de vocês é mais velha, então?

— Isso é segredo — responde Tara, sorrindo. — Já podemos declarar a noite um sucesso?

— Até agora está satisfatória, mas a noite é relativamente jovem, minha cara. Como está a sra. Murray?

— Está bem, acredito, embora já faça quase uma hora desde que recebi notícias. Acho que será um aniversário memorável para os gêmeos.

— Eles podem ser úteis se forem tão indistinguíveis quanto você e sua irmã. Podemos colocá-los em fantasias iguais.

Tara ri.

— Você podia esperar que eles comecem a andar, pelo menos.

Ao redor do caldeirão apagado em que será acesa a fogueira, doze arqueiros assumem suas posições. Tara e Chandresh interrompem a conversa para assistir. Tara observa os arqueiros conforme Chandresh analisa a multidão, cuja atenção é atraída pelos preparativos. Eles se transformam de multidão em plateia como se tivessem coreografado o movimento junto aos arqueiros. Tudo procede precisamente como planejado.

Os arqueiros deixam as flechas voarem uma por vez, fazendo as chamas passarem por um arco-íris de tons. O circo todo é embebido em cores à medida que o relógio bate as horas, doze badaladas graves que reverberam ao redor.

Na décima segunda badalada, a fogueira esplandece branca e quente. Tudo no pátio estremece por um momento: cachecóis esvoaçam apesar da ausência de brisa e a lona das tendas vibra.

A plateia irrompe em aplausos. Tara aplaude também, enquanto ao seu lado Chandresh cambaleia, deixando o charuto cair ao chão.

— Chandresh, você está bem? — pergunta Tara.

— Um pouco zonzo — responde. Tara o segura firme pelo braço, puxando-o para o lado da tenda mais próxima, visando sair do caminho da multidão que começou a passear de novo, transbordando em todas as direções.

— Você sentiu aquilo? — Chandresh indaga. Suas pernas tremem e Tara encontra dificuldade para mantê-lo de pé em meio aos empurrões dos visitantes.

— Senti o quê? — questiona ela, mas Chandresh não responde, claramente ainda atordoado. — Por que ninguém pensou em colocar bancos no pátio? — Tara murmura consigo mesma.

— Há algum problema, srta. Burgess? — pergunta uma voz atrás dela. Tara se vira e encontra Marco, com o bloquinho em mãos e uma expressão bastante preocupada.

— Ah, Marco, aí está você. Tem algo errado com Chandresh.

Eles estão começando a atrair olhares. Marco toma o braço de Chandresh e o puxa para um canto mais sossegado, parando com as costas para o pátio a fim de criar um pouco de privacidade.

— Ele esteve assim o tempo todo? — pergunta Marco, equilibrando Chandresh.

— Não, aconteceu de repente — responde a mulher. — Estou com medo que ele desmaie.

— Tenho certeza de que não é nada — pontua Marco. — O calor, talvez. Posso lidar com isso, srta. Burgess. Não precisa se preocupar.

Tara franze o cenho, relutando em deixá-lo.

— Não é nada — repete Marco de modo enfático.

Chandresh encara o chão como se tivesse perdido alguma coisa, não parecendo ouvir nada da conversa.

— Se você diz — concede Tara.

— Ele está em mãos perfeitamente capazes, srta. Burgess — garante, e então se vira antes que ela possa dizer qualquer coisa, e ele e Chandresh desaparecem na multidão.

— Aí está você — diz Lainie, aparecendo ao lado da irmã. — Estive procurando você por todo canto. Viu a cerimônia? Não foi espetacular?

— Foi mesmo — concorda Tara, ainda perscrutando a multidão.

— O que foi? — pergunta Lainie. — Aconteceu alguma coisa?

— Quanto você sabe sobre o assistente de Chandresh? — Tara questiona em vez de responder.

— Marco? Não muito — responde a irmã. — Ele trabalha para Chandresh há alguns anos e se especializou em contabilidade. Antes disso era um tipo de pesquisador, acho. Não sei bem o que ele estudava. Nem onde, por sinal. Ele não é de falar muito. Por quê? Está em busca de outro homem bonito e sombrio?

Tara ri, embora ainda esteja distraída.

— Não, nada assim. É só curiosidade. — Ela pega a irmã pelo braço. — Vamos procurar outros mistérios para explorar por ora.

De braços dados, as irmãs abrem caminho pela multidão, circulando ao redor da fogueira brilhante que muitos visitantes ainda observam, hipnotizados pela dança das chamas brancas.

O ENFORCADO

Nesta tenda, suspensas bem acima de você, há pessoas. Equilibristas, trapezistas, acrobatas. Estão iluminadas por dezenas de lamparinas redondas que pendem do topo da lona como planetas ou estrelas.

Não há redes de segurança.

Você vê o espetáculo desse ponto de observação precário, diretamente abaixo dos artistas e sem nada que os separe.

Há garotas em fantasias com penas que giram a alturas diversas, suspensas por laços que elas manuseiam. Marionetes capazes de controlar os próprios fios.

Cadeiras normais, com pernas e encostos, servem como trapézios.

Esferas redondas semelhantes a gaiolas de pássaro sobem e descem enquanto um ou mais acrobatas se movem de dentro para fora delas, ficando em pé no topo ou pendurando-se das barras inferiores.

No centro da tenda há um homem usando um fraque, suspenso por uma perna amarrada com uma corda prateada e as mãos atrás das costas.

Ele começa a se mover, extremamente devagar. Os braços se estendem ao lado do corpo, primeiro um e depois o outro, até que pendem abaixo da cabeça.

Ele começa a girar. Gira cada vez mais rápido até se tornar apenas um borrão na extremidade de uma corda.

Então para subitamente — e cai.

A plateia mergulha para fora do caminho, abrindo um espaço de chão vazio e duro abaixo dele.

Você não consegue assistir, mas não consegue desviar os olhos.

Mas ele para no nível dos olhos da multidão, suspenso por uma corda prateada que agora parece infinitamente longa. A cartola está acomodada de modo perfeito na cabeça, os braços estão ao lado do corpo.

Enquanto a multidão recupera a compostura, ele ergue uma mão enluvada e retira o chapéu.

Dobrando-se na cintura, faz uma reverência invertida e dramática.

Oniromancia

CONCORD, MASSACHUSETTS, OUTUBRO DE 1902

Bailey passa o dia todo esperando o sol se pôr, mas o sol o contraria e atravessa o céu em sua velocidade de sempre, uma velocidade sobre a qual Bailey nunca pensou antes, mas que hoje considera terrivelmente lenta. Ele quase queria que fosse um dia de aula para ter algo que o ajudasse a matar o tempo. Cogita tirar uma soneca, mas está animado demais para dormir, dada a aparição súbita do circo.

O jantar se passa do mesmo modo que tem passado há meses: longos períodos de silêncio interrompidos pelas tentativas da mãe de entabular uma conversa educada e pelos suspiros ocasionais de Caroline.

A mãe menciona o circo, ou, mais especificamente, o influxo de pessoas que ele vai trazer.

Bailey imagina que o silêncio vai se instaurar de novo, mas, em vez disso, Caroline se vira para ele.

— A gente não desafiou você a entrar escondido no circo da última vez que ele estava aqui, Bailey? — O tom dela é curioso e leve, como se realmente não lembrasse se tal evento ocorreu ou não.

— Como assim, durante o dia? — pergunta a mãe. Caroline assente de modo distraído.

— Sim — confirma Bailey em voz baixa, querendo o retorno do silêncio desconfortável.

— Bailey — diz a mãe, conseguindo transformar o nome dele em uma censura repleta de decepção. O jovem não entende bem como a culpa é dele, dado que apenas recebeu e não propôs o desafio, mas Caroline responde antes que ele possa protestar.

— Ah, ele não fez isso. — A irmã intervém, como se agora se lembrasse claramente do incidente.

O irmão só dá de ombros.

— Bem, espero que não — pontua a mãe.

O silêncio se instaura outra vez e Bailey olha para fora da janela, perguntando-se no que exatamente constitui o anoitecer. Reflete que talvez seja melhor chegar aos portões assim que seja possível apontar a chegada do crepúsculo, e esperar, se necessário. Seus pés estão inquietos sob a mesa e ele pondera quanto ainda vai demorar até que consiga escapulir.

Demora uma eternidade para tirarem a mesa e mais uma eternidade para ajudar a mãe com os pratos. Caroline se fecha no quarto dela e o pai abre um jornal.

— Aonde você vai? — pergunta a mãe assim que ele põe o cachecol.

— Ao circo — responde o filho.

— Não volte muito tarde — recomenda a mãe. — Você tem trabalho a fazer.

— Não vou — promete Bailey, aliviado por ela ter se esquecido de especificar uma hora e deixado "muito tarde" aberto à sua interpretação.

— Leve sua irmã — acrescenta ela.

Só porque não há modo de sair da casa sem que a mãe observe se ele parou ou não no quarto de Caroline, Bailey bate à porta entreaberta.

— Suma — ordena a irmã.

— Vou ao circo, se quiser ir também — convida ele em um tom monótono. Já sabe qual será a resposta.

— Não — retruca a jovem, tão previsível quanto o silêncio durante o jantar. — Que coisa de criança — acrescenta, lançando-lhe um olhar desdenhoso.

Bailey sai sem dizer mais nada, deixando o vento fechar a porta com um baque atrás de si.

O sol começa a se pôr e há mais pessoas fora de casa do que o normal a essa hora do dia, todas caminhando na mesma direção.

No trajeto, a animação de Bailey começa a minguar. Talvez seja mesmo uma coisa de criança — talvez não vá ser igual.

Quando ele chega ao campo, já há uma multidão reunida, e ele fica aliviado ao notar que há muitos visitantes da sua idade ou muito mais velhos, e só alguns trazem crianças. Duas garotas da idade dele dão risadinhas quando Bailey passa por elas, tentando chamar sua atenção. Ele não sabe se deveria ficar lisonjeado.

O jovem encontra um lugar entre a multidão. Espera, observando os portões de ferro fechados e ponderando se o circo será diferente de como ele se lembra.

E pondera, em um canto da mente, se a garota de cabelo ruivo vestida de branco está em algum lugar lá dentro.

Os fracos raios de sol cor de laranja fazem tudo parecer em chamas, incluindo o circo, antes que a luz desapareça completamente. Acontece mais rápido do que Bailey esperava — o momento em que o fogo se transforma no crepúsculo — e em seguida as luzes do circo começam a se acender em todas as tendas. A multidão solta os "ooohs" e "aaaahs" apropriados, mas alguns na frente arquejam de surpresa quando a enorme placa sobre os portões começa a tremeluzir e faiscar. Bailey não consegue evitar um sorriso quando ela fica inteiramente iluminada, brilhando como um farol: Le Cirque des Rêves.

Embora o dia de espera tenha sido lento e entediante, a fila para entrar no circo se move com rapidez surpreendente, e logo Bailey se encontra na frente da bilheteria, comprando o ingresso.

O caminho tortuoso e salpicado de estrelas parece infinito à medida que segue em meio a curvas escuras, ansiosamente antecipando a iluminação no final.

A primeira coisa que pensa quando chega ao pátio iluminado é que o aroma é igual: fumaça, caramelo e mais alguma coisa que não consegue identificar.

Ele não sabe bem por onde começar. Há tantas tendas, tantas escolhas. Pensa que talvez seja melhor dar uma volta primeiro, antes de decidir em quais entrar.

Também pensa que, apenas perambulando pelo circo, as chances de topar com a garota ruiva aumentam — embora se recuse a admitir para si mesmo que está à procura dela. É bobo procurar uma garota que só encontrou uma vez, sob circunstâncias extremamente estranhas, muitos anos antes. Não há motivo para pensar que ela se lembraria dele, ou sequer o reconheceria, e ele não tem certeza de que a reconheceria também.

Bailey decide entrar no circo através do pátio com a fogueira, sair pelo outro lado e tentar achar o caminho de volta. É um plano tão bom quanto qualquer outro, e a multidão talvez não esteja tão densa do outro lado.

Mas, primeiro, pensa que deveria comprar uma sidra quente. Não demora muito para encontrar o vendedor certo no pátio. Ele paga pelo copo, que contém a bebida fumegante dentro de redemoinhos marmorizados em preto e branco, e questiona por um momento se o primeiro gole vai ser tão gostoso quanto sua lembrança a esse respeito. Recordou aquele gosto incontáveis vezes na memória e, apesar da abundância de maçãs na região, nenhuma sidra, com ou sem especiarias, jamais foi tão boa. Ele hesita antes de dar um golinho. O gosto é ainda melhor do que se lembrava.

Escolhe um caminho e, ao percorrê-lo, em meio às entradas para as tendas circundantes, há um pequeno grupo reunido perto de uma plataforma elevada. Uma mulher está de pé na plataforma usando uma fantasia muito justa e coberta de espirais brancas e pretas. Ela está se contorcendo e se curvando de um modo que parece tanto horrível como elegante. Bailey para e se junta aos espectadores, embora seja quase doloroso assistir à cena.

A contorcionista ergue um pequeno aro de metal prateado do chão, exibindo-o com movimentos simples, porém impressionantes. Ela o entrega a um homem na frente da plateia, para que ele confirme que é sólido. Quando ele o devolve, a contorcionista passa o corpo inteiro através do aro, estendendo os membros em movimentos fluidos que lembram uma dança.

Após descartar o aro, ela deposita uma pequena caixa no centro da plataforma.

A caixa não parece ter mais de trinta centímetros de altura, embora na realidade seja um pouco maior do que isso. Ainda que ver uma mulher adulta (mesmo que menor do que a média) se encolhendo em um espaço confinado seja impressionante independentemente das particularidades da caixa, é ainda mais nesse caso, devido ao fato de que a caixa é feita de vidro e completamente transparente.

Suas bordas são de metal oxidado que assumiu uma tonalidade preta, mas os painéis laterais e a tampa são de vidro, de modo que a mulher fica visível o tempo todo à medida que se curva e retorce e dobra no espaço minúsculo. Ela se move devagar, tornando parte da apresentação cada mínimo movimento, até que corpo e cabeça estejam completamente dentro da caixa e só sua mão permaneça para fora, esticada no topo. Da perspectiva de Bailey parece impossível — um pouco de perna aqui, a curva de um ombro ali, parte de outro braço embaixo de um pé.

Só resta uma mão, que acena de modo alegre antes de cerrar a tampa. O ferrolho se tranca de modo automático e a caixa fica inegavelmente fechada, com a contorcionista claramente visível lá dentro.

Então, a caixa de vidro com a mulher presa no interior aos poucos se enche de fumaça branca, que redemoinha através das minúsculas fissuras e espaços não ocupados por membros ou torso e atravessa os dedos pressionados contra o vidro.

A fumaça vai ficando mais espessa, obscurecendo a contorcionista por completo até que haja apenas fumaça branca dentro da caixa, que continua a ondular e revolver-se contra o vidro.

De repente, com um estalo, a caixa se quebra. Os painéis de vidro caem para os lados e a tampa desaba. Fios de fumaça sobem para o ar noturno. A caixa — ou melhor, a pequena pilha de cacos sobre a plataforma que já foi a caixa — está vazia. A contorcionista sumiu.

A multidão aguarda vários momentos, mas nada acontece. Os últimos fios de fumaça se dissipam e as pessoas começam a se dispersar.

Bailey examina a plataforma mais de perto enquanto passa, perguntando-se se a contorcionista está de alguma forma escondida ali, mas a plataforma é feita de madeira sólida e aberta embaixo. A mulher desapareceu por completo, apesar do fato óbvio de que não havia para onde ir.

Ele prossegue pelo caminho tortuoso. Termina a sidra e encontra uma lixeira para descartar o copo — assim que o coloca no recipiente escuro, ele parece sumir.

Segue em frente, lendo placas e tentando decidir em quais tendas entrar. Algumas são grandes e decoradas com floreios e longas descrições de seus conteúdos.

Mas a que chama sua atenção é uma das menores, assim como a tenda em que está pendurada. Letras brancas rebuscadas em um fundo preto.

Façanhas de Ilusões Ilustres

A entrada está aberta e uma fila de visitantes segue para dentro da tenda da ilusionista. Bailey se junta a eles.

O interior está iluminado por uma fila de arandelas pretas de ferro ao longo da parede e não contém nada exceto um círculo de cadeiras simples de madeira. Só há cerca de vinte delas, em duas fileiras escalonadas, de modo que a vista de cada assento é parecida. Bailey escolhe uma cadeira na fileira interna, do outro lado da entrada.

O restante das cadeiras é ocupado rapidamente, exceto por duas: a cadeira à sua esquerda e outra do lado oposto do círculo.

Bailey repara em duas coisas ao mesmo tempo.

Primeiro, que não consegue mais ver a localização da entrada. O espaço por onde a plateia entrou agora parece feito de parede sólida, indistinguível do restante da tenda.

Segundo, agora há uma mulher de cabelos escuros usando um casaco preto sentada à sua esquerda. Ele tem certeza de que ela não estava ali antes de a entrada desaparecer.

Então sua atenção é distraída desses dois eventos quando a cadeira vazia do outro lado do círculo irrompe em chamas.

O pânico é instantâneo. Os ocupantes dos lugares mais próximos à cadeira flamejante abandonam os assentos e correm para a saída, descobrindo que não há mais saída a ser encontrada, apenas parede sólida.

As chamas sobem cada vez mais, permanecendo perto dos assentos, lambendo a madeira, embora ela não pareça queimar.

Bailey olha de novo para a mulher à sua esquerda e ela lhe dá uma piscadela antes de se levantar e caminhar até o centro do círculo. Em meio ao pânico, ela calmamente desabotoa e retira o casaco, jogando-o com um gesto delicado em direção à cadeira ardente.

O que era um casaco de lã pesado se torna uma longa faixa de seda preta que ondula como água sobre a cadeira. As chamas desaparecem. Só há alguns fios remanescentes de fumaça, junto ao cheiro pungente de madeira chamuscada que, aos poucos, se transforma no aroma reconfortante de uma lareira, com o toque de algo como cravo ou canela.

A mulher, parada no centro do círculo de assentos, puxa a seda preta com um gesto dramático, revelando a cadeira ainda intacta — na qual agora estão empoleiradas várias pombas brancas como a neve.

Outro gesto e a seda preta se dobra e se curva para dentro, tornando-se uma cartola. A mulher a coloca sobre a cabeça, o que dá o toque final ao traje que parece um vestido de baile feito de céu noturno: seda preta pontilhada com cristais brancos e brilhantes. Ela cumprimenta a plateia com uma mesura modesta.

A ilusionista fez sua entrada.

Algumas pessoas, incluindo Bailey, se recuperam o suficiente para aplaudir, já aqueles que abandonaram os assentos retornam a eles, parecendo igualmente transtornados e curiosos.

A apresentação é contínua. As demonstrações — que Bailey tem dificuldade em chamar de truques — se fundem umas nas outras. As pombas somem com frequência, reaparecendo em chapéus ou embaixo de cadeiras. Também há um corvo preto, grande demais para ter sido astutamente escondido. Só quando a apresentação já está em curso há algum tempo Bailey se dá conta de que, devido ao círculo de cadeiras, à forma e à proximidade do ambiente, não há espaço para espelhos ou truques de luz. Tudo é imediato e palpável. Ela até transforma em areia o metálico relógio de bolso de um espectador, e então o transforma de volta em metal. Em certo momento, todas as cadeiras flutuam um pouquinho acima do chão e, embora o movimento seja firme e confiante, os dedos de Bailey mal tocam o chão, o que o faz agarrar os lados da cadeira com nervosismo.

No fim do espetáculo, a ilusionista executa uma mesura com um giro completo, englobando todo o círculo conforme o público aplaude. Ao completar a rotação, de repente não está mais lá. Só algumas centelhas brilhantes permanecem, ecos dos cristais em seu vestido.

A entrada reaparece no lado da tenda e a pequena plateia começa a sair. Bailey se demora entre os últimos espectadores, olhando para trás conforme deixa o lugar onde a ilusionista estava.

Do lado de fora, embora não estivesse lá antes, há outra plataforma elevada, parecida com a em que a contorcionista se apresentou. Mas a figura nesta plataforma não se move. O jovem pensa por um instante que é uma estátua, usando um vestido branco forrado de pele também branca que cascateia atrás da plataforma até o chão. O cabelo e a pele dela, até os cílios, são brancos como gelo.

Mas ela se move. Muito, muito devagar. Tão devagar que Bailey não consegue precisar movimentos exatos, só leves mudanças. Flocos de neve delicados e iridescentes flutuam ao chão, caindo dela como folhas de uma árvore.

Bailey circula a plataforma, observando-a de todos os ângulos. Os olhos dela o seguem, embora os cílios salpicados de neve não pisquem.

Há uma plaquinha prateada na plataforma, parcialmente obscurecida pelo vestido.

A placa diz IN MEMORIAM, mas não especifica quem é o homenageado.

As regras do jogo

1887-1889

Há poucos Jantares do Circo agora que o circo está ativo — ganhando autossuficiência, conforme Chandresh resumiu a questão em um jantar pouco tempo depois da noite de inauguração. Os conspiradores originais ainda se reúnem para jantar vez ou outra, em especial quando o circo está se apresentando na vizinhança, mas tais ocasiões se tornam cada vez mais raras.

O sr. A. H— nunca aparece, apesar de sempre ser convidado.

E, dado que esses encontros eram a única oportunidade que Marco tem de ver seu instrutor, sua ausência contínua é frustrante.

Depois de um ano sem qualquer sinal dele, sem uma palavra sequer ou um único vislumbre da cartola cinza, Marco decide visitá-lo.

Ele não conhece a residência atual do seu instrutor. Presume — com razão — ser provavelmente um lugar temporário e que, quando ele enfim rastrear a localização, o instrutor terá se transferido para uma nova residência, igualmente temporária.

Em vez disso, Marco entalha uma série de símbolos na geada que cobre a janela do próprio apartamento, usando as colunas do museu à frente como guia. A maior parte dos símbolos são indistinguíveis a não ser que a luz bata em ângulos precisos, mas estão coletivamente dispostos na forma de um grande *A*.

No dia seguinte, ouve-se uma batida à porta.

Como sempre, o homem de terno cinza se recusa a entrar no apartamento. Ele permanece parado no corredor e fixa um olhar cinzento e gélido em Marco.

— O que você quer? — pergunta o instrutor.

— Gostaria de saber como estou me saindo — responde Marco.

O instrutor o observa por um momento, sua expressão inescrutável como sempre:

— Seu trabalho tem sido adequado.

— É assim que o desafio vai prosseguir? — pergunta Marco. — Com cada um de nós manipulando o circo? Por quanto tempo vamos fazer isso?

— Você ganhou um palco em que trabalhar — informa o instrutor. — Apresente suas habilidades o melhor que puder, e sua oponente fará o mesmo. Vocês não devem interferir no trabalho um do outro. Vai continuar assim até que haja um vencedor. Não é tão complexo.

— Não sei se entendo perfeitamente as regras — pontua o jovem.

— Você não precisa entender as regras, só as seguir. Como eu disse, seu trabalho tem sido adequado.

Ele faz menção de partir, mas hesita.

— Não faça isso de novo — avisa ele, apontando por cima do ombro de Marco para a janela enregelada.

Em seguida, se vira e vai embora.

Os símbolos na janela derretem e se tornam rastros sem sentido.

É o meio do dia e o circo dorme tranquilamente, mas Celia Bowen está parada diante do Carrossel, observando criaturas pretas, brancas e prateadas passarem sem cavaleiros, suspensas em laços de cores correspondentes.

— Não gosto dessa coisa — anuncia uma voz atrás dela.

Hector Bowen não é nada além de uma aparição na tenda mal iluminada. Seu terno escuro se mescla às sombras. A claridade tremeluzente reflete e liberta o brilho da camisa e do cabelo grisalho, iluminando sua expressão desaprovadora conforme ele observa o Carrossel sobre o ombro da filha.

— Por que não? — responde Celia, sem se virar. — É extremamente popular. E deu muito trabalho. Isso devia contar, papai.

A bufada de desdém que o pai dá é só um eco do que já foi, e Celia fica aliviada por ele não poder perceber o sorriso que abre ante o som suave.

— Você não seria tão imprudente se eu não... — A voz dele vai morrendo junto a um gesto da mão transparente ao lado do braço da filha.

— Não adianta ficar bravo comigo — afirma Celia. — Você fez isso consigo mesmo, não é culpa minha que não consegue desfazer. E não estou sendo imprudente.

— Quanto você contou a esse seu arquiteto? — pergunta o pai.

— Só o que ele precisava saber — responde a jovem conforme Hector passa por ela, avançando à procura de inspecionar o Carrossel. — Ele gosta de superar limites, e ofereci ajuda para ir ainda mais além. O sr. Barris é o meu oponente? Seria muito astuto da parte dele construir um carrossel para mim a fim de evitar suspeitas.

— Ele não é seu oponente — replica Hector com um gesto desdenhoso, o punho de renda da camisa esvoaçando como uma mariposa. — Mas algo assim poderia muito bem ser considerado trapaça.

— Como é que o fato de empregar um engenheiro para executar uma ideia implica não trabalhar dentro do palco, papai? Discuti a ideia com ele, ele cuidou do projeto e da construção, e eu... o embelezei. Gostaria de subir? Ele faz mais do que dar voltas.

— Obviamente — diz Hector, abaixando os olhos para o túnel escuro em que a fileira de criaturas desaparece. — Ainda assim, não gosto disso.

Celia suspira, contornando o Carrossel para afagar a cabeça de um corvo enorme na fila de animais.

— Já há incontáveis elementos colaborativos nesse circo — pontua ela. — Por que não posso tirar vantagem disso? O senhor insiste que tenho de fazer mais do que apenas me apresentar, mas preciso criar oportunidades a fim de conseguir cumprir isso. O sr. Barris é muito útil nesse sentido.

— Trabalhar com outros só vai atrasá-la. Essas pessoas não são seus amigos, são insignificantes. E uma delas é o seu oponente, não esqueça.

— O senhor sabe quem é, não sabe? — pergunta.

— Tenho minhas suspeitas.

— Mas não vai me contar quais são.

— A identidade do oponente não importa.

— Importa para mim.

Hector franze o cenho, observando-a distraidamente brincar com o anel da mão direita.

— Não deveria — assevera ele.

— Mas meu oponente sabe quem eu sou, não sabe?

— Deve saber, a não ser que seja profundamente estúpido. E não seria típico de Alexander escolher um estudante profundamente estúpido. Mas não importa. É melhor fazer seu próprio trabalho sem ser influenciada pelo oponente, e sem qualquer uma dessas *colaborações*, como você as chama.

Ele gesticula para o Carrossel e os laços estremecem como se a brisa mais suave tivesse adentrado a tenda.

— Como é melhor? — pergunta Celia. — Como alguma coisa é melhor do que qualquer outra aqui? Como uma tenda é comparável à outra? Como alguma parte disso pode ser julgada?

— Você não precisa se preocupar com isso.

— Como posso vencer um jogo se o senhor se recusa a me contar as regras?

As criaturas suspensas viram a cabeça na direção do fantasma entre elas. Grifos, raposas e dragões o encaram com olhos pretos e lustrosos.

— Pare com isso — dispara Hector para a filha. As criaturas voltam a olhar para a frente, mas um dos lobos rosna enquanto volta a ficar congelado. — Você não está levando isso com a devida seriedade.

— É um circo — diz Celia. — É difícil levá-lo a sério.

— O circo é só um palco.

— Então isso não é um jogo ou desafio, e sim uma exibição.

— É mais do que isso.

— Como? — Quer saber Celia, mas o pai se limita a sacudir a cabeça.

— Eu a informei das regras que você precisa saber. Você deve forçar os limites de suas habilidades usando o circo como uma vitrine. Prove que é melhor e mais forte. Faça tudo que puder a fim de ofuscar o oponente.

— E quando você vai determinar qual de nós brilha com mais intensidade?

— Eu não determino nada — rebate Hector. — Pare de fazer perguntas. Trabalhe mais. E nada de colaborações.

Antes que ela possa responder, ele desaparece, deixando-a sozinha sob a luz cintilante do Carrossel.

—...—

A princípio, as cartas que Marco recebe de Isobel chegam com frequência, mas o circo viaja para cidades e países muito distantes, e semanas — e às vezes meses — se estendem sem notícias entre cada missiva.

Quando uma carta nova enfim chega, ele nem tira o casaco antes de rasgar o envelope.

Corre os olhos pelas páginas de abertura, cheias de perguntas educadas sobre os dias dele em Londres e de observações sobre como ela sente saudades da cidade e de Marco.

Os acontecimentos do circo são diligentemente relatados, mas com tanta precisão pragmática que ele não consegue imaginá-los com a riqueza de detalhes que deseja. Isobel ignora as informações que considera mundanas — as viagens e o trem —, embora Marco tenha certeza de que eles não podem estar se movendo exclusivamente de trem.

A distância do circo parece ainda maior, apesar do contato tênue por meio de papel e tinta.

E há tão pouco sobre *ela*. Isobel nem escreve o nome dela nas páginas, referindo-se a ela de passagem apenas como a ilusionista, uma precaução que ele mesmo aconselhou e da qual agora se arrepende.

Ele quer saber tudo sobre ela.

Como ela passa o tempo quando não está se apresentando.

Como interage com as plateias.

Como gosta de tomar chá.

Mas não tem coragem de perguntar a Isobel sobre essas coisas.

Quando responde, pede-lhe que continue escrevendo sempre que possível. Enfatiza o quanto as cartas significam para ele.

Então pega as páginas repletas da letra dela, com descrições de tendas listradas e céus salpicados de estrelas, e as dobra na forma de pássaros que deixa voar pelo apartamento vazio.

É tão raro o surgimento de uma tenda nova que Celia considera cancelar as apresentações para passar a noite a investigá-la.

Em vez disso, ela espera, executando o seu número de espetáculos costumeiro e terminando o último horas antes do alvorecer. Só então percorre caminhos quase vazios até encontrar a última adição ao circo.

A placa anuncia algo chamado Jardim de Gelo, e Celia sorri com o adendo abaixo, que contém desculpas por qualquer inconveniente térmico.

Apesar do nome, ela não está pronta para o que a espera dentro da tenda.

É exatamente o que a placa descreveu, mas também é muito mais.

Não há listras visíveis nas paredes, tudo é branco e cintilante. Ela não consegue determinar até onde vai, pois o tamanho da tenda é mascarado por salgueiros pendentes e videiras retorcidas.

O próprio ar é mágico, fresco e doce em seus pulmões quando ela inspira, enviando um calafrio aos seus dedos dos pés, que é causado por muito mais do que a queda de temperatura anunciada previamente.

Não há visitantes na tenda, e ela a explora, circulando sozinha por entre treliças cobertas de rosas pálidas e uma fonte elaboradamente entalhada e com fluidez suave.

E tudo, exceto por ocasionais laços de seda branca pendurados como grinaldas, é feito de gelo.

Curiosa, ela colhe uma peônia congelada do galho. O caule se quebra com facilidade.

As pétalas em camadas se estilhaçam, caindo de seus dedos para o chão e desaparecendo nas folhas de capim-dos-pampas abaixo.

Quando ela ergue os olhos para o galho, uma flor idêntica já apareceu no lugar.

Celia não consegue nem imaginar quanto poder e habilidade seria preciso não apenas para construir tal coisa, mas para mantê-la também.

E anseia saber como o seu oponente teve a ideia — consciente de que cada topiaria perfeitamente estruturada, cada detalhe, até as pedras que ladeiam os caminhos como pérolas, tudo deve ter sido planejado.

Controlar algo assim deve ser tão exaustivo que ela se sente cansada só de imaginar. Quase queria que o pai estivesse ali, uma vez que está começando a entender por que sempre insistiu tanto que ela praticasse sua força e seu controle.

Embora ela não tenha certeza de que queira agradecê-lo por isso.

E gosta de ter o espaço só para si, a calma e a imobilidade adocicadas pelo aroma discreto de flores congeladas.

Celia permanece no Jardim de Gelo por muito tempo após o sol se erguer do lado de fora e de os portões se fecharem.

—··—

O circo se aproxima de Londres pela primeira vez em algum tempo, e, na tarde antes da abertura, há uma batida à porta do apartamento de Marco.

Ele só a entreabre, segurando-a quando vê Isobel no corredor.

— Você trocou as fechaduras — observa ela.

— Por que não me disse que vinha?

— Pensei que gostaria da surpresa — responde a jovem.

Marco não permite sua entrada no apartamento, e a deixa esperando no corredor só por alguns momentos antes de voltar com o chapéu-coco em mãos.

A tarde está um pouco fria, mas ensolarada, e ele a leva para tomar chá.

— O que é isso? — pergunta ele, relanceando para o pulso de Isobel enquanto caminham.

— Nada — responde a jovem, puxando o punho da manga a fim de esconder a pulseira: uma trança feita dos cabelos dela, cuidadosamente entrelaçados com os dele.

Ele não faz mais perguntas.

Mesmo que Isobel jamais tire a pulseira, o adorno sumiu quando ela retorna ao circo naquela noite — desaparece da sua pele como se nunca tivesse estado lá.

Degustação

LYON, SETEMBRO DE 1889

Herr Friedrick Thiessen está de férias na França. Ele viaja ao país com frequência no outono, uma vez que é um grande apreciador de vinho. Escolhe uma região e passeia pelo interior durante uma ou duas semanas, visitando vinhedos e colecionando garrafas de safras agradáveis para expedir a Munique.

Herr Thiessen mantém relações cordiais com vários vinicultores franceses e já construiu relógios para muitos deles. Visita um deles em uma dessas viagens, para experimentar as últimas garrafas. Enquanto desfrutam de uma taça de vinho tinto, o vinicultor comenta que Friedrick talvez goste do circo que está na cidade, situado em um campo a alguns quilômetros dali. É um circo bastante incomum, que só abre à noite.

Mas é o relógio, o intricado relógio branco e preto que fica logo após os portões, que o vinicultor acredita que pode ser particularmente interessante a *Herr* Thiessen.

— Me lembra do seu trabalho — conta o vinicultor, gesticulando com a taça para o relógio na parede acima do bar, na forma de um cacho de uvas caindo em uma garrafa de vinho que se enche de líquido conforme os ponteiros no rótulo (uma réplica exata do rótulo do vinhedo) ticam os segundos.

Herr Thiessen fica intrigado. Janta cedo, veste o chapéu e as luvas e se põe a andar na direção que o amigo vinicultor indicou. Não é difícil localizar seu destino, pois muitos moradores caminham na mesma direção e, uma vez que saem da cidade e adentram os campos, o circo é inconfundível.

Ele brilha. Essa é a primeira impressão de *Herr* Friedrick Thiessen sobre Le Cirque des Rêves, visto a quase um quilômetro de distância e antes que ele sequer saiba o seu nome. Ele segue até o local na noite fresca através do interior da França tal qual uma mariposa atraída por uma chama.

Há uma multidão considerável do lado de fora quando *Herr* Thiessen enfim chega aos portões, mas, apesar da aglomeração, ele teria identificado seu relógio instantaneamente mesmo se não tivesse sido informado de sua presença. Está posicionado do outro lado da bilheteria, logo depois dos enormes portões de ferro. O relógio está prestes a bater as sete horas, e *Herr* Thiessen fica um pouco atrás para observá-lo, deixando a fila para os ingressos passar na sua frente enquanto o arlequim malabarista puxa uma sétima bola do ar, o rabo do dragão estremece e o relógio entoa sete badaladas baixas, quase inaudíveis em meio ao tumulto do circo.

Herr Thiessen fica satisfeito. O relógio parece funcionar perfeitamente e ter sido bem conservado, apesar de estar à mercê das intempéries. Ele pondera se o objeto precisaria de um polimento mais forte e sente muito por não ter sido informado, enquanto o estava construindo, de que seria alocado ao ar livre, mesmo que não pareça danificado. Mantém os olhos fixos nele enquanto espera na fila, perguntando-se se deveria tentar contatar o sr. Barris sobre a questão, se é que ainda tem o seu endereço de Londres nos arquivos pessoais, em Munique.

Quando chega a sua vez, ele estende a quantia fixada de francos à atendente, uma jovem usando um vestido preto e longas luvas brancas, parecendo mais preparada para uma noite elegante na ópera do que para vender ingressos para o circo. Quando ela pega um ingresso, *Herr* Thiessen pergunta, primeiro em francês e então em inglês, quando ela não compreende, se a moça saberia com quem ele poderia entrar em contato para falar sobre o relógio. Ela não responde, mas seus olhos se iluminam quando ele se identifica como a pessoa responsável pela construção da peça. Devolve os francos com seu ingresso, apesar dos protestos dele e, depois de revirar uma caixinha, pega um cartão, que também estende a ele.

Herr Thiessen a agradece, saindo da fila e parando um pouco de lado para inspecionar o cartão. É de alta qualidade, feito em papel espesso. O fundo é preto, com relevos em prata.

Le Cirque des Rêves
Chandresh Christophe Lefèvre, proprietário

O verso traz um endereço em Londres. *Herr* Thiessen o guarda no bolso do casaco, junto ao ingresso e aos francos economizados, e dá seu primeiro passo circo adentro.

Ele começa simplesmente vagando, investigando de maneira casual o estranho lar do seu relógio *Wunschtraum*. Talvez devido aos meses que passou absorto na criação do relógio, o circo lhe pareça familiar e confortável — o esquema de cores monocromático, os círculos infinitos de caminhos como engrenagens. *Herr* Thiessen fica atônito ao ver quão bem seu relógio combina com o circo e quão bem o circo combina com o relógio.

Ele entra só em uma fração das tendas naquela primeira noite, parando em busca de observar cuspidores de fogo e dançarinos com espadas, experimentando um excelente *Eiswein* em uma tenda identificada como BEBIDAS, APENAS PARA VISITANTES MADUROS. Ao perguntar sobre a bebida, o bartender (a única pessoa no circo que Friedrick encontra disposta a responder a perguntas, mesmo que minimamente) o informa que é um vinho canadense e lhe anota a safra.

Quando *Herr* Thiessen vai embora, motivado apenas pela exaustão, está completa e inteiramente encantado. Ele visita o circo mais duas vezes antes de voltar a Munique, pagando pelo ingresso inteiro toda vez.

Escreve uma carta a monsieur Lefèvre ao retornar, visando agradecê-lo por ter dado um lar tão esplêndido para o seu relógio, e pela própria experiência do circo. Discorre longamente sobre a maestria de sua execução e diz que, segundo entendeu, não há um itinerário fixo, mas expressa esperança de que o circo vá à Alemanha.

Semanas depois, ele recebe uma carta do assistente do monsieur Lefèvre, declarando que monsieur Lefèvre aprecia muito os elogios de *Herr* Thiessen, em particular por virem de um artista tão talentoso. A carta fala muito bem do relógio e menciona que, se houver qualquer tipo de problema com ele, *Herr* Thiessen será contatado imediatamente.

A carta não fala nada sobre a localização atual do circo nem sobre uma possível vinda à Alemanha, para a decepção de *Herr* Thiessen.

Ele pensa sobre o circo com frequência, muitas vezes enquanto trabalha, e isso começa a influenciar o trabalho. Muitos dos novos relógios são feitos em preto e branco, alguns com listras e diversos outros trazendo cenas do circo: pequenos acrobatas, leopardos-das-neves em miniatura, uma vidente que lê minúsculas cartas de tarô a cada vez que bate a hora.

Mas teme nunca fazer jus ao circo nesses tributos de relojoaria.

Acompanhados

CAIRO, NOVEMBRO DE 1890

Embora os gêmeos Murray tenham permissão para correr à vontade pelos recantos ocultos do que é constantemente chamado de "bastidores" — um espaço vasto como uma mansão que se espalha em recuos e passagens onde os ocupantes do circo vivem suas vidas quando não estão se apresentando —, se eles desejam passear no circo durante os horários de apresentação, devem ter um acompanhante. Ambos protestam contra essa regra com frequência, em alto e bom som, mas o pai insiste que a ordem será mantida até que tenham ao menos oito anos.

Widget pergunta sempre se os oito anos contam se combinarem a idade dos dois, porque nesse caso já atenderam à exigência.

Eles são sempre lembrados de que devem ter algum tipo de rotina nas horas noturnas, sendo as únicas crianças em um lar bastante peculiar.

Por enquanto, há uma série de acompanhantes que se revezam, e esta noite a ilusionista está cumprindo o dever de supervisionar os gêmeos. Ela não recebe esse papel com frequência, embora os irmãos gostem bastante dela. Mas esta noite a moça dispõe de um intervalo suficiente entre as apresentações para acompanhá-los por um tempo.

Nenhum dos visitantes reconhece Celia sem a cartola e o vestido preto e branco, mesmo aqueles que assistiram ao seu espetáculo mais cedo. Se os transeuntes prestam qualquer atenção a ela, é só para se perguntarem como as crianças em sua companhia nasceram com um cabelo tão ruivo quando o dela é tão escuro. Fora isso, ela parece apenas uma jovem usando um casaco azul e passeando pelo circo como qualquer outro visitante.

Eles começam no Jardim de Gelo, mas os gêmeos ficam impacientes com o ritmo vagaroso com que Celia prefere caminhar entre as árvores congeladas. Antes de chegarem à metade do espaço, já estão implorando para andar no Carrossel.

Eles brigam para ver quem vai montar no grifo, mas Widget cede quando Celia conta a história da raposa de nove caudas, que está logo atrás, e que de repente parece muito mais interessante. Assim que desembarcam, requisitam uma segunda volta. Para a viagem seguinte, através dos circuitos de engrenagens prateadas e túneis, os irmãos decidem montar em uma serpente e um coelho — sem mais reclamações.

Depois das voltas no Carrossel, Widget quer comer alguma coisa, então se dirigem ao pátio. Quando Celia lhe compra um saquinho de papel com listras pretas e brancas contendo pipoca, ele insiste que quer caramelo também e que não vai comer sem cobertura.

O vendedor, que está mergulhando maçãs em espetos em caramelo escuro e pegajoso, concorda e verte um pouco sobre a pipoca. Vários visitantes ao redor pedem o mesmo tratamento.

Poppet alega não estar com fome. Ela parece distraída, então, ao enveredarem por uma passagem mais tranquila, afastando-se do pátio, Celia pergunta se algo a está incomodando.

— Não quero que a moça boazinha morra — diz Poppet, puxando gentilmente a saia de Celia.

Celia estanca, estendendo uma mão para impedir Widget, alheio a tudo exceto sua pipoca, de continuar caminhando na frente dela.

— Do que está falando, querida? — pergunta ela a Poppet.

— Eles vão colocar ela no chão — explica a menina. — Acho que é triste.

— Que moça boazinha? — pergunta Celia.

Poppet contrai o rosto para pensar.

— Não sei — responde. — Elas são todas iguais.

— Poppet, meu anjo — diz Celia, puxando os gêmeos para um recuo e ajoelhando-se para conversar com ela cara a cara. — Onde está essa moça no chão? Quer dizer, onde você a viu?

— Nas estrelas — responde Poppet. Ela se estica na ponta dos pés e aponta para cima.

Celia ergue os olhos para o céu repleto de estrelas, observando a lua desaparecer atrás de uma nuvem antes de voltar a atenção a Poppet.

— Você vê coisas nas estrelas com frequência? — pergunta.

— De vez em quando — replica Poppet. — Widget vê coisas nas pessoas.

Celia se vira para Widget, que está comendo a pipoca coberta de caramelo em punhados pegajosos.

— Você vê coisas nas pessoas? — pergunta a moça ao menino.

— Às vezes — murmura ele ao mastigar.

— Que tipo de coisas? — questiona Celia.

Widget dá de ombros.

— Lugares aonde elas foram — responde. — Coisas que fizeram.

Ele enfia outro punhado de pipoca grudenta na boca.

— Interessante — comenta Celia. Os gêmeos já lhe contaram muitas coisas estranhas, mas isso parece ir além de fantasias infantis. — Consegue ver alguma coisa em mim? — pergunta para Widget.

Widget aperta os olhos para observá-la enquanto mastiga a pipoca.

— Quartos com cheiro de pó e roupas velhas — replica ele. — Uma mulher que chora o tempo todo. Um homem fantasma com uma camisa rendada que segue você por todo canto e…

Widget para subitamente, franzindo o cenho.

— Você fez sumir — ele diz. — Não tem mais nada. Como fez isso?

— Algumas coisas você não deve ver — explica Celia.

Widget estende o lábio inferior em um beicinho impressionante, mas que só dura até ele levar outro punhado de pipoca à boca.

Celia olha para os gêmeos e depois de volta na direção do pátio, onde a luz da fogueira brilha na orla das tendas, projetando as sombras dançantes das pessoas pelo tecido listrado.

A fogueira nunca se apaga. As chamas nunca vacilam.

Mesmo quando o circo viaja, ela não é apagada, sendo movida intacta de um local a outro. Continua ardendo baixo durante toda a jornada de trem, contida em segurança no seu caldeirão de ferro.

Está queimando constantemente desde a cerimônia na noite de inauguração.

Naquele mesmo momento, Celia tem certeza: alguma coisa foi colocada em movimento, impactando o circo inteiro e tudo ali dentro, tão logo aquele fogo se acendeu.

Incluindo os gêmeos recém-nascidos.

Widget nasceu logo antes da meia-noite, no fim de um velho dia. Poppet seguiu-o instantes depois, em um dia que acabava de começar.

— Poppet — chama Celia, voltando sua atenção à garotinha que estava brincando com a manga da jaqueta. — Se você vir coisas nas estrelas que achar que podem ser importantes, quero que me conte, entendeu?

A menina assente de modo solene, suas nuvens de cabelo ruivo balançando como ondas. Ela se inclina a fim de dirigir uma pergunta a Celia, seus olhos terrivelmente sérios.

— Posso comer uma maçã com caramelo? — pergunta Poppet.

— Acabou minha pipoca — reclama Widget, estendendo o saquinho vazio.

Celia pega o saquinho e o dobra em quadrados cada vez menores enquanto os gêmeos assistem, até que a embalagem desaparece por completo. Quando eles aplaudem, as mãos de Widget não estão mais cobertas de caramelo, embora ele não repare nisso.

Celia contempla os gêmeos por um momento conforme Widget tenta entender onde o saquinho de pipoca foi parar e Poppet mira o céu, pensativamente.

Não é uma boa ideia. Ela sabe que não é uma boa ideia, mas seria melhor mantê-los por perto, vigiá-los com mais atenção, considerando as circunstâncias e os supostos talentos deles.

— Vocês dois gostariam de aprender a fazer coisas assim? — pergunta Celia.

Widget assente no mesmo instante, com tamanho entusiasmo que o chapéu desliza para a frente dos seus olhos. Poppet hesita, mas assente também.

— Então, quando forem um pouco mais velhos, vou ensinar vocês, mas terá que ser nosso segredinho — diz Celia. — Conseguem manter segredo?

Os gêmeos assentem em uníssono. Widget tem de endireitar o chapéu de novo.

Eles seguem Celia alegremente ao serem conduzidos de volta ao pátio.

Desejos e anseios

PARIS, MAIO DE 1891

Quando a cortina de contas se abre, emitindo um som parecido com chuva, é Marco que entra na câmara da vidente, e Isobel de imediato ergue o véu do rosto, a seda preta impossivelmente fina flutuando por cima da cabeça como névoa.

— O que está fazendo aqui? — indaga ela.

— Por que não me contou sobre isso? — Ignorando a pergunta, ele estende um caderno aberto, e na luz tremeluzente Isobel consegue discernir uma árvore preta de galhos nus. Não é como a árvore desenhada em tantos dos cadernos dele; está coberta de velas brancas pingando cera. Ao redor do desenho central, há rascunhos detalhados de galhos retorcidos, capturando diversos ângulos.

— Essa é a Árvore dos Desejos — explica Isobel. — É nova.

— Sei que é nova — diz. — Por que não me contou sobre ela?

— Não tive tempo de escrever — responde Isobel. — E nem sabia se não era algo que você mesmo tinha feito. Parecia algo em que você teria pensado. É lindo o jeito como as pessoas acrescentam desejos a ela, acendendo velas com outras velas já acesas e colocando-as nos galhos. Novos desejos acendidos pelos antigos.

— É dela — Marco se limita a dizer, puxando o caderno de volta.

— Como pode ter certeza? — pergunta a jovem.

Marco hesita, encarando o rascunho, irritado por não ter conseguido capturar de maneira adequada a beleza da coisa em seus esboços apressados.

— Posso sentir — conta ele. — É como saber que uma tempestade está chegando pela mudança no ar ao redor. Assim que entrei na tenda pude sentir, e fica mais forte quanto mais perto da árvore em si. Não sei se seria perceptível para quem não está familiarizado com a sensação.

— Acha que, da mesma forma, ela consegue sentir o que você faz? — indaga Isobel.

Marco não considerou a hipótese antes, mas acha que poderia ser verdade. A ideia é estranhamente satisfatória.

— Não sei. — É tudo o que ele diz a Isobel.

Isobel empurra o véu, que está deslizando sobre o rosto, de volta para trás da cabeça.

— Bem — conclui a jovem —, agora você sabe e pode fazer o que quiser com ela.

— Não funciona assim. Não posso usar para os meus próprios propósitos qualquer coisa que ela faça. Os lados precisam ficar separados. Se estivéssemos jogando xadrez, eu não poderia apenas remover as peças dela do tabuleiro. Minha única opção é retaliar com minhas próprias peças quando ela move as dela.

— Mas então o jogo nunca vai acabar — observa Isobel. — Como você vai conseguir um xeque-mate num circo? Não faz sentido.

— Não é como xadrez — explica o rapaz, com dificuldades para esclarecer algo que ele apenas começou a entender (e finalmente), embora não consiga articular direito. Ele relanceia para a mesa de Isobel, na qual há algumas cartas viradas para cima, e uma em particular chama sua atenção.

— É como isso. — Apontando para a mulher com a balança e a espada, as palavras *La Justice* abaixo de seus pés. — É uma balança: um lado é meu, o outro é dela.

Uma balança prateada aparece na mesa entre as cartas, precariamente equilibrada, cada lado com uma pilha de diamantes que cintilam à luz das velas.

— Então o objetivo é pender a balança a seu favor? — pergunta Isobel.

Marco assente, virando as páginas do caderno. Ele continua voltando para a folha com a árvore.

— Mas se vocês dois continuarem acrescentando coisas ao seu lado da balança, aumentando o peso de cada lado — arrisca Isobel, observando a balança que oscila gentilmente —, ela não vai se quebrar?

— Não creio que seja uma comparação exata — responde Marco, e a balança desaparece.

Isobel franze o cenho, encarando o espaço vazio.

— Quanto tempo vai durar? — pergunta a jovem.

— Não faço ideia. Você quer ir embora? — acrescenta ele, olhando para ela. Não sabe qual resposta quer ouvir.

— Não — diz Isobel. — Eu... não quero ir embora. Gosto daqui, de verdade. Mas também gostaria de entender. Talvez, se entendesse melhor, poderia ajudar mais.

— Você ajuda — pontua Marco. — Talvez a única vantagem que eu tenho é que ela não sabe quem sou. Ela só pode reagir ao circo, e tenho você para observá-la.

— Mas não vi nenhuma reação — protesta Isobel. — Ela passa o tempo sozinha. Lê mais do que qualquer pessoa que eu conheço. Os gêmeos Murray a adoram. Ela sempre foi gentil comigo. Nunca a vi fazer qualquer coisa fora do comum, exceto quando se apresenta. Você fala que ela está fazendo todas essas jogadas, mas nunca a vi fazer nada. Como sabe que a árvore não é obra de Ethan Barris?

— O sr. Barris cria engenhocas impressionantes, mas isso não é trabalho dele. Entretanto, ela aperfeiçoou o carrossel dele, tenho certeza disso. Duvido que mesmo um engenheiro com o talento do sr. Barris consiga fazer com que um grifo de madeira pintada *respire*. Aquela árvore está enraizada no chão, está viva, mesmo que não tenha folhas.

Marco volta a atenção ao rascunho, traçando as linhas da árvore com a ponta dos dedos.

— Você fez um desejo? — pergunta-lhe Isobel, baixinho.

Marco fecha o caderno sem responder.

— Ela ainda se apresenta quinze minutos antes da hora? — pergunta ele, tirando um relógio do bolso.

— Sim, mas… você vai se sentar lá e assistir à apresentação? — questiona a moça. — Mal tem espaço para vinte pessoas na tenda, ela vai notá-lo. Não vai pensar que é estranho você estar lá?

— Ela nem vai me reconhecer — garante Marco. O relógio some de sua mão. — Sempre que houver uma nova tenda, eu apreciaria se você me avisasse.

O rapaz se vira para ir embora, movendo-se com tanta agilidade que as chamas das velas estremecem mediante a agitação do ar.

— Tive saudades — confessa Isobel quando ele vai, mas o sentimento é esmagado pelo chacoalhar da cortina de contas se fechando atrás dele.

Ela puxa o véu de névoa preta sobre o rosto.

—•••—

Depois que o último dos consulentes partiu, nas primeiras horas da manhã, Isobel tira o baralho de Marselha do bolso. Ela sempre o carrega consigo, embora tenha um baralho separado para as leituras do circo, uma versão feita especialmente em preto e branco com tons de cinza.

Do baralho de Marselha, ela tira uma única carta. Já sabe qual será antes de virá-la. O anjo estampado na frente é só uma confirmação de suas suspeitas.

Ela não devolve a carta ao baralho.

Atmosfera

LONDRES, SETEMBRO DE 1891

O circo chegou perto de Londres. O trem aparece furtivamente logo após o cair da noite sem atrair qualquer atenção, os vagões se desmontam, e portas e corredores se separam, formando em silêncio cadeias de cômodos sem janelas. Listras de lona se desdobram ao seu redor, cordas desenroladas se esticando ao máximo e plataformas se montando entre cortinas cuidadosamente abaixadas.

(A companhia presume haver uma equipe que realiza tal façanha conforme eles abrem as bagagens, embora determinados aspectos da transição sejam claramente automatizados. Já foi o caso, mas agora não há mais equipe, nenhum assistente de palco invisível movendo acessórios para os lugares adequados. Eles não são mais necessários.)

As tendas ficam escuras e silenciosas, uma vez que o circo só vai abrir ao público na noite seguinte.

Enquanto a maior parte dos artistas passa a noite na cidade, visitando velhos amigos e pubs preferidos, Celia Bowen senta-se sozinha em sua suíte nos bastidores.

Seus aposentos são modestos em comparação a outros, ocultos atrás das tendas do circo, mas estão repletos de livros e mobília desgastada. Velas desparelhadas queimam de modo alegre em cada superfície disponível, iluminando os pombos adormecidos em suas gaiolas, que pendem entre cortinas feitas de tapeçarias ricamente coloridas. Um santuário aconchegante, confortável e silencioso.

A batida à porta é uma surpresa.

— É assim que você pretende passar a noite? — pergunta Tsukiko, encarando o livro em uma das mãos de Celia.

— Imagino que tenha vindo sugerir uma alternativa? — pergunta Celia. Em geral, a contorcionista não visita apenas por visitar.

— Tenho de ir a um evento e pensei que você poderia vir comigo — conta Tsukiko. — Você passa tempo demais sozinha.

Celia tenta protestar, mas Tsukiko insiste e seleciona um dos vestidos mais elegantes de Celia — um dos poucos com alguma cor, de um veludo azul-escuro adornado com ouro pálido.

— Aonde vamos? — pergunta Celia, mas Tsukiko se recusa a revelar. Já é tarde demais para que o destino delas seja o teatro ou o balé.

Celia ri quando elas chegam à *maison* Lefèvre.

— Você podia ter me contado — diz a Tsukiko.

— Aí não teria sido surpresa — responde a outra.

Celia só compareceu a um evento na *maison* Lefèvre, e foi mais uma recepção antes da inauguração do circo do que um Jantar à Meia-Noite de fato. Mas, apesar de ter visitado a casa em poucas ocasiões entre sua audição e a abertura do circo, ela descobre que já conhece todos os convidados.

Sua chegada com Tsukiko é uma surpresa para os outros, mas Celia é recebida calorosamente por Chandresh e arrastada para a sala de visitas com uma taça de champanhe na mão antes que possa se desculpar por sua presença inesperada.

— Peça que coloquem mais um lugar à mesa — Chandresh orienta Marco, antes de conduzi-la às pressas ao redor da sala, visando certificar-se de que ela foi apresentada a todo mundo. Celia acha estranho que ele não parece se lembrar.

Madame Padva é cortês como sempre, seu vestido de um tom de bronze como folhas de outono resplandecendo sob a luz de velas. As irmãs Burgess e o sr. Barris aparentemente já estavam brincando com o fato de que os três se vestiram em vários tons de azul — um detalhe não planejado —, e o vestido de Celia é citado como prova de que a cor deve estar na moda.

Há alguma menção a outro convidado que pode ou não chegar, mas Celia não guarda o nome dele.

Ela se sente um pouco deslocada naquela reunião de pessoas que se conhecem há tanto tempo, mas Tsukiko certifica-se de incluí-la nas conversas e o sr. Barris presta tanta atenção a cada palavra proferida por ela que Lainie começa a provocá-lo.

Embora Celia conheça o sr. Barris muito bem, após vários encontros e dezenas de cartas trocadas, é impressionante vê-lo fingir que são meros conhecidos.

— O senhor devia ter sido ator — sussurra ela quando tem certeza de que ninguém vai entreouvir.

— Eu sei — responde o sr. Barris, soando genuinamente triste. — Uma pena eu ter desperdiçado minha verdadeira vocação.

Celia nunca conversou por muito tempo com nenhuma das irmãs Burgess — Lainie é mais tagarela do que Tara —, e esta noite ela descobre em detalhes os toques que as duas puseram no circo. Enquanto as fantasias de madame Padva e os feitos de engenharia do sr. Barris são óbvios, a marca das irmãs é mais sutil, mas permeia quase todos os aspectos do circo.

Os aromas, a música, a qualidade da luz. Até o peso das cortinas de veludo nas entradas. Elas ajustaram cada elemento de modo que parecesse espontâneo.

— Gostamos de atingir todos os sentidos — conta Lainie.

— Alguns mais do que outros — acrescenta Tara.

— Verdade — concorda a irmã. — O olfato é frequentemente subestimado, mas pode ser o mais evocativo.

— Elas são geniais com a atmosfera — comenta Chandresh para Celia ao se unir à conversa, substituindo a taça de champanhe vazia dela por uma quase cheia. — Ambas são muito geniais.

— O truque é parecer que nada foi feito de propósito — sussurra Lainie. — Fazer o artificial parecer natural.

— Unificar todos os elementos — conclui Tara.

Parece a Celia que as irmãs cumprem uma função parecida em meio à companhia atual. Ela duvida que aquelas reuniões teriam continuado por tanto tempo após a abertura do circo sem a risada alta e contagiante das irmãs Burgess. Ambas fazem as perguntas perfeitas para manter a conversa fluindo, evitando quaisquer silêncios.

E o sr. Barris fornece um contraste ideal, sério e atencioso, equilibrando a dinâmica do grupo.

Um movimento no corredor atrai a atenção de Celia e, embora qualquer outra pessoa pudesse ter atribuído o reflexo a uma das velas ou aos espelhos, ela adivinha a causa de imediato.

Sai discretamente no corredor, escapulindo para fora de vista e entrando na biblioteca escura do outro lado da sala de visitas. O local está iluminado apenas por uma janela de vitral que se estende em um pôr do sol brilhante ao longo de uma parede, projetando seu matiz cálido sobre as estantes mais próximas e deixando o restante do cômodo nas sombras.

— Não posso ter uma única noite sem você me seguindo? — sussurra Celia para a escuridão.

— Não acho que eventos sociais desse tipo são um uso adequado do seu tempo — responde o pai, o pôr do sol refletindo parte de seu rosto e a frente da camisa em uma coluna vermelha e distorcida.

— Você não pode ditar como passo cada instante do meu tempo, papai.

— Você está perdendo o foco — rebate Hector.

— Não posso perder meu foco — diz Celia. — Entre novas tendas e aperfeiçoamentos, eu ativamente controlo uma parte significativa do circo. E ele está fechado no momento, caso não tenha reparado. Quanto mais eu conhecer essas pessoas, mais sou capaz de manipular o que elas já fizeram. Afinal, elas criaram o circo.

— Suponho que seja um argumento válido — cede Hector. Celia suspeita que ele está franzindo o cenho, apesar da admissão, embora esteja escuro demais para afirmar. — Mas seria bom lembrar que você não tem motivos para confiar em ninguém naquela sala.

— Me deixe em paz, papai — pede Celia com um suspiro.

— Srta. Bowen? — chama uma voz atrás dela. Celia se vira, surpresa ao encontrar o assistente de Chandresh em pé ao lado da porta, observando-a. — A refeição será servida, se quiser se juntar aos outros convidados na sala de jantar.

— Perdoe-me — desculpa-se Celia. Dá um olhar de soslaio às sombras, mas o pai desapareceu. — Fiquei distraída com o tamanho da biblioteca. Não achei que alguém repararia no meu sumiço.

— Tenho certeza de que repararam — garante Marco. — Mas também já fiquei distraído com a biblioteca, muitas vezes.

O sorriso charmoso que acompanha a declaração pega Celia de surpresa, dado que ela raramente viu algo exceto graus variados de atenção reservada ou ocasional nervosismo no semblante do rapaz.

— Obrigada por vir me chamar — agradece ela, esperando que convidados falando sozinhos enquanto supostamente examinam livros sem o auxílio de uma luz não seja uma ocorrência incomum na *maison* Lefèvre.

— Provavelmente suspeitam que a senhorita desapareceu em pleno ar — responde Marco ao percorrerem o corredor. — Pensei que talvez não fosse o caso.

Marco segura cada porta para ela enquanto a acompanha à sala de jantar.

Celia senta-se entre Chandresh e Tsukiko.

— É melhor do que passar a noite sozinha, não é? — indaga Tsukiko, sorrindo quando Celia admite ser verdade.

Conforme os pratos são servidos, quando não está distraída pela qualidade impressionante da comida, Celia se diverte tentando decifrar os relacionamentos entre os convidados. Lê suas interações, intui as emoções ocultas sob os risos e as conversas, capta os lugares onde os olhos se demoram.

Os olhares breves de Chandresh para seu belo assistente ficam mais óbvios a cada taça de vinho, e Celia suspeita que o sr. Alisdair esteja perfeitamente ciente deles, embora continue sendo uma presença silenciosa às margens do cômodo.

Ela leva três pratos para determinar qual das irmãs Burgess é a favorita do sr. Barris, mas, quando chega uma produção elaborada que parecem ser pombos inteiros temperados com canela, ela tem certeza da resposta, embora não saiba se a própria Lainie está ciente.

Madame Padva é chamada de "*tante*" por todo o grupo, embora pareça mais uma matriarca do que uma simples tia. Quando Celia a trata por "madame", todos se viram para ela com surpresa.

— Tão educada para uma garota do circo — comenta madame Padva com um brilho no olhar. — Teremos que afrouxar os laços do seu espartilho se pretendermos mantê-la como uma companhia nesses jantares íntimos.

— Achei que os laços do espartilho seriam desatados *após* o jantar — diz Celia com tranquilidade, fala que é recebida com um coro de risadas.

— Manteremos a srta. Bowen como companhia íntima independentemente do estado do espartilho dela — determina Chandresh. — Anote isso — acrescenta, com um gesto para Marco.

— O espartilho da srta. Bowen está devidamente anotado, senhor — responde Marco, e as risadas borbulham na mesa outra vez.

Marco encontra o olhar de Celia, com um toque do sorriso visto por ela na biblioteca, antes de se virar e sumir no plano de fundo novamente com quase tanta facilidade quanto o pai dela some nas sombras.

O próximo prato chega e Celia volta a ouvir e observar, tentando descobrir se a carne escondida em um folhado leve como uma pena e com um molho de vinho delicado é cordeiro ou alguma coisa mais exótica.

Há algo sobre o comportamento de Tara que Celia acha um pouco perturbador. Alguma coisa quase assombrada na expressão dela vai e vem. Em um momento, ela está ativamente envolvida na conversação, a risada ecoando a da irmã, e no seguinte parece distante, encarando com um olhar vago as velas que pingam cera.

É só quando a risada ecoante soa quase como um soluço por um momento que Celia percebe que Tara a lembra da própria mãe.

A sobremesa interrompe as conversas por completo. Há esferas de açúcar soprado em cada prato que devem ser quebradas para permitir o acesso às nuvens de creme no interior.

Após a cacofonia de açúcar estilhaçado, não demora muito para os convivas perceberem que, embora as esferas parecessem idênticas, cada uma delas tem um sabor inteiramente único.

Colheres são compartilhadas. E, embora haja sabores facilmente identificáveis, como gengibre com pêssego ou coco com curry, outros permanecem mistérios deliciosos.

O de Celia com certeza é de mel, entretanto contém um misto de especiarias que ninguém consegue identificar camuflado pela doçura.

Depois do jantar, a conversa continua regada a café e licor na sala de visitas, até uma hora em que a maioria dos convidados considera muito tarde, mas que Tsukiko pontua como sendo comparativamente cedo para as garotas do circo.

Quando começam as despedidas, Celia é abraçada como todos os outros e ganha vários convites para tomar chá enquanto o circo permanecer em Londres.

— Obrigada — agradece a Tsukiko quando elas saem. — Eu me diverti mais do que esperava.

— Os melhores prazeres são sempre os inesperados — responde Tsukiko.

Pela janela, Marco observa os convidados partirem, pegando um último vislumbre de Celia antes que ela desapareça na noite.

Faz uma ronda na sala de visitas e na sala de jantar, depois desce as escadas até a cozinha a fim de certificar-se de que está tudo em ordem. O restante dos empregados já partiu. Ele apaga as últimas luzes antes de subir vários lances de escada para ver como está Chandresh.

— O jantar hoje foi brilhante, não acha? — pergunta Chandresh quando Marco entra na suíte que ocupa todo o quinto andar, cada cômodo iluminado por uma série de lanternas marroquinas que projetam sombras sinuosas sobre a mobília opulenta.

— De fato, senhor — concorda Marco.

— Mas não há nada na agenda para amanhã. Ou mais tarde hoje, qualquer que seja a hora.

— Há a reunião à tarde a respeito do cronograma da próxima temporada de balé.

— Ah, eu tinha esquecido — comenta Chandresh. — Pode cancelar para mim?

— É claro, senhor — diz Marco, tirando um caderninho do bolso e anotando o pedido.

— Ah, e encomende doze caixas daquele licor que Ethan trouxe. Um negócio maravilhoso.

Marco assente, acrescentando às notas.

— Você não vai embora, vai? — pergunta Chandresh.

— Não, senhor — replica Marco. — Achei que era tarde demais para ir para casa.

— *Casa* — repete Chandresh, como se a palavra soasse estrangeira. — Esta é a sua casa tanto quanto o apartamento que você insiste em manter. Mais ainda do que ele.

— Tentarei me lembrar disso, senhor — pontua Marco.

— A srta. Bowen é uma mulher adorável, não acha? — comenta Chandresh subitamente, virando-se para avaliar a reação à pergunta.

Pego de surpresa, Marco só consegue balbuciar algo que espera se aproximar de sua anuência imparcial de sempre.

— Precisamos convidá-la para jantar sempre que o circo estiver na cidade, para conhecê-la melhor — acrescenta Chandresh com um tom significativo, enfatizando a afirmação com um sorriso satisfeito.

— Sim, senhor — diz Marco, com dificuldade para manter a expressão impassível. — É só isso por hoje?

Chandresh ri e o dispensa com um gesto.

Antes de se retirar rumo aos seus próprios aposentos — uma suíte três vezes maior do que o seu apartamento —, Marco volta silenciosamente à biblioteca.

Ele fica parado por algum tempo no ponto onde encontrou Celia horas antes, perscrutando as estantes familiares e a janela de vitral.

Não consegue imaginar o que ela poderia estar fazendo.

E não repara nos olhos que o encaram das sombras.

Rêveurs

1891-1892

Herr Friedrick Thiessen recebe o cartão pelo correio, um envelope simples entre as faturas e correspondências profissionais. O pacote não contém carta nem bilhete, apenas um cartão preto de um lado e branco do outro. "Le Cirque des Rêves" está impresso na frente em tinta prateada. No verso, escrito à mão em tinta preta sobre o branco, constam as palavras:

Vinte e nove de setembro
Nos arredores de Dresden, Saxônia

Herr Thiessen mal consegue conter a empolgação. Ele negocia prazos com os clientes, termina os relógios em andamento em tempo recorde e aluga um apartamento em Dresden por um curto período.

Chega à cidade no dia 28 de setembro e passa o dia vagando pelos arredores, perguntando-se onde o circo vai se fixar. Não há qualquer indicação de sua chegada iminente, só uma leve eletricidade no ar, embora *Herr* Thiessen não tenha certeza se alguém além de si mesmo consegue senti-la. Sente-se lisonjeado por ter recebido o aviso antecipado.

No dia 29 de setembro, dorme até tarde, antecipando a longa noite por vir. No começo da tarde, ao sair do apartamento em busca de algo para comer, as ruas já estão tomadas por burburinhos: um estranho circo apareceu durante a noite, a oeste da cidade. É uma coisa gigantesca com tendas listradas, comentam as pessoas quando ele chega ao pub. Nunca viram nada parecido. *Herr* Thiessen mantém silêncio sobre a questão, saboreando a animação e a curiosidade ao redor.

Logo antes do pôr do sol, ele se dirige para o oeste, encontrando o circo facilmente uma vez que já há uma multidão reunida do lado de fora. Enquanto espera com o público, pondera sobre como o circo consegue se estabelecer com tanta rapidez. Tem certeza de que o campo em que está agora — como se sempre tivesse estado ali — estava vazio no dia anterior, quando ele caminhou pela cidade. O circo simplesmente se materializou. Como magia, ele ouve alguém comentar, e é obrigado a concordar.

Quando os portões enfim se abrem, *Herr* Friedrick Thiessen sente estar voltando para casa após uma longa ausência.

Ele passa quase todas as noites no circo e durante o dia senta-se no apartamento alugado ou no pub com uma taça de vinho e um diário e escreve a respeito. Em páginas e mais páginas de observações, reconta suas experiências, principalmente para não esquecer, mas também para capturar parte do circo em papel, algo que ele possa guardar consigo.

Ocasionalmente, ele conversa sobre o circo com os outros clientes do pub. Um deles é o editor do jornal da cidade, que, após um pouco de persuasão e várias taças de vinho, convence Friedrick a lhe mostrar o diário. Depois de uma ou duas doses de uísque, Friedrick concorda que excertos do diário sejam publicados no jornal.

O circo deixa Dresden ao fim de outubro, mas o editor do jornal mantém a promessa.

O artigo é bem recebido e seguido por outro, e depois mais um.

Herr Thiessen continua escrevendo e, ao longo dos meses seguintes, alguns dos artigos são reimpressos em outros jornais da Alemanha, e por fim traduzidos e impressos na Suécia, na Dinamarca e na França. Um deles vai parar em um jornal londrino, sob a chamada "Noites no circo".

São esses artigos que tornam *Herr* Friedrick Thiessen o líder não oficial, a figura principal, dos seguidores mais fervorosos do circo.

Alguns conhecem Le Cirque des Rêves por meio de seus escritos, enquanto outros sentem uma conexão instantânea ao lerem suas palavras, uma afinidade com o homem que vivencia o circo tal qual eles — como algo fantástico e incomparável.

Alguns o procuram, e as reuniões e jantares que se seguem prenunciam a formação de um tipo de clube, uma sociedade de amantes do circo.

O título de *rêveurs* começa como uma piada, mas é adotado graças à sua precisão.

Herr Thiessen aprecia imensamente estar cercado por almas gêmeas de toda a Europa, e por vezes até de mais longe, dispostas a discutir o circo de maneira interminável. Ele transcreve as histórias de outros *rêveurs* para incluí-las nos escritos. Cria pequenos relógios como lembrancinhas para eles, retratando seus números ou apresentações favoritas. (Um deles é uma peça maravilhosa composta de minúsculos acrobatas que voam em fitas, feitos para uma jovem que passa a maior parte de suas horas no circo, naquela tenda enorme, olhando para cima.)

Ele até — de modo um tanto acidental — começa uma moda entre os *rêveurs*. Comenta em um jantar em Munique — onde muitos dos jantares ocorrem, perto de sua casa, embora também aconteçam em Londres, Paris e em incontáveis outras cidades — que, quando visita o circo, prefere usar um casaco preto, para se mesclar melhor ao ambiente e sentir-se parte dele. Mas, junto, usa um cachecol escarlate vivo, para distinguir-se do circo também, como um lembrete de que, no fundo, ele é um espectador, um observador.

O fato se difunde com agilidade nesses círculos seletos e assim começa a tradição de *rêveurs* que visitam Le Cirque des Rêves vestidos de preto, branco ou cinza, com um único detalhe vermelho: um cachecol ou um chapéu, ou, se está quente, uma rosa vermelha encaixada na lapela ou atrás da orelha. Também é muito útil para identificar outros *rêveurs*, um sinal simples para aqueles que estão inteirados da prática.

Há aqueles que têm os meios — e até alguns que não têm, mas criativamente os encontram — para seguir o circo de um local a outro. Não há itinerário fixo que seja de conhecimento geral. O circo viaja a cada poucas semanas, com folgas ocasionais, e ninguém de fato sabe onde vai aparecer até que as tendas já estejam erguidas nos arredores de uma cidade ou no campo, ou em uma mistura dos dois.

Mas há poucas pessoas, *rêveurs* seletos e familiarizados com o circo e seus hábitos, que estabeleceram relações cordiais com os indivíduos certos e são notificados das localizações iminentes — e por sua vez notificam os demais, em outros países e outras cidades.

O método mais comum é sutil, e empregado tanto pessoalmente como via correio.

Eles mandam cartões. Cartões retangulares pequenos, parecidos com cartões-postais, que variam mas sempre são pretos de um lado e brancos do outro. Alguns usam cartões-postais de verdade, outros preferem produzi-los eles mesmos. Os cartões dizem apenas:

O circo está chegando...

e nomeiam um local. Às vezes há uma data, mas nem sempre. O circo funciona mais com base em aproximações do que com detalhes exatos. Mas a notificação e a localização muitas vezes são suficientes.

A maioria dos *rêveurs* tem residência fixa e prefere não viajar para muito longe. *Rêveurs* que chamam o Canadá de lar podem hesitar antes de partir para a Rússia, mas fazem visitas extensas com facilidade a Boston ou Chicago, enquanto aqueles no Marrocos conseguem viajar para muitos destinos na Europa, mas talvez não até a China ou o Japão.

Alguns, no entanto, seguem o circo aonde quer que possa levá-los, graças a dinheiro, sorte ou favores consideráveis de outros *rêveurs*. Mas são todos *rêveurs*, cada qual a seu modo, mesmo aqueles que só têm os meios para visitar o circo quando este chega perto deles, em vez de o contrário. Eles sorriem quando identificam uns aos outros. Encontram-se em pubs locais para beber e confabular à espera do pôr do sol com impaciência.

São esses aficionados, esses *rêveurs*, que veem os detalhes no panorama geral do circo. Enxergam as nuances das fantasias, as complexidades das placas. Compram flores de açúcar e não as comem, embrulhando-as em papel e levando-as para casa. São entusiastas, devotos. Obcecados. Alguma parte do circo toca suas almas, fazendo-os sentir saudades quando de sua ausência.

Elas se procuram, essas pessoas com mentes em sintonia. Contam como descobriram o circo, como aqueles primeiros passos foram quase mágicos. Como se entrassem num conto de fadas sob uma cortina de estrelas. Pontificam sobre a fofura da pipoca e a doçura do chocolate. Passam horas discutindo a qualidade da luz e o calor da fogueira. Sentam-se com bebidas, sorrindo tal qual crianças, e saboreiam a sensação de estar cercados por almas gêmeas, mesmo por uma única noite. Quando vão embora, apertam as mãos e se abraçam como velhos amigos, mesmo que tenham acabado de se conhecer e, quando cada um segue seu caminho, sentem-se menos solitários do que antes.

O circo os conhece e os aprecia. Muitas vezes, alguém que se aproxima da bilheteria usando um casaco preto com um cachecol vermelho entra sem pagar ou ganha um copo de sidra ou saquinho de pipoca grátis. Os artistas que os avistam na plateia realizam seus melhores truques. Alguns dos *rêveurs* perambulam de modo contínuo pelo circo, metodicamente visitando cada tenda e assistindo a cada apresentação. Outros têm seus pontos favoritos, de onde raramente saem, escolhendo passar a noite inteira no *Menagerie*, o zoológico, ou na Sala dos Espelhos. Alguns são os últimos a partir, ficando até as primeiras horas da manhã, quando a maioria dos visitantes já foi em busca de suas camas.

Muitas vezes, logo antes do alvorecer, não há quaisquer cores visíveis em Le Cirque des Rêves, exceto as pequenas manchas escarlate.

———···———

Herr Thiessen recebe dezenas de cartas de outros *rêveurs* e responde todas. Enquanto algumas não vão além disso, concluindo-se com uma resposta, outras se tornam trocas mais extensas, coleções de conversas continuadas.

Hoje ele está respondendo a uma carta que achou particularmente intrigante. A autora escreve sobre o circo com incrível especificidade. E a carta é mais pessoal do que a maioria, transmitindo opiniões sobre os escritos dele e fazendo observações sobre o relógio *Wunschtraum* com um nível de detalhes que exigiria horas de observação. Ele lê a carta três vezes antes de se sentar à mesa para compor a resposta.

O selo é de Nova York, mas ele não reconhece a assinatura como pertencente a qualquer um dos *rêveurs* que encontrou de passagem naquela ou em qualquer outra cidade.

Cara srta. Bowen, ele começa.

E espera receber outra carta em resposta.

Colaborações

SETEMBRO-DEZEMBRO DE 1893

Marco chega ao escritório do sr. Barris apenas alguns minutos antes do horário combinado, surpreendendo-se ao encontrar o espaço, normalmente organizado, imerso em um caos completo, cheio de caixotes ainda abertos e pilhas de caixas. Não consegue vislumbrar a mesa, que está enterrada sob a confusão.

— Já é tarde assim? — pergunta o sr. Barris quando Marco bate à porta aberta, sem conseguir entrar devido à falta de espaço disponível no chão. — Eu devia ter deixado o relógio para fora, mas está em um dos caixotes. — Ele indica uma fileira de caixotes de madeira grandes ao longo da parede, mas é impossível dizer se algum está ticando. — E pretendia abrir um caminho também — acrescenta, empurrando caixas e pegando pilhas de plantas baixas enroladas.

— Desculpe por interromper — diz Marco. — Queria falar com o senhor antes que saísse da cidade. Eu teria esperado até se estabelecer de novo, mas achei melhor discutir a questão pessoalmente.

— É claro — diz o sr. Barris. — Eu queria lhe dar as cópias extras dos planos para o circo; estão em algum lugar por aqui. — Ele fuça na pilha de plantas, verificando etiquetas e datas.

A porta do escritório se fecha em silêncio, sem que ninguém a toque.

— Posso fazer uma pergunta, sr. Barris? — indaga Marco.

— É claro — responde o homem, ainda procurando entre os rolos de papel.

— Quanto o senhor sabe?

O sr. Barris abaixa a planta em suas mãos e se vira, empurrando os óculos na ponte do nariz a fim de observar melhor a expressão de Marco.

— Quanto eu sei sobre o quê? — pergunta quando a pausa já se estendeu demais.

— Quanto a srta. Bowen contou ao senhor? — pergunta Marco em resposta.

O sr. Barris o fita com curiosidade por um momento antes de falar.

— Você é o oponente dela — conclui ele, um sorriso espalhando-se no rosto quando Marco assente. — Eu nunca teria adivinhado.

— Ela contou ao senhor sobre a competição — afirma Marco.

— Só em termos gerais — explica o sr. Barris. — Anos atrás, ela me contatou e perguntou o que eu diria se ela contasse que tudo o que faz é real. Eu diria que seria obrigado a acreditar ou julgá-la uma mentirosa, e nunca sonharia em chamar uma moça tão adorável de mentirosa. Em seguida, ela perguntou o que eu conseguiria projetar se não tivesse que me preocupar com restrições como a gravidade. Esse foi o começo do Carrossel, mas presumo que você já saiba disso.

— Imaginei — diz Marco. — Mas não tinha certeza até que ponto o senhor estava ciente.

— A meu ver, estou numa posição em que posso ser muito útil. Acredito que mágicos normais empregam engenheiros para fazer seus truques parecerem ser algo que não são. Nesse caso, forneço o serviço oposto, ajudando magia verdadeira a parecer uma construção engenhosa. A srta. Bowen chama isso de "manter os pés no chão", tornar acreditável aquilo que é inacreditável.

— Ela teve algo a ver com o Observatório? — pergunta Marco.

— Não, ele é inteiramente mecânico — explica o homem. — Posso mostrar os planos estruturais se conseguir localizá-los nesta bagunça. Eu me inspirei em uma viagem à Exposição Colombiana, em Chicago, no começo do ano. A srta. Bowen insistiu que não havia como aperfeiçoá-lo, mas creio que ela ajude a mantê-lo funcionando da maneira adequada.

— Então o senhor também é um mágico — comenta Marco.

— Talvez apenas façamos coisas parecidas de jeitos diferentes — afirma. — Como eu sabia que a srta. Bowen tinha um oponente à espreita em algum lugar, pensava que seja lá quem fosse não precisaria de assistência. Os animais de papel são estupendos, aliás.

— Obrigado — agradece Marco. — Improvisei bastante tentando criar tendas que não exigissem planos arquitetônicos.

— É por isso que está aqui? — pergunta o sr. Barris. — Para algo que requer uma planta?

— Antes de tudo, queria me assegurar do seu conhecimento sobre o jogo — diz Marco. — Posso fazê-lo esquecer toda esta conversa, sabe.

— Ah, não precisa tomar essa precaução. — O homem sacode a cabeça com veemência. — Garanto que sou capaz de permanecer neutro. Não gosto de escolher lados. Vou auxiliar você ou a srta. Bowen o tanto, ou tão pouco, quanto cada um preferir, e não revelarei ao outro nada que você ou ela me confidenciarem em particular. Não direi uma palavra sobre isso a mais ninguém. Pode confiar em mim.

Marco ajeita uma pilha de caixas prestes a tombar enquanto considera.

— Tudo bem — diz ele. — Mas devo admitir, sr. Barris, estou surpreso ao ver a tranquilidade com que o senhor aceitou tudo isso.

O sr. Barris ri baixo.

— Admito que, do nosso grupo, pareço o menos provável a assumir esse papel — confessa. — O mundo é um lugar muito mais interessante do que eu jamais havia imaginado quando fui àquele primeiro Jantar à Meia-Noite. Seria porque a srta. Bowen consegue animar uma criatura de madeira sólida em um carrossel, ou porque você poderia manipular minha memória, ou porque o próprio circo superou os limites do que eu sonhava ser possível, mesmo antes de ter cogitado a existência de magia real? Não sei dizer. Mas eu não trocaria por nada.

— E vai manter minha identidade oculta da srta. Bowen?

— Não vou contar a ela — promete o sr. Barris. — Dou minha palavra.

— Nesse caso — diz Marco —, eu apreciaria sua assistência com uma coisa.

—·—

Quando a carta chega, o sr. Barris teme por um momento que a srta. Bowen ficará aborrecida com a guinada inesperada ou perguntará quem é seu oponente, dado que terá entendido que ele agora está ciente desse fato.

Mas, quando ele abre o envelope, o bilhete que contém diz apenas: *Posso fazer acréscimos?*

Ele responde para informá-la de que a tenda foi especificamente pensada para ser manipulada pelos dois lados, de modo que ela pode acrescentar o que desejar.

—·—

Celia atravessa um corredor cheio de neve. Flocos reluzentes prendem-se ao seu cabelo e agarram-se à bainha do vestido. Ela estende uma mão, sorrindo conforme os cristais se dissolvem em sua pele.

Há portas ao longo do corredor, e ela escolhe uma bem no final, arrastando uma cauda de neve derretida atrás de si ao entrar num cômodo onde precisa se curvar para não colidir com a cascata de livros suspensos do teto, cujas páginas abrem-se em ondas congeladas.

Ela estende uma mão para roçar o papel, o cômodo inteiro oscilando gentilmente à medida que o movimento passa de uma página à outra.

Leva um bom tempo para localizar outra porta, oculta em um canto escuro, e ri quando as botas afundam na areia macia que preenche o recinto além.

Celia se encontra em um deserto branco cintilante com um céu noturno e luminoso estendendo-se em todas as direções. A impressão espacial é tão vasta que ela precisa estender a mão para encontrar a parede escondida nas estrelas, e ainda é uma surpresa quando os dedos atingem a superfície sólida.

Ela tateia as paredes pontilhadas de estrelas, à procura de outra saída no perímetro.

— Isso é detestável — intervém a voz do pai, embora ela não consiga vê-lo na luz escassa. — Vocês deveriam trabalhar separadamente, não nessa... nessa justaposição degenerada. Já a alertei sobre colaborações, não é o jeito certo de exibir suas habilidades.

Celia suspira.

— Acho inteligente — discorda ela. — Que jeito melhor de competir senão na mesma tenda? E o senhor não pode chamar de colaboração. Como posso colaborar com alguém cuja identidade sequer conheço?

Ela só pega um vislumbre do rosto dele quando o pai a olha com censura, depois se vira para a parede.

— Qual é superior, então? — pergunta a moça. — Um cômodo cheio de árvores ou um cômodo cheio de areia? Nem ao menos sabe quais são meus? Isso está ficando cansativo, papai. Meu oponente sem dúvidas tem habilidades comparáveis às minhas. Como vocês vão determinar um vencedor?

— Isso não é da sua conta — sibila a voz do pai, mais perto do ouvido dela do que Celia gostaria. — Você me decepciona, eu esperava mais. Precisa fazer mais.

— Fazer mais é exaustivo — protesta. — Há um limite para o que eu posso controlar.

— Não é o suficiente — assevera o pai.

— Quando será suficiente? — pergunta a moça, mas não recebe resposta e fica sozinha entre as estrelas.

Ela afunda no chão, apanhando um pouco de areia branca perolada e deixando-a cair lentamente através dos dedos.

———•••———

Sozinho em seu apartamento, Marco constrói pequenos cômodos com pedacinhos de papel. Corredores e portas criados com páginas de livros e excertos de projetos, faixas de papel de parede e fragmentos de cartas.

Constrói câmaras que levam até outras, criadas por Celia. Escadas que rodopiam ao redor dos corredores dela.

Deixa espaços abertos para ela responder.

O tique-taque do relógio

VIENA, JANEIRO DE 1894

O escritório é amplo, mas parece menor devido ao volume dos conteúdos. Embora grande parte das paredes seja de vidro fosco, a maioria está oculta por armários e estantes. A mesa de desenho junto às janelas está praticamente escondida no caos, ordenado com meticulosidade, de papéis, diagramas e plantas. O homem de óculos sentado atrás dela está quase invisível, mesclando-se ao ambiente. O som do lápis rabiscando o papel é tão metódico e preciso quanto o tique-taque do relógio no canto.

Há uma batida na porta de vidro fosco e o lápis para de rabiscar, embora o relógio não cesse seu trabalho.

— A srta. Burgess está aqui para vê-lo — anuncia um assistente através da porta aberta. — Ela afirma não querer incomodá-lo se o senhor estiver ocupado.

— Não é incômodo algum — replica o sr. Barris, abaixando o lápis e erguendo-se do seu assento. — Por favor, peça-lhe que entre.

O assistente se afasta da entrada e em seu lugar aparece uma jovem usando um vestido elegante com detalhes em renda.

— Olá, Ethan — cumprimenta Tara Burgess. — Perdoe-me por aparecer sem aviso.

— Não precisa se desculpar, querida Tara. Está adorável como sempre — elogia o sr. Barris, beijando-a nas duas bochechas.

— E você não envelheceu um dia — comenta Tara, com um tom enfático. O sorriso dele vacila enquanto desvia o olhar e vai fechar a porta atrás dela.

— O que a traz a Viena? — pergunta ele. — E onde está sua irmã? Raramente vejo vocês separadas.

— Lainie está em Dublin, com o circo — explica Tara, voltando a atenção para os conteúdos da sala. — Eu... não estava no clima, então pensei em viajar sozinha por um tempo. Visitar amigos em lugares distantes pareceu um bom jeito de começar. Eu teria enviado um telegrama, mas foi tudo um pouco espontâneo. E não sabia se seria bem-vinda.

— Você é sempre bem-vinda, Tara — assegura o sr. Barris. Ele oferece uma cadeira, mas ela não repara, perambulando ao redor das mesas cobertas de modelos altamente detalhados de prédios, parando cá e lá a fim de investigar um detalhe com mais atenção: o arco de uma porta, a espiral de uma escadaria.

— Acho difícil diferenciar velhos amigos de sócios em casos como o nosso — diz Tara. — Saber se somos o tipo de pessoa que conversa educadamente para encobrir segredos compartilhados ou algo mais do que isso. Este é fantástico — acrescenta, pausando em frente ao diagrama de uma elaborada coluna vazada com um relógio suspenso no centro.

— Obrigado — diz o sr. Barris. — Ainda está longe de ser concluído. Preciso enviar os planos completos a Friedrick para que ele comece a produção do relógio. Suspeito que será bem mais impressionante em tamanho real.

— Tem os planos do circo aqui? — pergunta Tara, examinando os diagramas colados na parede.

— Na verdade, não. Eu os deixei com Marco, em Londres. Queria manter cópias nos arquivos, mas devo ter esquecido.

— Esqueceu de manter cópias de qualquer outro plano? — pergunta Tara, correndo um dedo por uma fileira de armários com prateleiras longas e finas, cada uma com papéis cuidadosamente empilhados.

— Não — diz o sr. Barris.

— E não... não acha isso estranho? — pergunta Tara.

— Não particularmente — diz o sr. Barris. — *Você* acha isso estranho?

— Acho muitas coisas sobre o circo estranhas — responde Tara, torcendo a renda no punho da manga.

O sr. Barris senta-se à sua mesa, reclinando-se na cadeira.

— Vamos discutir o que você veio discutir em vez de ficar de rodeios? — indaga ele. — Nunca fui particularmente ágil.

— Sei por experiência própria que isso não é verdade — diz Tara, acomodando-se na cadeira diante dele, embora seu olhar continue vagando pelo cômodo. — Mas seria agradável falar diretamente para variar; às vezes, me pergunto se algum de nós lembra-se de como fazer isso. Por que deixou Londres?

— Suspeito que deixei Londres pelos mesmos motivos que você e sua irmã viajam com tanta frequência — diz o sr. Barris. — Um excesso de olhares curiosos e elogios dúbios. Duvido que alguém percebeu que o dia em que meu cabelo parou de cair foi o mesmo dia da inauguração do circo, mas as pessoas começaram a notar após um tempo. Enquanto a nossa *tante* Padva pode estar envelhecendo bem, e qualquer coisa sobre Chandresh possa ser atribuída à sua excentricidade, nós somos submetidos a um tipo diferente de escrutínio por sermos um pouco mais comuns.

— É mais fácil para aqueles que podem desaparecer no circo — afirma Tara, olhando pela janela. — De vez em quando, Lainie sugere que a gente o siga também, mas acho que seria uma solução temporária. Somos mais voláteis do que o ideal.

— Vocês poderiam só parar de se preocupar — sugere o sr. Barris em voz baixa.

Tara balança a cabeça.

— Quantos anos até que mudar de cidade não seja mais suficiente? Qual é a solução depois disso? Trocar de nome? Eu... não gosto de ser obrigada a criar essas estratégias.

— Não sei — admite o sr. Barris.

— Há muito mais acontecendo do que nós estamos cientes, disso tenho certeza — admite Tara com um suspiro. — Tentei falar com Chandresh, mas era como se estivéssemos falando duas línguas diferentes. Não gosto de ficar parada quando algo claramente não está certo. Eu me sinto… não presa, mas algo assim, e não sei o que fazer sobre isso.

— E está em busca de respostas — conclui o sr. Barris.

— Não sei o que estou procurando — responde Tara, e por um momento seu rosto se contrai como se ela estivesse prestes a irromper em lágrimas, mas então ela se recompõe. — Ethan, às vezes você sente que está sonhando o tempo todo?

— Não, não posso dizer que sinto.

— Estou achando difícil discernir entre quando estou dormindo e acordada — revela Tara, puxando os punhos de renda outra vez. — Não gosto de ficar no escuro. E, sobretudo, também não gosto de acreditar em coisas impossíveis.

O sr. Barris tira os óculos e limpa as lentes com um lenço, erguendo-as contra a luz em busca de quaisquer manchas remanescentes, antes de responder.

— Testemunhei muitas coisas que um dia teria considerado impossíveis… ou inacreditáveis. Agora descobri que não tenho mais parâmetros definidos para tais questões. Decidi fazer o meu trabalho o melhor possível, e deixar os outros aos deles.

Ele abre uma gaveta e, após procurar por um momento, tira um cartão de visitas que contém um único nome. Mesmo olhando-o de ponta-cabeça, Tara consegue facilmente distinguir o *A* e o *H*, ainda que nada mais. O sr. Barris pega um lápis e escreve um endereço de Londres sob o nome impresso.

— Acho que nenhum de nós naquela noite sabia precisamente no que estávamos nos envolvendo — diz. — Se você insiste em investigar tudo isso mais a fundo, creio que ele possa ser o único de nós apto a ajudar, mas não posso garantir que oferecerá muitas respostas.

Ele desliza o cartão sobre a mesa para Tara, que o observa com cuidado antes de guardá-lo na bolsa, como se não tivesse certeza de que é real.

— Obrigada, Ethan — agradece sem olhar para ele. — Aprecio sua ajuda, de verdade.

— Não há de quê, minha cara — diz o sr. Barris. — Eu… espero que você encontre o que está procurando.

Tara só assente, distraída, e discutem outras questões de pouca importância enquanto o relógio tica as horas da tarde e a luz fora das janelas de vidro fosco esvanece consideravelmente. Ele a convida para o jantar, mas ela recusa de maneira educada e vai embora sozinha.

O sr. Barris volta à mesa de desenho, o lápis que rabisca e o relógio que tica de novo em harmonia.

O guarda-chuva do Mago

PRAGA, MARÇO DE 1894

A placa sobre os portões de Le Cirque des Rêves esta noite é grande e está pendurada com fitas trançadas que se envolvem nas barras logo acima da fechadura. As letras são compridas o bastante para serem lidas a certa distância, mas as pessoas ainda assim chegam o mais perto possível.

Fechado devido ao tempo inclemente

ela diz, em uma tipografia requintada cercada por um desenho bem-humorado de nuvens cinza. As pessoas leem a placa, às vezes duas vezes, observam o sol poente e o céu violeta límpido, e coçam a cabeça. Demoram-se ali e algumas esperam para ver se a placa será removida e se o circo abrirá, mas não há ninguém à vista e, por fim, a pequena aglomeração se dispersa em busca de atividades alternativas para a noite.

Uma hora depois, começa uma torrente de chuva e vento que faz ondular a superfície das tendas listradas. A placa nos portões dança ao vento, reluzente e encharcada.

Do outro lado do circo, em uma parte da cerca que não se parece de forma alguma com um portão, mas ainda abre, Celia Bowen sai dentre as sombras das tendas escuras para o temporal, abrindo o guarda-chuva com certa dificuldade. O guarda-chuva é grande, com um cabo curvado e pesado, e uma vez que Celia consegue abri-lo fornece uma boa cobertura contra a água. Mesmo assim, a parte inferior do vestido cor de vinho fica logo encharcada ao ponto de parecer quase preta.

Ela caminha sem chamar atenção rumo à cidade, embora nem tenha como chamar muita atenção em meio a um temporal como esse. Passa por poucos outros pedestres nas ruas de paralelepípedos, todos também parcialmente ocultos sob guarda-chuvas.

Por fim, ela para em um café muito iluminado, abarrotado e animado apesar do tempo. Acrescenta seu guarda-chuva à coleção reunida ao lado da porta.

Há poucas mesas vagas, mas a cadeira vazia que atrai o olhar dela fica ao lado de uma lareira, diante de Isobel, sentada com uma xícara de chá e o nariz enterrado em um livro.

Celia nunca soube bem o que pensar da vidente — ela tem uma desconfiança inata de qualquer pessoa cuja profissão envolva contar aos outros o que eles querem ouvir. E Isobel às vezes emana o mesmo brilho no olhar que Celia capta em Tsukiko — como se soubesse mais do que está dizendo.

Mas talvez isso não seja estranho para alguém que ganha a vida contando às pessoas o que o futuro lhes reserva.

— Posso me juntar a você? — pergunta Celia. Isobel ergue os olhos; a surpresa é nítida em sua expressão, mas logo substituída por um sorriso radiante.

— É claro — concorda ela, marcando a página antes de pôr o livro de lado. — Não acredito que você se aventurou nesse tempo. Evitei o começo do temporal por um triz e pensei em esperar aqui a chuva passar. Eu ia me encontrar com uma pessoa, mas não sei se ela vai vir agora.

— Não posso culpá-la — diz Celia, tirando as luvas molhadas. Sacode-as com gentileza e elas secam instantaneamente. — Andar lá fora é como atravessar um rio.

— Você está evitando a festa do tempo inclemente?

— Apareci brevemente antes de escapar, mas não estou no clima de festejar esta noite. Além disso, não gosto de desperdiçar uma oportunidade de sair do circo e mudar de ares, mesmo que quase precise me afogar para isso.

— Também gosto de escapar de vez em quando — revela Isobel. — Você fez chover para ter uma noite de folga?

— Claro que não — diz Celia. — Mas, se tivesse, parece que exagerei.

Enquanto ela fala, o vestido encharcado está secando, a cor quase preta retornando a um vinho escuro, embora não fique claro se isso é causado pelo fogo próximo crepitando alegremente ou se é uma transformação sutil que ela mesma realiza.

Celia e Isobel conversam sobre o tempo e Praga e livros, não exatamente evitando o assunto do circo, mas mantendo uma distância segura dele. No momento, são apenas duas mulheres sentadas a uma mesa, em vez de uma vidente e uma ilusionista, uma oportunidade que elas não têm com frequência.

A porta do café é escancarada, e uma rajada de vento e chuva entra, sendo recebida com exclamações irritadas dos clientes e o chacoalhar dos guarda-chuvas reunidos.

Uma garçonete de aspecto cansado para na mesa delas e Celia pede um chá de hortelã. Quando a mulher se afasta, Celia dá um olhar demorado ao redor da sala, perscrutando a clientela como se procurasse alguém, mas sem encontrar um ponto em que se focar.

— Algum problema? — pergunta Isobel.

— Ah, não é nada — diz Celia. — Só a sensação de estar sendo observada, mas talvez seja só minha imaginação.

— Talvez alguém a tenha reconhecido — sugere Isobel.

— Duvido — responde Celia ao analisar os clientes ao redor, sem encontrar um único olho virado na direção delas. — As pessoas veem o que querem ver. Tenho certeza de que este lugar já recebeu sua cota de clientes incomuns desde que o circo chegou à cidade.

— Sempre fico pasma que ninguém me reconhece fora de contexto — conta Isobel. — Nas últimas noites, li a sorte de uma série de pessoas nesta sala e nenhuma delas olhou duas vezes para mim. Talvez eu não pareça tão misteriosa quando não estou cercada por velas e veludo. Ou talvez elas prestem mais atenção às cartas do que a mim.

— Está com as cartas aí? — indaga Celia.

Isobel assente.

— Você... gostaria de uma leitura?

— Caso não se incomode.

— Nunca pediu que eu lesse as cartas antes.

— Geralmente não tenho vontade de saber qualquer coisa sobre meu futuro — diz Celia. — Mas hoje estou me sentindo um pouquinho curiosa.

Isobel hesita, lançando um olhar de soslaio para a clientela, um grupo boêmio que beberica absinto e discute arte.

— Eles nem vão reparar — diz Celia. — Prometo.

Isobel volta sua atenção para ela, então tira um baralho da bolsa — não as cartas brancas e pretas do circo, mas seu baralho de Marselha original, desgastado e desbotado.

— São lindas — elogia Celia enquanto Isobel começa a embaralhá-lo, observando o borrão cambiante de cartas.

— Obrigada.

— Mas só há setenta e sete.

As mãos de Isobel vacilam só um instante, mas uma única carta cai do baralho sobre a mesa. Celia a recupera, brevemente olhando para o dois de copas na superfície antes de estendê-la de volta a Isobel, que a devolve no lugar e volta a embaralhar, agilmente passando as cartas de uma mão para outra.

— Uma delas está... em outro lugar — explica Isobel.

Celia não pergunta mais nada.

A garçonete traz o seu chá de hortelã, nem sequer olhando para as cartas antes de se afastar.

— Você fez isso? — pergunta Isobel.

— Eu a distraí, sim — responde Celia depois de soprar de modo gentil na superfície do seu chá fumegante. Não é bem o que ela fez, mas o véu invisível que puxou sobre a mesa parece difícil demais de explicar. E o fato de que, apesar dele, a sensação de estarem sendo observadas não se dissipou, e isso a incomoda.

Isobel para de embaralhar e coloca as cartas viradas para baixo na mesa.

Celia corta o baralho em três sem esperar instruções, segurando a beirada das cartas com cuidado ao depositar cada pilha em uma fileira na mesa.

— Qual? — pergunta Isobel.

De modo pensativo, Celia contempla as três pilhas de cartas ao bebericar o chá. Um momento depois, indica a do centro. Isobel junta o baralho de novo, mantendo aquela seção no topo.

As cartas que ela põe na mesa não apresentam uma clareza imediata. Várias de copas. O dois de espadas. *La Papessa*, a enigmática Sacerdotisa.

Isobel mal consegue conter uma inspiração involuntária quando vira *Le Bateleur* sobre as cartas já dispostas. Ela disfarça com uma tosse. Celia parece não notar que há algo errado.

— Perdão — desculpa-se Isobel, após encarar as cartas em silêncio por alguns momentos. — Às vezes demoro um pouco para traduzir de modo adequado.

— Não há pressa — diz Celia.

Isobel empurra as cartas sobre a mesa, focando-se primeiro em uma e depois na outra.

— Você carrega muitos fardos. Um coração pesado. Coisas que perdeu. Mas está se movendo em direção a mudanças e descobertas. Há influências externas que a impelem adiante.

A expressão de Celia não revela nada. Ela olha para as cartas e ocasionalmente para Isobel, atenta mas resguardada.

— Você está... não lutando, não é bem a palavra certa, mas há um conflito contra algo invisível, algo nas sombras que está oculto de você.

Celia só sorri.

Isobel deposita outra carta na mesa.

— Mas será revelado em breve — completa ela.

Isso deixa Celia intrigada.

— Quão breve?

— As cartas não fornecem um cronograma muito claro, mas está muito perto. Quase imediato, eu diria.

Isobel saca outra carta. O dois de copas de novo.

— Há emoções — explica ela. — Emoções profundas, mas você está ainda nas margens, ainda perto da superfície, enquanto elas aguardam para arrastá-la para baixo.

— Interessante — comenta Celia.

— Não é nada que eu possa distinguir com clareza como bom ou mau, mas é… intenso. — Isobel rearranja as cartas um pouquinho, deixando *Le Bateleur* e *La Papessa* cercados pelos naipes de paus tingidos de fogo e copas pintadas como água. O estalar do fogo ao lado se mistura com a chuva que tamborila nas janelas. — Elas quase se contradizem — declara ela após um momento. — Como se houvesse amor e perda ao mesmo tempo, juntos em um tipo de dor agradável.

— Bem, pelo visto tenho algo divertido à minha espera — comenta Celia secamente. Isobel sorri, erguendo os olhos das cartas mas sem encontrar algo a interpretar na expressão da outra.

— Sinto muito por não poder ser mais clara — diz. — Se algo me ocorrer depois, eu falo. Às vezes gosto de ruminar sobre as cartas antes de conseguir decifrá-las. Essas são… não confusas, precisamente, mas são complexas, o que implica muitas possibilidades a considerar.

— Não precisa se desculpar. Não posso afirmar que estou terrivelmente surpresa. E obrigada, aprecio as revelações.

Celia muda de assunto, embora as cartas permaneçam na mesa e Isobel não faça menção de guardá-las. Elas discutem questões sem importância até que Celia insiste que deveria voltar ao circo.

— Espere a chuva passar, pelo menos — protesta Isobel.

— Já monopolizei seu tempo o suficiente, e chuva é só chuva. Espero que a pessoa que você estava esperando apareça.

— Duvido, mas obrigada. E obrigada por me fazer companhia.

— O prazer foi meu — replica Celia, levantando-se da mesa enquanto veste as luvas outra vez. Ela abre caminho com facilidade no café lotado, puxando um guarda-chuva de cabo escuro junto à porta e dando um aceno de despedida para Isobel antes de se preparar para a caminhada sob o temporal até o circo.

Por um tempo, Isobel rearranja as cartas espalhadas na mesa.

Ela não mentiu, não exatamente. É quase impossível para Isobel mentir sobre as cartas.

Mas a competição está nítida, tanto que tudo o mais está conectado a ela — passado e futuro.

Ao mesmo tempo, parece mais uma leitura para o circo como um todo do que para Celia especificamente, mas é tão emocional que os detalhes se perdem. Isobel empilha as cartas e as embaralha de volta. *Le Bateleur* flutua para o topo enquanto ela as move, e Isobel franze o cenho para a carta antes de olhar ao redor do café. Há alguns chapéus-coco espalhados entre os clientes, mas nenhum sinal daquele que ela está procurando.

Ela embaralha até que O Mago esteja enterrado profundamente no baralho; então guarda as cartas e retoma sua leitura ao esperar, sozinha, a tempestade passar.

Do lado de fora, a chuva está forte e a rua, escura e quase completamente deserta, pontilhada com janelas brilhantes. Não está tão frio quanto Celia esperava, apesar do vento cortante.

Ela não sabe ler tarô muito bem — há sempre possibilidades demais, significados demais. Todavia, depois que Isobel apontou elementos específicos, ela conseguiu ver as emoções complicadas, a revelação iminente. Não sabe o que pensar sobre isso, mas, apesar do ceticismo, espera que signifique que enfim vai descobrir a identidade do seu oponente.

Ela continua caminhando distraída, considerando as cartas, mas lentamente percebe que não está gelada. Está tão aquecida, se não mais, quanto estava sentada perto do fogo com Isobel. Além disso, suas roupas permanecem secas. A jaqueta, as luvas, até a bainha do vestido. Não há uma única gota de chuva em Celia, embora a chuva continue torrencial, o vento fazendo a precipitação cair em várias direções além do padrão gravitacional regular. Gotas explodem em poças parecidas com lagoas e respingam para todos os lados, mas Celia não sente nenhuma delas. Até suas botas estão perfeitamente secas.

Ela para de andar quando chega à praça, ficando ao lado do imponente relógio astronômico onde apóstolos entalhados fazem sua aparição programada de hora em hora, apesar do clima.

Fica parada no aguaceiro. A chuva está tão espessa ao redor que mal dá para enxergar além de poucos passos adiante, mas ela continua tanto quente como seca. Estende a mão à frente, além da cobertura do guarda-chuva, e a contempla com cuidado, mas nem uma única gota cai sobre ela. Aquelas que se aproximam logo mudam de direção antes de atingir a luva, desviando dela como se Celia estivesse cercada por algo invisível e impermeável.

É nesse momento que ela tem certeza de que o guarda-chuva que está segurando não é o seu.

— Perdão, srta. Bowen. — Uma voz a chama, mais alta do que a chuva e carregada pela rua. Uma voz que ela reconhece mesmo antes de se virar e encontrar Marco em pé parado logo atrás, encharcado, com água escorrendo pela borda do chapéu-coco. Na mão, ele segura um guarda-chuva preto fechado e idêntico ao que ela carrega.

— Acredito que a senhorita está com o meu guarda-chuva — diz ele, quase sem fôlego, mas sorrindo de um jeito lupino demais para ser inteiramente encabulado.

Celia o fita, surpresa. A princípio, se pergunta por que diabos o assistente de Chandresh está em Praga, dado que ela nunca o viu fora de Londres. Então surge a questão de como ele poderia ter um guarda-chuva desses.

Enquanto o encara, confusa, os pedaços do quebra-cabeça começam a se juntar. Ela se lembra de cada encontro que teve com o homem agora diante de si na chuva, recordando a perturbação que ele demonstrou durante a audição dela, os anos de olhares e comentários que Celia interpretou apenas como mero flerte.

E a impressão constante de que ele não estava presente de fato, fundindo-se tão bem com o ambiente que ocasionalmente ela se esquecia de que o rapaz estava presente na sala.

Celia pensara ser um sinal de que ele era um bom assistente, nunca considerando como uma aparência dessas poderia ser enganadora.

De repente, sente-se muito estúpida por jamais ter cogitado a possibilidade de que ele pudesse ser o seu oponente.

E aí começa a rir, uma risada deliciada que harmoniza com o barulho da chuva. O sorriso de Marco vacila ao observá-la, piscando a água para fora dos olhos.

Quando recupera a compostura, Celia faz uma mesura baixa e perfeita. Estende-lhe o guarda-chuva, arquejando assim que a chuva a atinge no momento que o cabo sai dos seus dedos. Marco estende a ela o guarda-chuva idêntico.

— Minhas sinceras desculpas — pede ela, os olhos ainda reluzindo de divertimento.

— Eu gostaria muito de conversar com a senhorita, se aceitar um drinque — convida Marco. O chapéu-coco já está seco quando tenta em vão cobrir a ambos com o guarda-chuva aberto. O vento açoita os cachos escuros de Celia como cordas sobre o próprio rosto enquanto ela o contempla, observando os olhos do rapaz conforme as gotas de chuva evaporam de seus cílios.

Apesar de todos os anos de conjecturas, encarar seu oponente não é nada como ela esperara.

Ela imaginava que seria alguém conhecido. Alguém de dentro dos confins do circo em vez de fora, mas ainda envolvido.

Há tantas perguntas, tantas coisas que ela anseia por discutir, apesar da insistência constante do pai de que não deve se preocupar com o oponente. Ao mesmo tempo, ela se sente subitamente exposta, ciente de que ele sempre soube a posição de cada um deles. Marco sabia, a cada vez que abriu uma porta para ela ou tomou notas para Chandresh. A cada vez que a encarou assim como a encara agora, com esses olhos verde-claros desconcertantes.

Ainda assim, é um convite tentador.

Talvez, se ela não estivesse quase afogando-se na chuva, aceitaria.

— É claro que gostaria — diz Celia, retribuindo o sorriso largo de Marco na mesma moeda. — Alguma outra hora.

Ela abre o próprio guarda-chuva com certa dificuldade e, balançando o toldo de seda preta sobre a cabeça, ela e o guarda-chuva desaparecem, deixando apenas gotas caindo na rua vazia.

Sozinho na rua, Marco observa por alguns momentos o espaço onde Celia estava antes de se afastar na noite.

REFLEXOS E DISTORÇÕES

A placa diz "Sala dos Espelhos", mas ao entrar você encontra mais do que um simples salão.

Não há apenas faces de vidro espelhado sem adornos que ocupam toda a extensão da sala, como você esperava, mas centenas de espelhos de tamanhos e formas variados, cada qual em uma moldura diferente.

Ao passar por um espelho refletindo suas botas, o seguinte mostra apenas espaço vazio e os espelhos do outro lado. Seu cachecol não aparece num espelho e depois retorna no próximo.

Refletido atrás de você há um homem de chapéu-coco, embora ele apareça em determinados espelhos e não em outros. Quando você se vira, não consegue localizá-lo, embora haja mais visitantes caminhando ao seu lado do que você tinha visto nos espelhos.

A sala conduz a um cômodo redondo e bem iluminado. A luz irradia de um poste alto no centro, constituído de ferro preto e com uma lâmpada de vidro fosco que pareceria mais à vontade em uma esquina urbana do que numa tenda de circo.

As paredes aqui são completamente espelhadas, cada longo espelho disposto de modo a se alinhar com o teto listrado visível acima e o piso pintado para combinar com ele.

Enquanto você avança pela sala, ela se torna um campo de infinitos postes de luz, as listras se repetindo em padrões fractais, uma após a outra após a outra.

Cartomancia

CONCORD, MASSACHUSETTS, OUTUBRO DE 1902

Enquanto continua vagando pelo circo, os passos de Bailey o levam de volta ao pátio. Ele faz uma breve pausa para observar a fogueira brilhante e comprar um saquinho de chocolates em uma barraca para compensar o jantar que praticamente não comeu. Os chocolates têm a forma de camundongos, com orelhas de amêndoas e rabos de alcaçuz. Ele come dois de imediato e enfia o restante no bolso do casaco, torcendo para que não derretam.

Depois sai do pátio por outra direção, contornando a fogueira.

Ele passa por várias tendas com placas interessantes, mas não sente muita vontade de entrar em nenhuma, ainda relembrando a apresentação da ilusionista. Quando o caminho faz uma curva, depara-se com uma tenda pequena com uma placa bonita e muito elaborada:

Vidente

Ele consegue ler a palavra com facilidade, mas o restante são floreios complexos de letras intricadas que Bailey precisa chegar bem perto para entender:

Destinos Vaticinados e Desejos Secretos Revelados

Ele olha ao redor. Por um momento, não há mais ninguém à vista em qualquer direção e o circo passa a mesma impressão sinistra de quando se esgueirou através da cerca no meio do dia, como se estivesse vazio exceto por Bailey e as coisas (e pessoas) que sempre estão ali.

A discussão contínua sobre o próprio futuro ecoa em seus ouvidos ao entrar na tenda.

Bailey se encontra em um cômodo que o faz se lembrar muito da sala de visitas da avó, só que com menos cheiro de lavanda. Há cadeiras, mas todas estão vazias, e um lustre cintilante chama a atenção dele por um momento antes que note a cortina.

Ela é feita de fios de contas brilhantes. Bailey nunca viu nada parecido — a cortina cintila sob a luz, e ele não tem certeza se deveria atravessá-la ou esperar algum sinal ou aviso. Olha ao redor em busca de uma placa informativa, mas não encontra nada. Espera, confuso, no vestíbulo vazio, até que uma voz chama de trás da cortina de contas.

— Entre, por favor — convida a voz. Pertence a uma mulher, soa baixa e como se ela estivesse bem do lado dele, embora Bailey tenha certeza de que o som veio da sala ao lado. Hesitante, leva uma mão até as contas, que são lisas e frias, e descobre que seu braço desliza facilmente e que elas se apartam como água ou folhas de grama. As contas tilintam quando batem umas nas outras, e o som que ecoa no espaço escuro parece o tamborilar de chuva.

O cômodo em que se encontra agora é bem menos parecido com a sala de visitas da avó. Está cheio de velas e há uma mesa no centro, com uma cadeira vazia de um lado e uma moça, vestida de preto com um véu longo e fino sobre o rosto, sentada do outro. Sobre a mesa há um baralho e uma grande bola de cristal.

— Sente-se, por favor, jovem — pede a moça, e Bailey avança alguns passos até a cadeira vazia e se senta. A cadeira é surpreendentemente confortável, bem diferente das cadeiras duras da avó, embora elas sejam muito parecidas. Só agora ocorre a Bailey que, exceto pela garota ruiva, ele nunca ouviu nenhuma pessoa do circo falar. A ilusionista permaneceu em silêncio durante toda a apresentação, embora ele não tivesse notado no momento.

— Receio que é preciso pagar antes de começarmos — informa ela. Bailey fica aliviado por ter trazido um pouco de dinheiro extra para a despesa inesperada.

— Quanto é? — pergunta.

— O quanto deseja pagar por um vislumbre do seu futuro — responde a vidente. Bailey considera por um momento. É esquisito, mas justo. Tira o que espera ser uma quantia adequada do bolso e a põe na mesa, e a mulher não pega o dinheiro, só passa a mão sobre ele e as cédulas desaparecem.

— Pois bem, sobre o que gostaria de saber? — pergunta ela.

— Meu futuro. Minha vó quer que eu vá para Harvard, mas meu pai quer que eu assuma a fazenda.

— E o que você quer? — pergunta a vidente.

— Não sei — responde Bailey.

Ela ri, mas de um jeito amigável que o faz se sentir mais à vontade, como se ele estivesse conversando com uma pessoa normal e não alguém misterioso ou mágico.

— Não tem problema — comenta ela. — Podemos ver o que as cartas têm a dizer sobre a questão.

A vidente embaralha as cartas, passando-as de uma mão à outra. Elas deslizam para cima e para baixo uma das outras em ondas. Em seguida, a mulher as espalha na mesa em um único movimento fluido, formando um arco de versos com padrões em branco e preto idênticos.

— Escolha uma carta — orienta. — Não precisa ter pressa. Essa será a sua carta, a que o representa.

Bailey observa o arco de cartas com o cenho franzido. Todas parecem iguais. Há pedaços da estampa, algumas mais largas do que outras, algumas não tão bem alinhadas quanto as outras. Ele examina toda a fileira e depois volta, e por fim uma delas chama sua atenção. Está mais escondida do que as outras, quase completamente encoberta pela carta acima dela. Só a borda está visível. Ele estende a mão, mas hesita antes de alcançá-la.

— Posso tocar? — pergunta ele. Sente-se como na primeira vez que o deixaram se sentar à mesa com a louça mais cara, como se não devesse ter permissão de tocar tais objetos e com um medo agudo de quebrar algo.

Mas a vidente assente, então Bailey encosta um dedo na carta e a puxa para longe das companheiras até que fique separada na mesa.

— Pode virá-la — orienta a vidente, e Bailey obedece.

O outro lado não é como as cartas de jogo, pretas e vermelhas, com que ele está acostumado, com copas e paus e espadas e ouros. Em vez disso há uma imagem em preto, branco e tons de cinza.

A ilustração mostra um cavaleiro montado, como um cavaleiro de um conto de fadas. O cavalo é branco e a armadura é cinza, e há nuvens no fundo. O animal está galopando e o cavaleiro inclina-se para a frente na sela, com a espada sacada como se estivesse a caminho de uma grande batalha. Bailey encara a carta, perguntando-se aonde vai o cavaleiro e o que a carta deveria significar. "*Cavalier d'Épées*" está escrito em uma letra rebuscada abaixo da imagem.

— Era para ser eu? — pergunta o jovem. A mulher sorri ao empurrar o arco de cartas para formar uma pilha ordenada de novo.

— Representa você, na sua leitura — explica ela. — Pode significar movimento ou viagem. As cartas nem sempre significam as mesmas coisas o tempo todo; mudam de uma pessoa para a outra.

— Deve ser difícil fazer as leituras — diz Bailey.

A mulher ri de novo.

— Às vezes — concorda ela. — Mas vamos tentar mesmo assim? — Bailey assente e ela embaralha as cartas de novo, por cima e por baixo, depois as divide em três pilhas que deposita diante dele, acima da carta com o cavaleiro. — Escolha a pilha que mais o atrai — orienta. Bailey examina as pilhas de cartas. Uma é menos reta, outra é mais alta do que as duas restantes. Seus olhos ficam voltando para a pilha à direita.

— Esta. — Escolhe ele e, embora seja só um palpite, parece a escolha certa.

A vidente concorda com a cabeça e volta a formar uma única pilha, deixando no topo as cartas escolhidas pelo rapaz. Ela as vira, uma por vez, deixando-as voltadas para cima em um padrão intricado na mesa, algumas sobrepostas com outras em fileiras, até que haja cerca de doze cartas na mesa. Elas contêm ilustrações em preto e branco, assim como o cavaleiro, algumas mais simples, algumas mais complexas. Muitas mostram pessoas em cenários diversos e algumas têm animais, enquanto outras trazem copas ou ouros, e há mais espadas também. Seus reflexos se estendem na bola de cristal apoiada na mesa.

Por alguns minutos, a vidente contempla as cartas e Bailey se pergunta se a moça está esperando que elas lhe digam algo. E acha que ela está sorrindo, mas tentando esconder um pouquinho.

— Que interessante — diz a vidente. Ela toca uma carta, uma mulher de vestes largas segurando uma balança, e outra que Bailey não consegue ver, mas parece um castelo em ruínas.

— O que é interessante? — pergunta ele, ainda confuso sobre o processo. Não conhece nenhuma mulher que usa vendas e nunca visitou castelos em ruínas. Nem sabe se há castelos na Nova Inglaterra.

— Você tem uma jornada à frente — explica a vidente. — Há muita movimentação. Uma boa dose de responsabilidade. — Ela empurra uma carta e vira outra, franzindo o cenho de leve, embora Bailey ainda desconfie que está tentando esconder um sorriso. Fica mais fácil ver a expressão através do véu conforme seus olhos se adaptam à luz das velas. — Você é parte de uma cadeia de acontecimentos, mas não vai ver como suas ações afetarão o resultado no momento.

— Vou fazer algo importante, mas tenho que ir a algum lugar primeiro? — pergunta. Ele não esperava que previsões do futuro fossem tão vagas. Mas parte da jornada parece favorecer o lado da avó, ainda que Cambridge não fique muito longe.

A vidente não responde de imediato. Em vez disso, ela vira outra carta. Dessa vez, não esconde o sorriso.

— Você está procurando Poppet — afirma ela.

— O que é um *poppet*? — pergunta ele. A vidente não responde; em vez disso, tira os olhos das cartas e o observa com curiosidade. Bailey a sente analisar toda a sua aparência, ou mais do que isso, conforme os olhos dela se movem do rosto dele para o cachecol e até o chapéu. Ele se remexe no assento.

— O seu nome é Bailey? — indaga a mulher. O sangue foge do rosto de Bailey e toda a apreensão e nervosismo que sentiu antes retorna no mesmo instante. Ele engole em seco antes de conseguir responder, praticamente num sussurro.

— Sim? — responde. Parece uma pergunta, como se não tivesse certeza de que esse é de fato o nome dele. A vidente sorri para Bailey, um sorriso radiante que o faz perceber que ela não é tão velha quanto ele tinha imaginado. Talvez seja só alguns anos mais velha do que ele.

— Interessante — comenta ela. O garoto queria que ela escolhesse uma palavra diferente. — Temos uma conhecida em comum, Bailey. — Ela olha de volta para as cartas na mesa. — Você está aqui esta noite procurando por ela, acredito. Mas aprecio que tenha escolhido visitar minha tenda também.

Bailey a encara, confuso, tentando absorver tudo o que ela disse e se perguntando como diabos ela conhece o seu motivo real para estar no circo, considerando que ele não contou a ninguém e mal o admite para si mesmo.

— Você conhece a garota ruiva? — pergunta, sem conseguir inteiramente acreditar que é disso, de fato, que a vidente está falando. Mas ela assente.

— Eu a conheço, e o irmão dela, desde que nasceram — diz. — Ela é uma garota muito especial, com um cabelo muito bonito.

— Ela... ainda está aqui? — pergunta. — Só a vi uma vez, da última vez que o circo esteve aqui.

— Ela está aqui — confirma a vidente. Ela empurra as cartas na mesa mais um pouco, tocando uma e depois outra, mas Bailey não está mais prestando atenção em qual carta é qual. — Você a verá de novo, Bailey. Sobre isso não há dúvida.

Bailey resiste ao impulso de perguntar quando e, em vez disso, espera para ver se ela tem mais alguma coisa a falar sobre as cartas. A vidente move algumas cartas de um lado a outro. Então pega a do cavaleiro e a põe no topo do castelo em ruínas.

— Você gosta do circo, Bailey? — pergunta ela, olhando para ele de novo.

— Nunca estive em nenhum lugar parecido — replica. — Não que eu tenha visitado muitos lugares — acrescenta depressa. — Mas acho o circo maravilhoso. Gosto muito dele.

— Isso ajudaria — afirma a vidente.

— Ajudaria com o quê? — pergunta Bailey, mas a vidente não responde. Então, vira outra carta do baralho e a deposita sobre a do cavaleiro. A imagem mostra uma moça vertendo água em um lago, com uma estrela brilhando forte sobre a cabeça.

Ainda é difícil discernir as expressões da vidente através do véu, mas Bailey tem certeza de que ela franze o cenho para a carta ao colocá-la na mesa, embora sua expressão tenha se suavizado quando retorna a fitá-lo.

— Você vai ficar bem — diz ela. — Terá decisões a tomar e surpresas o aguardando. A vida nos leva a lugares inesperados às vezes. O futuro nunca é imutável, lembre-se disso.

— Vou me lembrar — promete Bailey. Ele acha que a vidente parece um pouco triste quando começa a reunir as cartas espalhadas na mesa e devolvê-las a uma pilha organizada. Ela deixa o cavaleiro por último, depositando-o no topo do baralho. — Obrigado — agradece. Não recebeu uma resposta tão nítida sobre o futuro quanto tinha esperado, mas por algum motivo a questão não parece tão pesada quanto era antes. Questiona-se se deveria sair, sem saber qual é a etiqueta apropriada para uma sessão dessas.

— Não há de quê, Bailey — diz a vidente. — Foi um prazer ler para você.

Bailey enfia a mão no bolso, tira o saquinho de camundongos de chocolate e o oferece a ela.

— Gostaria de um camundongo? — pergunta. Antes que possa se repreender mentalmente por uma atitude tão boba, a vidente sorri. Por um instante, há algo quase triste sob o sorriso.

— Ora, gostaria, sim. — E a mulher tira um dos camundongos de chocolate do saquinho pelo rabo de alcaçuz. Ela o põe no topo da bola de cristal. — São os meus preferidos. — Ela lhe confidencia. — Obrigada, Bailey. Aproveite o restante do seu tempo no circo.

— Vou aproveitar. — Levanta-se e volta até a cortina de contas. Estende a mão para separá-las, mas para subitamente, virando-se. — Qual é o seu nome? — pergunta à vidente.

— Sabe, não sei se algum dos meus consulentes já perguntou — comenta. — Meu nome é Isobel.

— Foi um prazer conhecer você, Isobel — fala Bailey.

— Também foi um prazer conhecer você, Bailey — replica Isobel. — E talvez você queira pegar a direita quando sair — acrescenta.

Bailey assente e se vira, atravessando os fios de contas e saindo no vestíbulo ainda vazio. As contas não fazem tanto barulho ao se acomodarem e, quando estão silenciosas, tudo fica tranquilo e imóvel, como se não houvesse outro cômodo atrás dele e nenhuma vidente sentada à sua mesa.

Sente-se estranhamente à vontade. Como se estivesse mais próximo do chão, mas mais alto ao mesmo tempo. Suas preocupações sobre o futuro não parecem mais tão penosas quando sai dali, virando à direita no caminho curvo que serpenteia entre as tendas listradas.

O feiticeiro na árvore

BARCELONA, NOVEMBRO DE 1894

Os aposentos ocultos atrás das tendas de Le Cirque des Rêves formam um contraste gritante com o branco e preto do circo. Vivazes e coloridos. São cálidos, com lâmpadas de âmbar.

O espaço ocupado pelos gêmeos Murray é particularmente vívido. Um caleidoscópio de cores, com brilho carmim e coral e amarelo-canário, tanto que a sala inteira muitas vezes parece estar em chamas, pontilhada por gatinhos felpudos, pretos como fuligem e claros como faíscas.

Ocasionalmente, alguém sugere que os gêmeos deveriam ser mandados a um internato para receber uma educação adequada, mas os pais insistem que eles aprendem mais vivendo entre companhias tão diversas e viajando pelo mundo do que fariam confinados em meio a livros e salas de aula.

Os gêmeos estão perfeitamente contentes com esse arranjo, recebendo aulas irregulares sobre inúmeras matérias e lendo cada livro em que conseguem pôr as mãos, empilhando-os muitas vezes no berço de ferro forjado que se recusam a descartar mesmo depois de crescidos.

Eles conhecem cada centímetro do circo, movendo-se das cores para o preto e branco com facilidade e sentindo-se igualmente confortáveis nos dois mundos.

Esta noite, estão sentados em uma tenda listrada abaixo de uma árvore muito grande, cujos ramos estão pretos e desfolhados.

Nessa hora tardia, não há mais visitantes nesta tenda específica, e é improvável que qualquer outro vá encontrá-la nas últimas horas antes do alvorecer.

Os gêmeos Murray estão encostados no tronco enorme, bebericando copos fumegantes de sidra quente.

Eles concluíram suas apresentações desta noite, e o período que resta antes do amanhecer é livre, para passar como desejarem.

— Quer ler hoje? — Widget pergunta à irmã. — Podemos dar uma volta, não está tão frio. — Ele tira um relógio do bolso do casaco para conferir a hora. — Ainda não está tarde também — acrescenta, embora a definição deles de "tarde" é o que muitos considerariam bem cedo.

Pensativa, Poppet morde o lábio por um momento antes de responder.

— Não — responde ela. — Da última vez, era tudo vermelho e confuso. Acho que eu devia esperar um pouco antes de tentar de novo.

— Vermelho e confuso?

Poppet assente.

— Era um monte de coisas sobrepostas — explica a garota. — Fogo e alguma coisa vermelha, mas não ao mesmo tempo. Um homem sem sombra. Uma sensação de que tudo estava se desfiando, ou se emaranhando, do jeito que os gatinhos dão nós em barbantes até a gente não conseguir mais achar o começo ou o fim.

— Você contou para Celia? — pergunta o irmão.

— Ainda não — diz Poppet. — Não gosto de contar para ela coisas que não fazem sentido. A maioria das coisas faz sentido, uma hora ou outra.

— É verdade.

— Ah, e outra coisa — lembra-se Poppet. — Vamos ter companhia. Isso estava lá em algum lugar também. Não sei se era antes ou depois das outras coisas, ou em algum momento no meio.

— Conseguiu ver quem é? — pergunta Widget.

— Não — Poppet responde apenas.

Widget não fica surpreso.

— O vermelho era alguma coisa? — indaga ele. — Você conseguiu ver?

Poppet fecha os olhos, recordando-se.

— Parecia tinta — conta a irmã.

Widget se vira para ela.

— Tinta?

— Como tinta derramada no chão — responde Poppet. Ela fecha os olhos de novo, mas os abre rapidamente. — Vermelho-escura. Está tudo meio misturado e não gosto muito da parte vermelha. Quando vi, minha cabeça doeu. A parte da companhia é mais agradável.

— Seria legal ter companhia — comenta Widget. — Sabe quando isso vai acontecer?

Poppet sacode a cabeça.

— Algumas partes parecem próximas. O resto parece muito distante.

Eles ficam sentados, bebericando a sidra por um tempo, encostados no tronco da árvore.

— Me conte uma história, por favor — pede Poppet após um tempo.

— Que tipo de história? — pergunta Widget. O menino sempre pergunta, dando a ela uma chance de pedir algo específico, mesmo que já tenha uma história em mente. Só as plateias preferidas ou especiais recebem esse privilégio.

— Uma história sobre uma árvore — especifica Poppet, erguendo os olhos para os ramos pretos retorcidos acima deles.

Widget faz uma pausa antes de começar, deixando a tenda e a árvore acomodarem-se num prólogo silencioso enquanto Poppet espera pacientemente.

— Segredos têm poder — diz ele enfim. — E esse poder diminui quando são compartilhados, então é melhor guardá-los, e guardá-los bem. Se você compartilhar segredos, segredos de verdade, os importantes, com qualquer outra pessoa, eles mudam. Escrevê-los é ainda pior, porque ninguém sabe quantos olhos podem vê-los no papel, não importa quanto cuidado tomar. Então é melhor guardar os seus segredos quando os tem, pelo próprio bem deles, assim como o seu.

"Isso é, em parte, o motivo de haver menos magia no mundo hoje. A magia é um segredo e os segredos são magia, afinal, e ano após ano ensinando e compartilhando magia e fazendo coisa pior. Escrever segredos em livros primorosos que ficam empoeirados com o tempo os diminui, removendo seu poder pouco a pouco. Estava fadado a ser assim, talvez, mas podia ter sido evitado. Todo mundo comete erros.

"O maior feiticeiro de todos os tempos cometeu o erro de compartilhar seus segredos, que eram tanto mágicos como importantes, então foi um erro muito grave.

"Ele os contou a uma garota. Ela era jovem, esperta e linda..."

Poppet bufa dentro do copo. Widget se cala.

— Desculpe — pede ela. — Continue, Widget, por favor.

— Ela era jovem, esperta e linda — retoma Widget. — Porque, se a garota não fosse linda e esperta, teria sido mais fácil resistir e não haveria história alguma.

"O feiticeiro era velho e muito esperto também, é claro, e tinha passado um longo tempo sem contar os seus segredos a ninguém. Talvez, ao longo dos anos, tivesse esquecido a importância de guardá-los, ou talvez tenha se distraído com a juventude, a beleza ou a esperteza dela. Talvez estivesse só cansado, ou talvez tivesse bebido vinho demais e não percebeu o que estava fazendo. De um jeito ou de outro, ele contou seus maiores segredos à garota, as chaves ocultas de toda a sua magia.

"E quando os segredos tinham passado do feiticeiro para a garota, eles perderam um pouco do poder, do jeito como os gatos perdem pelos quando a gente os afaga demais. Mas ainda eram potentes, eficazes e mágicos, e a garota os usou contra o feiticeiro. Ela o enganou para tirar os segredos dele e torná-los seus. Não se importava em guardá-los; é provável que os tenha escrito em algum lugar também.

"Já o feiticeiro, ela o aprisionou em um enorme carvalho. Um carvalho como este. E a magia que usou para fazer isso era muito forte, como era a magia do próprio feiticeiro, antiga e poderosa, e ele não conseguiu desfazê-la.

"Ela o deixou lá, e ele não podia ser resgatado porque ninguém sabia que estava dentro da árvore. Mas não estava morto. A garota o teria matado, se pudesse, depois de ter tirado os segredos, mas não conseguiria fazer isso com a magia do feiticeiro. E, na verdade, talvez nem quisesse. Ela estava mais interessada no poder do que nele, mas talvez gostasse um pouco do feiticeiro, o suficiente para querer deixá-lo vivo, de certa forma. Contentou-se em aprisioná-lo, e na sua mente isso serviu ao mesmo propósito.

"Mas na verdade ela não teve tanto sucesso quanto gostava de pensar. Foi descuidada e não manteve sua nova magia em segredo. Gostava de se exibir, e de forma geral não tomou conta dela. O poder da magia evanesceu e, por fim, ela também.

"O feiticeiro, por outro lado, tornou-se parte da árvore. E a árvore cresceu e se desenvolveu, estendendo seus galhos para o céu e aprofundando suas raízes na terra. Ele era parte das folhas e da casca e da seiva, e parte das bolotas que eram levadas por esquilos para se tornarem novos carvalhos em outros lugares. E quando aquelas árvores cresceram, ele estava naqueles galhos e folhas e raízes também.

"Então, ao perder seus segredos, o feiticeiro ganhou a imortalidade. A árvore dele continuou em pé muito tempo depois que a jovem esperta ficou velha e deixou de ser bela, e, de certa forma, ele se tornou maior e mais forte do que era antes. Mas, é claro, se tivesse a chance de fazer tudo de novo, ele provavelmente teria sido mais cuidadoso com os segredos."

Quando Widget termina, a tenda mergulha novamente em silêncio, mas a árvore parece mais viva do que parecia antes de ele começar.

— Obrigada — agradece Poppet. — Essa foi boa. Meio triste, mas ao mesmo tempo não.

— De nada — diz Widget. Ele toma um gole da sua sidra, agora morna em vez de quente. Segura o copo nas mãos e o leva ao nível dos olhos, encarando-o até que um fio suave de vapor se ergue da superfície.

— O meu também, por favor — diz Poppet, estendendo a mão. — Nunca consigo fazer certo.

— Bem, nunca consigo levitar nada, então estamos quites — fala Widget, mas pega o copo dela sem reclamar e se concentra até que ele também esteja quente e fumegante outra vez.

Ele estende a mão para devolvê-lo, mas o copo sai flutuando até a mão dela, a superfície da sidra ondulando com o movimento, mas movendo-se tão suavemente quanto se estivesse deslizando numa mesa.

— Exibida — resmunga Widget.

Eles ficam sentados, bebericando a sidra recém-aquecida, contemplando os galhos pretos e retorcidos que se esticam até o topo da tenda.

— Widget? — pergunta Poppet após um longo silêncio.

— Sim?

— Não é ruim estar aprisionado em algum lugar, então? Dependendo de onde for?

— Suponho que depende de quanto você gosta do lugar — arrisca Widget.

— E quanto gosta de quem quer que esteja aprisionado lá com você — acrescenta Poppet, chutando a bota preta do irmão com a sua branca.

O irmão ri e o som ecoa pela tenda, carregado além dos galhos cobertos de velas. Cada uma das chamas é branca e está tremeluzindo.

Lugares temporários

LONDRES, ABRIL DE 1895

Tara Burgess só percebe depois de voltar a Londres que o endereço no cartão dado pelo sr. Barris não é uma residência privada, e sim o Midland Grand Hotel.

Ela deixa o cartão em uma mesa em sua sala de visitas por algum tempo, relanceando para o papel sempre que passa pelo cômodo e esquecendo-se dele por longos períodos até que se recorda mais uma vez.

Lainie tenta persuadi-la a se juntar a ela para férias na Itália, mas Tara se recusa. Conta à irmã pouco sobre sua visita a Viena, informando apenas que Ethan perguntou sobre ela.

Lainie sugere que talvez elas devessem se mudar, e que podem discutir a questão ao retornarem das férias.

Tara se limita a assentir, dando um abraço apertado na irmã antes que Lainie vá embora.

Sozinha na casa delas na cidade, ela vaga distraída. Abandona romances na metade sobre cadeiras e mesas.

Os convites de madame Padva para tomar chá ou acompanhá-la ao balé são educadamente recusados.

Ela vira todos os espelhos na casa para as paredes. Os que não consegue virar cobre com lençóis, de modo que parecem fantasmas em cômodos vazios.

Tem dificuldade para dormir.

Certa tarde, depois que o cartão ficou pacientemente acumulando poeira por meses, ela o apanha e guarda no bolso, saindo pela porta. E está a caminho da estação de trem antes que possa decidir se a ideia é boa ou não.

Tara nunca visitou o hotel anexado à estação St. Pancras, encimada pelo seu relógio, mas sua impressão imediata é de estar em um lugar temporário. Apesar do tamanho e da solidez do prédio, parece efêmero, povoado por um fluxo constante de hóspedes e viajantes a caminho de outros lugares, parando ali por pouco tempo antes de continuar até outros destinos.

Ela pergunta na recepção, mas alegam não ter nenhum hóspede com aquele nome. Ela repete o nome várias vezes depois que o recepcionista o entende errado de novo. Tenta mais de uma variação, uma vez que as palavras no cartão do sr. Barris estão borradas, e não consegue recordar a pronúncia correta. Quanto mais tempo fica ali, mais questiona se sequer já ouviu ser pronunciado o nome borrado no papel.

O recepcionista educadamente pergunta se ela gostaria de deixar um recado, caso o cavalheiro em questão chegue mais tarde, mas Tara nega, agradecendo-o pelo seu tempo e guardando o cartão no bolso outra vez.

Ela perambula pelo lobby, ponderando se o endereço está incorreto, embora não seja do feitio do sr. Barris fornecer informações imprecisas.

— Boa tarde, srta. Burgess — cumprimenta uma voz próxima. Tara não o viu se aproximar, mas o homem cujo nome ela ainda não consegue lembrar como se pronuncia está parado ao lado dela no característico terno cinza.

— Boa tarde — ecoa ela.

— Estava procurando por mim? — pergunta o homem.

— Estava, na verdade. — Ela começa a explicar que o sr. Barris a enviou. Enfia a mão no bolso, mas não há mais cartão dentro dele e ela hesita, confusa.

— Algum problema? — pergunta o homem de terno cinza.

— Não — responde Tara, agora sem saber se lembrou de pegar o cartão ou se ainda está apoiado na mesinha da sala de visitas. — Eu queria falar com o senhor sobre o circo.

— Muito bem — diz ele. Espera que ela comece, sua expressão demonstrando algo que poderia ser interpretado como um levíssimo interesse.

Ela faz o seu melhor para explicar as preocupações. Que há mais acontecendo com o circo do que a maioria das pessoas sabe. Que há elementos para os quais ela não encontra explicações razoáveis. Repete alguns argumentos que mencionou ao sr. Barris. A preocupação de não conseguir ter certeza de que qualquer coisa é real. Como é desconcertante olhar num espelho e ver o mesmo rosto inalterado há anos.

Ela hesita com frequência, achando difícil articular com precisão o que deseja comunicar.

A expressão de levíssimo interesse não muda.

— O que gostaria de mim, srta. Burgess? — pergunta quando Tara termina.

— Gostaria de uma explicação — responde a mulher.

O homem de terno cinza a contempla com a mesma expressão inalterada por algum tempo, até dizer:

— O circo é só um circo. Um espetáculo impressionante, mas nada mais do que isso. Não concorda?

Tara assente antes que seja capaz de processar a resposta apropriadamente.

— Há um trem que deve tomar, srta. Burgess? — pergunta ele.

— Sim — replica Tara, que tinha se esquecido do trem. Pergunta-se que horas são, mas não consegue encontrar um relógio para conferir.

— Também estou a caminho da estação, se aceitar companhia.

Eles percorrem juntos a curta distância do hotel até as plataformas. Ele segura as portas para ela. Faz comentários insignificantes sobre o clima.

— Acho que pode ser do seu interesse encontrar alguma outra coisa com que ocupar o tempo — diz o homem de terno cinza quando chegam aos trens. — Alguma coisa para distraí-la do circo. Não concorda?

Tara assente de novo.

— Bom dia, srta. Burgess — saúda, abaixando o chapéu.

— Bom dia — ecoa ela.

Ele a deixa na plataforma e, quando ela se vira a fim de ver para qual lado ele foi, o terno cinza desapareceu entre a multidão.

Tara fica perto da borda da plataforma, à espera de seu trem. Ela não se lembra de ter dito ao sr. A. H— qual trem ia pegar, mas ele a deixou na plataforma certa mesmo assim.

Tem a impressão de que havia mais alguma pergunta que desejava fazer, mas agora não consegue recordar qual. Não consegue se recordar de praticamente nada sobre a conversa, exceto a impressão de que há alguma outra coisa que deveria ocupar o seu tempo, algum outro lugar em que deveria estar, alguma outra questão que é mais digna da sua atenção.

Ela conjectura sobre o que poderia ser quando um vislumbre de cinza na plataforma oposta atrai seu olhar.

O sr. A. H— está em pé num canto escuro e, mesmo com a distância e as sombras, Tara pode ver que ele está discutindo com alguém que ela não consegue enxergar.

As pessoas passam sem sequer olhar na direção dos dois.

Quando a luz das janelas nos arcos acima sofre uma alteração, Tara consegue ver com quem o sr. A. H— está discutindo.

O homem não é tão alto quanto ele e o topo do seu chapéu fica um pouco mais baixo do que o do chapéu cinza, de modo que, a princípio, Tara pensa que o homem é só um reflexo e acha estranho que o sr. A. H— esteja discutindo com o próprio reflexo no meio de uma estação de trem.

Mas o outro terno é distintamente mais escuro. O cabelo do reflexo é mais longo, embora seja de um tom de cinza parecido.

Através do vapor e da multidão, Tara consegue identificar pontos de renda clara nos punhos da camisa dele, os olhos escuros que refletem a luz mais do que o restante da face do homem. Os aspectos se assentam temporariamente e em seguida desaparecem como sombras distorcidas, nunca permanecendo estáveis por mais do que um momento.

A luz que se infiltra de cima muda de novo e a figura estremece como se Tara a observasse através de uma névoa de calor, embora o sr. A. H— permaneça comparativamente nítido e definido.

Tara dá um passo à frente, os olhos fixos na aparição na plataforma oposta.

Ela não vê o trem.

Movimento

MUNIQUE, ABRIL DE 1895

Herr Thiessen sempre fica contente quando o circo chega à sua terra natal, a Alemanha, mas dessa vez está particularmente satisfeito por ter se instalado muito perto de Munique, de modo que não haverá necessidade de alugar aposentos em outra cidade.

Além disso, ele recebeu a promessa de uma visita da srta. Celia Bowen. Ele nunca a encontrou, embora ambos troquem cartas há anos, e ela expressou interesse em conhecer a oficina dele, caso não fosse um incômodo.

Friedrick respondeu que naturalmente não se incomodava nem um pouco, e que ela seria bem-vinda a qualquer momento.

Apesar de tantas cartas, cada uma cuidadosamente arquivada no escritório, ele não sabe o que esperar quando ela chega.

Fica atônito quando encontra a mulher que ele conhece como a ilusionista parada à sua porta.

É inconfundível, embora use um vestido rosa-claro em vez das criações brancas e pretas nas quais está habituado a vê-la. Sua pele parece mais corada; seu cabelo, suavemente encaracolado, e seu chapéu não se parece nada com a cartola de seda distintiva, mas ele reconheceria o rosto dela em qualquer lugar.

— É uma honra — diz ele à guisa de cumprimento.

— A maioria das pessoas não me reconhece fora do circo — comenta Celia enquanto ele toma a sua mão.

— Então a maioria das pessoas é tola — pontua, erguendo a mão dela aos lábios e deixando suavemente um beijo nas costas da luva. — Embora eu mesmo seja um tolo por não saber quem a senhorita era todo esse tempo.

— Eu devia ter contado — diz Celia. — Peço desculpas.

— Não há necessidade. Eu devia ter adivinhado que a senhorita não era uma mera *rêveur*, pelo modo como escrevia sobre o circo. Conhece cada canto melhor do que a maioria das pessoas.

— Estou mesmo familiarizada com muitos cantos, mas não todos.

— Ainda restam mistérios no circo até para a própria ilusionista? Isso é impressionante.

Celia ri e Friedrick a leva para conhecer a oficina.

O espaço está organizado de modo que a frente é ocupada principalmente por projetos e rascunhos, passando para longas mesas cobertas com várias peças e muita serragem, e gavetas cheias de engrenagens e ferramentas. Celia escuta com bastante atenção a descrição de todo o processo, fazendo perguntas sobre os aspectos técnicos além dos criativos.

Ele fica surpreso ao descobrir que ela fala alemão fluente, embora só tenham se comunicado em inglês.

— Falo línguas com mais facilidade do que leio ou escrevo — explica a moça. — Tem a ver com a sensação dos sons. Eu poderia tentar colocá-los no papel, mas tenho certeza de que o resultado seria horrendo.

Apesar do cabelo grisalho, Friedrick parece mais jovem quando sorri. Celia não consegue desviar os olhos das mãos dele conforme o homem mostra os delicados mecanismos dos relógios. Ela imagina aqueles dedos escrevendo cada carta que ela recebeu e leu tantas vezes que sabe de cor, achando estranho sentir-se tímida com alguém que conhece tão bem.

Ele a observa com igual atenção à medida que percorrem as estantes de relógios em estágios diversos de construção.

— Posso perguntar uma coisa? — indaga a Celia enquanto ela examina uma coleção de estatuetas intricadas esperando pacientemente entre aparas de madeira para serem alojadas nos respectivos relógios.

— É claro — consente a moça, embora tema que ele vá perguntar como ela realiza sua magia e odeia ter de mentir para ele.

— A senhorita esteve na mesma cidade que eu em muitas ocasiões, mas esta é a primeira vez que pediu para me encontrar. Por quê?

A jovem olha de volta para as estatuetas na mesa antes de responder. Friedrick estende uma mão a fim de endireitar uma minúscula bailarina que tombou, devolvendo-a ao equilíbrio nas sapatilhas com laços.

— Antes, eu não queria que soubesse quem eu sou — afirma Celia. — Achei que poderia me ver de outra forma se soubesse. Mas passou tanto tempo que comecei a me sentir desonesta. Estava querendo contar a verdade e não resisti à chance de conhecer sua oficina. Espero que consiga me perdoar.

— Não há nada para perdoar — insiste Friedrick. — Uma mulher que eu gosto de pensar que conheço bem e uma mulher que sempre considerei um mistério são, na verdade, a mesma pessoa. É surpreendente, mas não me incomodo com uma boa surpresa. Entretanto, estou curioso: por que me escreveu aquela primeira carta?

— Gostei dos seus textos sobre o circo — replica. — É uma perspectiva que não consigo ter direito, porque eu… eu o entendo de um jeito diferente. Gosto de poder vê-lo através dos seus olhos. — Quando a mulher o fita, os olhos azuis suaves de Friedrick estão brilhando no sol da tarde que entra pelas janelas e ilumina as partículas de serragem no ar.

— Obrigado, srta. Bowen.

— Celia — corrige ela.

Ele dá um aceno lento antes de prosseguir com o passeio.

As paredes dos fundos estão recobertas com relógios terminados ou quase terminados. Relógios esperando as últimas camadas de verniz ou outros detalhes menores. Os mais próximos da janela já estão funcionando. Cada um se move de um jeito único, mas eles mantêm o mesmo ritmo harmonioso, uma sinfonia de tique-taques ordenados com cuidado.

Aquele que chama a atenção de Celia está apoiado numa mesa em vez de pendurado na parede ou em uma prateleira.

É uma peça linda, mais escultura do que relógio. Embora muitos relógios sejam de madeira, este é predominantemente de metal escuro e oxidado. Uma gaiola grande e redonda está assentada em uma base de madeira entalhada na forma de chamas brancas e serpenteantes. No interior, há aros de metal sobrepostos, marcados com números e símbolos suspensos do topo, pendurados entre as engrenagens visíveis e uma série de estrelas caindo da tampa filigranada no topo.

Mas o relógio está imóvel e silencioso.

— Esse me lembra da fogueira — comenta Celia. — Não está terminado?

— Está completo, mas quebrado — responde Friedrick. — Foi um experimento, e os componentes são difíceis de equilibrar da maneira adequada. — Ele vira a peça para que Celia veja o modo como o mecanismo se estende por toda a gaiola, alongando-se em todas as direções. — A mecânica é complexa, pois ele acompanha o movimento astronômico também. Terei de remover a base e o desmontar inteiro para fazê-lo funcionar de novo. Ainda não tive o tempo necessário para isso.

— Posso? — pergunta Celia, estendendo uma das mãos para tocar a peça. Quando Friedrick assente, ela tira uma das luvas e apoia a mão nas barras de metal da gaiola.

Ela só observa, pensativa, mas não faz menção de movê-lo. Para Friedrick, parece que Celia está olhando através do relógio em vez de apenas para ele.

No interior, o mecanismo começa a girar, os dentes das engrenagens valsando uns com os outros à medida que os aros numerados se encaixam no lugar certo. Os ponteiros deslizam a fim de indicar a hora correta, os alinhamentos planetários se colocam em ordem.

Tudo dentro da gaiola gira com vagarosidade, as estrelas prateadas cintilando quando refletem a luz.

Quando o tique-taque lento e constante começa, Celia afasta a mão.

Friedrick não questiona como ela fez aquilo.

Em vez disso, a leva para jantar. Falam do circo, mas passam a maior parte da refeição discutindo sobre livros e arte, vinho e cidades preferidas. As pausas na conversa não são desconfortáveis, embora eles tenham dificuldade de encontrar o mesmo ritmo na conversa que tinham nas missivas, muitas vezes trocando de uma língua para outra.

— Por que nunca me perguntou como faço meus truques? — indaga Celia, uma vez que chegaram ao ponto em que ela tem certeza de que ele não está mais apenas sendo educado sobre o assunto.

Friedrick considera a questão detidamente antes de responder.

— Porque não desejo saber — responde. — Prefiro permanecer sem esclarecimentos, para apreciar melhor a escuridão.

O sentimento a encanta a tal ponto que ela não consegue responder em nenhuma das línguas que eles compartilham, e apenas sorri sobre a borda da sua taça.

— Além disso — continua Friedrick —, a senhorita deve ouvir tais perguntas constantemente. Estou mais interessado em aprender sobre a mulher do que sobre a ilusionista. Espero que isso seja aceitável.

— É perfeito — conclui Celia.

Mais tarde, caminham juntos até o circo, passando por prédios com telhados vermelhos brilhando na luz evanescente e separando-se quando chegam ao pátio.

Friedrick continua perplexo que ninguém parece reconhecê-la ao caminhar anonimamente entre a multidão.

Quando ele assiste à sua apresentação, ela só o fita uma vez com um sorriso sutil, sem dar qualquer outro indício de reconhecimento.

Posteriormente, bem depois da meia-noite, ela aparece ao lado de Friedrick enquanto ele caminha, ela usando um casaco cor de creme e um cachecol verde-escuro.

— Seu cachecol deveria ser vermelho — comenta Friedrick.

— Não sou uma *rêveur* de verdade — replica Celia. — Não me sentiria confortável. — Mas, conforme fala, o tom do cachecol muda para um vermelho vivo, próximo à cor de vinho tinto. — Está melhor assim?

— Está perfeito — diz Friedrick, embora sua atenção permaneça focada nos olhos dela.

Ela aceita o braço que lhe é oferecido e ambos caminham juntos pelos caminhos sinuosos, em meio aos visitantes remanescentes.

Repetem a mesma rotina nas noites seguintes, embora o circo não permaneça em Munique por muito tempo depois que a notícia chega de Londres.

Em memória da amada Tara Burgess

GLASGOW, ABRIL DE 1895

O funeral é discreto, apesar do número de pessoas presentes. Não há soluços nem abanar de lenços. Há algumas manchas de cor entre o mar de preto tradicional. Nem a chuva leve consegue evocar uma atmosfera de desespero. Em vez disso, a cerimônia ocorre em uma aura de melancolia pensativa.

Talvez porque não parece que Tara Burgess se foi de verdade, quando sua irmã está sã e salva. Metade do par ainda está viva e vibrante.

Ao mesmo tempo, alguma coisa parece notavelmente errada a qualquer um que observe a irmã sobrevivente. Alguma coisa que não conseguem definir com exatidão. Alguma coisa em desarmonia.

Uma lágrima ocasional escorre pela bochecha de Lainie Burgess, mas ela recebe a todos com um sorriso e os agradece por comparecer. Faz piadas que Tara poderia ter feito se não estivesse dentro do caixão de madeira polida. Não há outros familiares presentes, embora alguns conhecidos menos próximos presumam que a mulher de cabelo branco e o homem de óculos que não saem de perto de Lainie são a mãe e o marido dela, respectivamente. Embora estejam errados, nem madame Padva nem o sr. Barris se incomodam com o equívoco.

Há inúmeras rosas. Rosas vermelhas, rosas brancas, rosas cor--de-rosa. Há até uma única rosa preta entre as flores, embora ninguém saiba quem a enviou. Chandresh aceita o crédito apenas pelas flores brancas, mantendo uma delas presa em sua lapela e mexendo nela distraidamente durante a cerimônia fúnebre.

Quando Lainie fala sobre a irmã, as palavras são recebidas com suspiros, risadas e sorrisos tristes.

— Não lamento a perda da minha irmã porque ela sempre estará comigo, no meu coração — afirma. — Estou, porém, bastante irritada por Tara ter me deixado sozinha para aguentar todos vocês. Não vejo tão bem sem ela. Não ouço tão bem sem ela. Não sinto tão bem sem ela. Ficaria melhor sem uma mão ou perna do que sem a minha irmã. Nesse caso, pelo menos, ela estaria aqui para debochar da minha aparência e alegar ser a irmã bonita pela primeira vez. Todos perdemos a nossa Tara, mas eu perdi uma parte de mim mesma também.

No cemitério, há uma única artista que até alguns dos presentes que não fazem parte de Le Cirque des Rêves reconhecem, embora a mulher coberta da cabeça aos pés com um tecido branco como a neve tenha acrescentado um par de asas com penas à fantasia. Elas caem pelas suas costas e esvoaçam de modo leve na brisa enquanto ela permanece imóvel como pedra. Muitos dos presentes parecem surpresos ao vê-la, mas seguem o exemplo de Lainie, que fica encantada à visão do anjo vivo em pé sobre o túmulo da irmã.

Foram as irmãs Burgess, afinal, que originaram a tradição de ter essas estátuas no circo. Artistas completamente imóveis com fantasias elaboradas e a pele pintada, que ficam de pé sobre plataformas dispostas em espaços precários entre as tendas. Se observadas por horas, às vezes mudavam por completo de posição, mas o movimento era angustiantemente lento, ao ponto que muitos observadores insistem que são autômatos engenhosos, e não pessoas de verdade.

O circo contém muitos desses artistas. A Imperatriz da Noite, salpicada de estrelas. O Pirata Negro, preto como carvão. Aquela que agora mantém vigília sobre Tara Burgess é geralmente conhecida como a Rainha da Neve.

Há um soluço suave quando o caixão é abaixado para a terra, mas é difícil determinar de quem vem ou se é um som coletivo de suspiros junto ao vento e ao remexer de pés.

A chuva piora e guarda-chuvas brotam como cogumelos entre os túmulos. A terra úmida logo se transforma em lama, e o restante do funeral é apressado em função do tempo.

A cerimônia desvanece mais do que termina, os presentes saindo de fileiras ordenadas para formar um grupo misturado sem que haja um momento distinto para marcar a mudança. Muitos esperam para transmitir condolências adicionais a Lainie, embora outros saiam em busca de abrigo da chuva antes que a última pá de terra tenha se acomodado.

Isobel e Tsukiko estão lado a lado a alguma distância do túmulo de Tara, dividindo um grande guarda-chuva preto que Isobel segura sobre a cabeça delas na mão com luva preta. Tsukiko insiste que não se incomoda com a chuva, mas Isobel a protege mesmo assim, grata pela companhia.

— Como ela morreu? — indaga Tsukiko. É uma questão que outros fizeram em sussurros abafados ao longo da tarde e que recebeu respostas diversas, poucas delas satisfatórias. Aqueles que sabem os detalhes não os revelam.

— Disseram-me que foi um acidente — responde Isobel em voz baixa. — Ela foi atropelada por um trem.

Tsukiko assente, pensativa, tirando um estojo de cigarros e um isqueiro prateados do bolso do casaco.

— Como ela morreu de verdade? — pergunta ela.

— Como assim? — pergunta Isobel, olhando ao redor para ver se alguém está perto o bastante para ouvir a conversa, mas a maioria das pessoas se dispersou na chuva. Só alguns permanecem, incluindo Celia Bowen, com Poppet Murray agarrada ao seu vestido, a garota com uma expressão que parece mais irritada do que triste.

Lainie e o sr. Barris estão ao lado do túmulo de Tara, o anjo pairando perto o bastante deles para pôr as mãos em suas cabeças.

— Você viu coisas que parecem impossíveis, não viu? — Tsukiko pergunta.

Isobel assente.

— Não acha que talvez seria mais difícil aceitar tais coisas se não fosse parte delas você mesma? Talvez ao ponto de levar a pessoa à loucura? A mente é uma coisa sensível.

— Não acho que ela entrou de propósito na frente do trem — afirma Isobel, tentando manter a voz o mais baixa possível.

— Talvez não — diz Tsukiko. — Mas diria que é ao menos uma possibilidade. — Ela acende o cigarro e a chama se propaga facilmente, apesar da umidade do ar.

— Pode ter sido um acidente — insiste Isobel.

— Você teve algum acidente recentemente? Algum osso quebrado, queimaduras, qualquer ferimento? — pergunta Tsukiko.

— Não — responde a outra.

— Ficou doente? Mesmo que seja um nariz congestionado?

— Não. — Isobel quebra a cabeça tentando lembrar qual foi a última vez que se sentiu mal e só consegue se lembrar de um resfriado que teve uma década antes, no inverno antes de conhecer Marco.

— Creio que nenhum de nós ficou desde o surgimento do circo — argumenta Tsukiko. — E ninguém morreu até agora. Ninguém nasceu, também, desde os gêmeos Murray. E não por falta de tentativa, considerando como alguns dos acrobatas se comportam.

— Eu… — Isobel começa, mas não consegue terminar. É demais para absorver, e não tem certeza se quer ser capaz de entender.

— Somos peixes num aquário, querida — declara Tsukiko, a piteira pendendo precariamente dos lábios. — Peixes monitorados com muito cuidado. Observados de todos os ângulos. Se um de nós flutuou à superfície, não foi acidental. E, se foi um acidente, me preocupo que nossos vigias não estão sendo tão cuidadosos quanto deveriam ser.

Isobel fica em silêncio. Queria que Marco tivesse acompanhado Chandresh, mesmo duvidando que ele responderia a qualquer pergunta, se é que aceitaria falar com ela. Toda leitura que ela fez em privado sobre a questão foi complicada, mas sempre há a presença de fortes emoções da parte de Marco. Isobel sabe que ele se importa com o circo e nunca teve motivos para duvidar disso.

— Já leu as cartas para alguém que não conseguia entender com o que estava lidando, embora para você fosse claro depois de uma breve conversa e das imagens em papel? — pergunta Tsukiko.

— Já — replica Isobel. Ela os viu centenas de vezes, os consulentes que não conseguiam enxergar a verdade das coisas. Alheios a traições e sofrimentos, e sempre teimosos, por mais que ela tentasse explicar.

— É difícil enxergar a verdade sobre uma situação quando você está no meio dela — diz Tsukiko. — É familiar demais. Confortável demais.

Tsukiko faz uma pausa. A fumaça do cigarro desliza entre as gotas de chuva, espiralando ao redor de sua cabeça e subindo no ar úmido.

— Talvez a falecida srta. Burgess estivesse perto o bastante da beirada para poder entender as coisas de um jeito diferente — conclui ela.

Isobel franze o cenho, contemplando o túmulo de Tara. Lainie e o sr. Barris se viraram e estão se afastando lentamente, ele com o braço ao redor dos ombros dela.

— Você já se apaixonou, Kiko? — pergunta Isobel.

Os ombros de Tsukiko se enrijecem enquanto ela exala com lentidão. Por um momento, Isobel pensa que a pergunta ficará sem resposta, mas então a outra responde:

— Tive casos que duraram décadas e outros que duraram horas. Amei princesas e camponeses. E suponho que eles me amaram, cada um à sua maneira.

Essa é uma típica resposta de Tsukiko, que não responde de fato à pergunta. Isobel não insiste.

— Vai se desmanchar — Tsukiko observa após um longo momento. Isobel não precisa perguntar do que ela está falando. — As rachaduras estão começando a aparecer. Cedo ou tarde, está fadado a se romper. — Ela faz uma pausa para dar uma última tragada no cigarro. — Você ainda está interferindo?

— Sim — diz Isobel. — Mas não acho que esteja ajudando.

— É difícil discernir o efeito de tais coisas, sabe. A sua perspectiva é interna, afinal. Os menores encantamentos podem ser os mais eficazes.

— Não parece ser muito eficaz.

— Talvez esteja controlando o caos de dentro mais do que o caos de fora.

Isobel não responde. Tsukiko dá de ombros e não se manifesta mais. Após um momento, elas se viram para sair juntas sem discussão.

Apenas o anjo branco como a neve continua pairando sobre o túmulo recente de Tara Burgess, segurando uma única rosa preta em uma mão. Ele não se move, nem sequer pisca. O rosto empoado permanece congelado no luto.

A chuva cada vez mais forte arrasta penas soltas de suas asas para a lama abaixo.

LABIRINTO

Você atravessa um corredor revestido com cartas de baralho, fileira após fileira de paus e espadas. Lanternas feitas com outras cartas estão penduradas acima e oscilam gentilmente à sua passagem.

Uma porta no fim do corredor leva a uma escadaria de ferro em espiral.

A escada sobe e desce. Você sobe e encontra um alçapão no teto.

A sala para a qual ele abre está cheia de penas caindo no piso. Quando você caminha entre as penas, elas flutuam como neve sobre a porta no chão, obscurecendo-a por completo.

Há seis portas idênticas. Você escolhe uma aleatoriamente, arrastando algumas penas consigo.

O aroma de pinheiro é pungente quando você entra na sala seguinte e se encontra em uma floresta cheia de árvores perenes. Exceto que as árvores não são verdes, e sim brancas e brilhantes, luminosas na escuridão que as circunda.

É difícil encontrar o caminho entre elas. Assim que você começa a andar, as paredes somem entre sombras e galhos.

Um som parecido com a risada de uma mulher soa por perto, ou talvez seja apenas o farfalhar das árvores à medida que você avança devagar, procurando pela próxima porta, pela próxima sala.

Você sente o calor de um hálito na nuca, mas quando se vira não há ninguém.

Aleuromancia

CONCORD, MASSACHUSETTS, OUTUBRO DE 1902

Deixando a tenda da vidente e virando à direita, como ela sugeriu, Bailey encontra quase de imediato uma pequena multidão assistindo a uma apresentação. Ele não consegue determinar do que se trata, a princípio, pois não há nenhuma plataforma elevada. Espiando pelo espaço entre os espectadores, consegue vislumbrar um aro — maior do que aquele usado pela contorcionista — erguido no ar. Ao se aproximar, vê um gatinho preto pulando através dele e aterrissando em algum lugar fora de vista.

Uma mulher na frente de Bailey, usando um chapéu grande, se vira e enfim ele consegue ver um rapaz da sua idade, só um pouco mais baixo, vestindo um terno preto feito de diferentes tipos de tecidos com um chapéu preto combinando. Em seus ombros apoia-se um par de gatinhos completamente brancos. Enquanto ergue a mão em uma luva preta, com a palma aberta, um dos gatinhos pula nela e salta da sua palma, atravessando o aro e executando um salto mortal muito impressionante no ápice do pulo. Vários membros da pequena plateia riem, e alguns, incluindo Bailey, aplaudem. A mulher de chapéu grande se afasta completamente, liberando a visão de Bailey. As mãos dele congelam no meio dos aplausos quando vê a jovem que acabou de pegar o gatinho branco e está agora erguendo-o ao próprio ombro, onde ele se acomoda junto ao gatinho preto.

Ela está mais velha, como esperado, e o cabelo ruivo está oculto sob uma boina branca. Mas a fantasia é parecida com a que ela usava da última vez que ele a viu: um vestido de retalhos feito de diversos tecidos imagináveis, cada um em um tom de branco alvíssimo, uma jaqueta branca com muitos botões, e um par de luvas brancas e brilhantes.

Ela vira a cabeça, avista Bailey e sorri para ele. Não do jeito como alguém sorri para um membro aleatório da plateia quando está no meio de uma apresentação de truques circenses com gatinhos incomumente talentosos, mas do jeito que alguém sorri quando reconhece uma pessoa que não vê há muito tempo. Bailey consegue distinguir os dois, e o fato de que a garota se lembra dele o deixa inexplicável e profundamente satisfeito. Ele sente as orelhas ficarem um pouco quentes, apesar da friagem da noite.

Absorto, ele assiste ao restante da apresentação, prestando muito mais atenção à garota do que aos gatinhos, embora os gatinhos sejam impressionantes demais para serem ignorados e atraiam seu olhar com frequência. Quando o número termina, a garota e o garoto (e os gatinhos) fazem uma mesura curta, e a plateia aplaude.

Bailey está ponderando sobre o que deveria dizer — se é que deveria dizer algo — conforme as pessoas começam a se dispersar. Um homem entra na sua frente, outra mulher bloqueia o caminho ao lado, e ele perde a garota de vista completamente. Abre caminho entre a multidão e, quando está livre, a garota, o garoto e os gatinhos não estão em lugar algum.

A aglomeração ao redor logo diminui até que restam apenas algumas pessoas vagando pelo caminho. Não há outras direções para ir, até onde ele pode ver. Só paredes altas e listradas de tendas margeiam a área, e ele se vira devagar, à procura de qualquer lugar em que eles possam ter desaparecido, algum canto ou porta. Está se recriminando por ter chegado tão perto só para perdê-la quando sente uma batidinha no ombro.

— Olá, Bailey — cumprimenta a garota. Ela está bem atrás. Tirou o chapéu, deixando o cabelo ruivo cair em ondas sobre os ombros, e trocou a jaqueta branca por um casaco preto pesado e um cachecol de tricô violeta vibrante. Só a bainha com babados do vestido e as botas brancas dão qualquer sinal de que ela é a mesma garota que estava se apresentando naquele mesmo local momentos antes. Exceto por isso, ela parece qualquer outra visitante do circo.

— Olá — responde Bailey. — Não sei o seu nome.

— Ah, sinto muito — diz ela. — Esqueci que nunca fomos devidamente apresentados. — Ela estende a mão oculta em uma luva branca, e Bailey repara que é maior do que a luva que ele ganhou como prova de um desafio, muito tempo antes. — Sou Penelope, mas ninguém me chama assim e eu não gosto, então para todos os efeitos o meu nome é Poppet.

Bailey aperta a mão dela. É mais quente do que esperava, mesmo embaixo de duas camadas de luva.

— Poppet — repete Bailey. — A vidente me disse, mas não percebi que era o seu nome.

A garota sorri para ele.

— Você falou com Isobel? — pergunta. Bailey assente. — Ela não é adorável? — Bailey continua assentindo, embora não saiba se assentir é uma resposta apropriada. — Ela contou algo bom sobre o seu futuro? — indaga Poppet, abaixando a voz até um sussurro dramático.

— Ela me contou muitas coisas que não entendi — confessa Bailey.

Poppet assente com ar sagaz.

— Ela faz isso — comenta a menina. — Mas tem boas intenções.

— Você pode ficar aqui fora assim? — pergunta Bailey, indicando o fluxo constante de visitantes do circo que continuam perambulando ao redor, ignorando por completo os dois.

— Ah, sim — confirma Poppet. — Contanto que estejamos disfarçados — ela indica o casaco —, ninguém repara em nós. Não é, Widget? — Ela se vira para um rapaz parado ali perto, que Bailey nem tinha reconhecido como o parceiro de apresentações de Poppet. Ele trocou a jaqueta preta por uma de tweed marrom, e o cabelo sob a boina da mesma cor tem o mesmo tom ruivo impactante do de Poppet.

— As pessoas não prestam muita atenção a nada se você não der motivo pra isso — afirma ele. — Mas o cabelo também nos ajuda a parecer que não pertencemos a um circo preto e branco.

— Bailey, este é o meu irmão, Winston — apresenta Poppet.

— Widget — corrige ele.

— Eu já ia falar — anuncia Poppet, parecendo um pouco irritada. — E, Widget, este é Bailey.

— Prazer em conhecê-lo — diz Bailey, estendendo a mão.

— O prazer é meu — responde Widget. — A gente ia dar uma volta, se quiser se juntar.

— Venha, por favor — acrescenta Poppet. — Quase nunca temos companhia.

— Claro, eu adoraria. — Bailey não consegue pensar em um único motivo para recusar e está contente porque parece ser fácil conversar com ambos. — Vocês não têm que fazer mais, hã, coisas do circo?

— Não por mais algumas horas, pelo menos — responde Widget quando enveredam por outro caminho. — Os gatinhos precisam de uma soneca. As apresentações os deixam com sono.

— Eles são muito bons, como ensinaram todos aqueles truques? Nunca vi um gato fazer um salto mortal — diz Bailey. Ele repara que os três estão caminhando no mesmo ritmo, facilmente mantendo-se juntos como um grupo. Ele está muito mais acostumado a seguir alguns passos atrás dos outros.

— A maioria dos gatos faz qualquer coisa, se você pedir com jeitinho — explica Poppet. — Mas ajuda se os treinar desde cedo.

— E se der muitos petiscos — acrescenta Widget. — Petiscos sempre ajudam.

— Você já viu os gatos grandes? — pergunta Poppet. Bailey balança a cabeça. — Ah, tem que ver. Nossos pais fazem a apresentação com os gatos grandes, a tenda deles fica para lá. — Ela aponta em uma direção vaga à direita.

— É como a nossa, mas com gatos maiores — complementa Widget.

— Bem maiores — enfatiza Poppet. — Panteras e lindos leopardos-das-neves cobertos de manchas. Eles são um amor, na verdade.

— E têm uma tenda — acrescenta Widget.

— Por que vocês não têm uma tenda? — pergunta Bailey.

— Não precisamos — replica Poppet. — Só podemos nos apresentar algumas vezes a cada noite, e só precisamos dos gatinhos, e de aros, barbantes e coisas assim. Todo mundo que não precisa de uma tenda se apresenta onde quer que haja espaço.

— Contribui para a atmosfera — observa Widget. — Assim as pessoas podem ver pedacinhos do circo sem ter que escolher uma tenda para entrar, enquanto passeiam.

— Provavelmente é muito bom para pessoas indecisas — opina Bailey, sorrindo quando Poppet e Widget riem. — É difícil escolher uma tenda, sabem, quando há tantas.

— É verdade — concorda Poppet. Eles chegaram ao pátio da fogueira. Está bem movimentado, e Bailey ainda está surpreso que ninguém preste muita atenção a eles, imaginando que sejam um grupo qualquer de jovens visitando o circo esta noite.

— Estou com fome — diz Widget.

— Você sempre está com fome — retruca Poppet. — Vamos pegar algo para comer?

— Sim — concorda o irmão.

Poppet mostra a língua para ele.

— Eu estava perguntando para Bailey — diz ela. — Vamos pegar algo para comer, Bailey?

— Pode ser — responde o rapaz. Poppet e Widget parecem se dar muito melhor do que ele e Caroline, e ele imagina que seja porque têm idades próximas. Fica na dúvida se são gêmeos; certamente se parecem o bastante para ser, mas ele acha que pode ser grosseiro perguntar.

— Você já experimentou as coisas de canela? — pergunta Poppet. — Elas são novas. Como se chamam, Widget?

— Coisas de canela fantasticamente deliciosas? — sugere Widget, dando de ombros. — Não sei se todas as coisas novas já têm nomes.

— Não experimentei, mas parecem boas — pontua Bailey.

— São mesmo — confirma o irmão. — Camadas de massa folhada com canela e açúcar, todas enroladas e com cobertura.

— Uau — exclama Bailey.

— Exatamente — responde Widget. — E devíamos pegar um pouco de chocolate quente e camundongos de chocolate.

— Eu tenho os camundongos — diz Bailey, tirando o saquinho do bolso. — Comprei mais cedo.

— Ah, você é precavido. É muito bom estar preparado — comenta Widget. — Você tinha razão sobre ele, Poppet.

Bailey olha confuso para Poppet, mas ela só sorri.

— Que tal se Bailey e eu pegarmos o chocolate e você vai atrás dos negócios de canela? — pergunta a irmã, e Widget assente em aprovação ao plano.

— Combinado. Encontro vocês na fogueira? — pergunta ele. Poppet confirma com um aceno e Widget inclina o chapéu para os dois e some na multidão.

Bailey e Poppet continuam caminhando pelo pátio da fogueira. Após alguns momentos de silêncio confortável, Bailey reúne coragem para fazer uma pergunta — uma pergunta que ele não sabe se ficará à vontade para fazer quando reencontrarem Widget:

— Posso perguntar uma coisa?

— Claro — responde Poppet. Há uma fila considerável para o chocolate quente, mas o vendedor vê Poppet, que ergue três dedos para ele, que sorri e assente em resposta.

— Quando… hã… quando o circo estava aqui da última vez e eu, bem… — Bailey luta para encontrar as palavras, aborrecido porque a pergunta parecia mais simples na sua cabeça.

— Sim? — instiga Poppet.

— Como você sabia meu nome? — pergunta ele. — E como soube que eu estava lá?

— Humm… — começa Poppet, como se tivesse dificuldade em encontrar as palavras apropriadas para responder. — Não é fácil explicar — começa. — Vejo as coisas antes de elas acontecerem. Vi você chegando um pouco antes de você vir. E nem sempre vejo os detalhes com nitidez, mas quando o vi soube qual era o seu nome, como se soubesse que seu cachecol é azul.

Eles chegam na frente da fila e o vendedor tem três copos listrados de chocolate quente já esperando por eles, com nuvens de chantilly extra no topo. Poppet entrega um para Bailey e pega os outros dois, e Bailey repara que o vendedor os dispensa com um gesto sem que qualquer dinheiro tenha trocado de mãos. Presume que chocolate quente grátis seja uma vantagem de ser membro do circo.

— Então você vê tudo antes de acontecer? — pergunta o rapaz. Ele não sabe se a resposta de Poppet é inteiramente o que esperava, se é que esperava alguma coisa.

Poppet balança a cabeça:

— Não, tudo não. Às vezes só pedacinhos das coisas, como palavras e ilustrações em um livro, mas o livro tem muitas páginas faltando e foi jogado numa lagoa, e algumas partes estão borradas, mas outras não estão. Isso faz sentido?

— Não muito — admite Bailey.

Poppet ri.

— Sei que é estranho.

— Não, não é — diz Bailey. Poppet se vira para ele, o ceticismo com a declaração evidente no rosto. — Bem, sim, é meio estranho. Mas só esquisito, não de um jeito ruim.

— Obrigada, Bailey — agradece Poppet. Ambos contornam o pátio, voltando para a fogueira. Widget já está à espera, segurando um saquinho de papel preto e observando as chamas brancas.

— Por que demoraram tanto? — pergunta o irmão.

— Pegamos fila — responde Poppet, entregando-lhe o chocolate quente. — Você não?

— Não. Acho que as pessoas ainda não descobriram como essas coisas são boas — diz ele, chacoalhando o saquinho. — Estamos prontos, então?

— Acho que sim — responde a irmã.

— Aonde vamos? — pergunta Bailey.

Poppet e Widget se entreolham antes que a irmã responda.

— Estamos fazendo rondas — conta ela. — Dando voltas no circo. Para… ficar de olho nas coisas. Você quer vir com a gente, não quer?

— É claro — responde Bailey, aliviado por não estar incomodando.

Eles caminham em círculos ao redor do circo, bebericando o chocolate quente e devorando os camundongos de chocolate e os doces açucarados de canela, que são tão bons quanto o prometido. Poppet e Widget lhe contam histórias sobre o circo, apontando tendas quando passam por elas, e Bailey responde às perguntas dos irmãos sobre sua cidade, achando estranho que pareçam interessados no que ele próprio considera coisas mundanas. Os três conversam com a naturalidade de pessoas que se conhecem há anos e a animação de amigos recentes com novas histórias.

Se Poppet e Widget estão de olho em qualquer coisa além do chocolate quente e dele mesmo, Bailey não consegue identificar o que seja.

— O que é o Observatório? — pergunta o jovem, avistando uma placa que nunca viu ao descartarem os copos e saquinhos vazios.

— Está a fim de observar, Poppet? — pergunta Widget à irmã, que hesita antes de assentir. — Poppet lê as estrelas — explica a Bailey. — É o lugar mais propício para ver o futuro.

— Não tem sido tão fácil ultimamente — acrescenta Poppet em voz baixa. — Mas podemos entrar. Só fica aberto em noites limpas, então vai saber se vamos ter outra chance enquanto estamos aqui.

Eles entram e se juntam a uma fila numa escadaria que se curva ao redor do perímetro, separada do interior da tenda por uma cortina preta e pesada. As paredes estão cobertas de diagramas com pontos e linhas brancas em papel preto, mapas de constelações emoldurados.

— É tipo como a vidente lê aquelas cartas com desenhos? — pergunta Bailey, ainda tentando absorver a ideia de ver o futuro.

— Um pouco, mas diferente — explica Poppet. — Não consigo ler cartas de tarô de jeito nenhum, mas Widget consegue.

— São histórias em papel — pontua Widget, dando de ombros. — É só ver como as histórias em cada carta se combinam, não é tão difícil. Mas, com elas, você tem um monte de possibilidades diferentes, caminhos diferentes que pode tomar. Poppet vê coisas que de fato acontecem.

— Mas elas não são tão claras — explica Poppet. — Não há contexto e na maior parte do tempo só descubro o que as coisas significam mais tarde. Às vezes, quando é tarde demais.

— Ressalva aceita, Pet — diz Widget, apertando o ombro dela. — Pode ser só um passeio, se você quiser.

No topo das escadas, o trio chega a uma plataforma preta onde tudo é infinitamente escuro exceto por um membro do circo usando um terno branco que guia os visitantes para dentro. Ele sorri para Poppet e Widget, lançando um olhar curioso para Bailey, conforme os escolta através da escuridão até algo parecido com um trenó ou carruagem.

Todos se acomodam em um banco almofadado com as costas e as laterais altas, e a porta de um lado se fecha com um clique assim que Poppet se acomoda entre Bailey e Widget. O carrinho avança com vagarosidade, e Bailey não enxerga nada além de escuridão.

Então algo ao redor clica suavemente e a carruagem cai só um pouquinho, ao mesmo tempo se inclinando para trás, de modo que eles ficam olhando para cima em vez de para a frente.

A tenda não tem teto, Bailey percebe. A parte mais alta está aberta e o céu noturno está inteiramente visível.

É uma sensação diferente do que observar as estrelas deitado em um campo, algo que Bailey já fez muitas vezes. Não há árvores invadindo as margens de sua visão, e o oscilar gentil da carruagem o faz sentir-se quase sem peso.

E está incrivelmente silencioso. Conforme a carruagem se move no que parece ser um padrão circular, Bailey não escuta nada além de rangidos suaves e a respiração de Poppet ao seu lado. É como se o circo inteiro tivesse esvanecido na escuridão.

Ele lança um olhar à jovem, que está olhando para ele e não para o céu. Ela abre um sorriso largo e se vira.

Bailey pensa se deveria perguntar se ela está enxergando alguma coisa nas estrelas.

— Você não tem que fazer, se não quiser — lembra Widget, antecipando a pergunta.

Poppet se vira para lhe fazer uma careta, mas ergue os olhos e perscruta o límpido céu noturno. Bailey a observa atentamente. Ela parece contemplar uma pintura ou ler uma placa a uma grande distância, apertando os olhos só um pouquinho.

Então para de repente, cobrindo o rosto com as mãos, pressionando os dedos nas luvas brancas sobre os olhos. Widget põe uma mão no ombro dela.

— Você está bem? — pergunta Bailey.

Poppet respira fundo antes de assentir, ainda com as mãos no rosto.

— Estou — diz ela com a voz abafada. — Foi... brilhante demais. Fez minha cabeça doer.

Ela tira as mãos do rosto e sacode a cabeça. Pelo visto, qualquer aflição que tenha sentido passou.

Ao longo do restante do passeio, nenhum deles ergue os olhos para o céu salpicado de estrelas.

— Sinto muito — pede Bailey calmamente ao descerem outra escadaria curva para sair.

— Não é culpa sua — replica Poppet. — Eu devia saber, as estrelas vêm fazendo isso ultimamente: não fazem sentido algum e me deixam com dor de cabeça. Talvez eu devesse parar de tentar por um tempo.

— Você precisa se divertir — sugere Widget quando retornam ao alvoroço do circo. — Labirinto de Nuvens?

Poppet assente, seus ombros relaxando um pouco.

— O que é o Labirinto de Nuvens? — pergunta Bailey.

— Você não achou *nenhuma* das melhores tendas ainda, hein? — comenta Widget, sacudindo a cabeça. — Vai ter que voltar, não podemos fazer tudo numa noite só. Talvez seja por isso que Pet ficou com dor de cabeça, ela viu que a gente vai ter que arrastar você por todas as tendas até ver o que esteve perdendo.

— Widget consegue ver o passado — diz Poppet de repente, mudando de assunto. — É um dos motivos para as histórias dele serem tão boas.

— O passado é mais fácil — explica Widget. — Já está lá.

— Nas estrelas? — pergunta Bailey.

— Não — diz Widget. — Nas pessoas. O passado gruda nas pessoas como açúcar nos dedos. Alguns conseguem se livrar dele, mas ainda estão lá, os eventos e as coisas que levaram a pessoa a ser como é agora. Eu consigo... bem, ler não é a palavra certa, mas também não é a palavra certa para o que Poppet faz com as estrelas.

— Então você consegue enxergar meu passado só de olhar para mim? — questiona Bailey.

— Poderia — explica Widget. — Tento não ver sem permissão se não há nada que salta de súbito aos olhos. Você se incomoda?

Bailey balança a cabeça.

— Nem um pouco.

Widget o encara por um momento — não tanto a ponto de Bailey ficar desconfortável sob o peso do seu olhar, mas quase.

— Há uma árvore — fala Widget. — Um carvalho enorme que é mais um lar para você do que a sua casa, mas não tanto quanto *isto*. — Ele indica as tendas e luzes ao redor. — Você se sente sozinho quando está com outras pessoas. Maçãs. E sua irmã parece gente fina — acrescenta sarcasticamente.

— É por aí mesmo — comenta Bailey com uma risada.

— O que são as maçãs? — pergunta Poppet.

— Minha família tem um pomar — explica o jovem.

— Ah, que legal! — exclama Poppet. Bailey nunca considerou como "legais" as fileiras de árvores baixas e retorcidas.

— Aqui estamos — anuncia Widget quando eles fazem uma curva.

Apesar da experiência limitada com o circo, Bailey fica chocado por nunca ter visto essa tenda antes. Ela é alta, quase tão alta quanto a tenda dos acrobatas, mas mais estreita. Ele para e lê a placa sobre a entrada.

O Labirinto de Nuvens

Uma excursão na dimensão
Uma escalada ao firmamento
Não há começo
Não há fim
Entre por onde preferir
Saia quando desejar
Não tema cair

Dentro, a tenda tem paredes escuras e uma estrutura branca imensa e iridescente no centro. Bailey não consegue pensar em outro nome para ela. Ocupa todo o espaço exceto por uma passarela elevada que percorre o perímetro, um laço que começa na entrada da tenda e a circunda. O piso além da passarela está coberto por milhares de esferas brancas, empilhadas, que parecem bolhas de sabão.

A torre é uma série de plataformas girando em formas estranhas e diáfanas muito parecidas com nuvens. Estão em camadas, como em um bolo. Pelo que Bailey consegue ver, o espaço entre as camadas varia entre ser suficiente para andar ereto a mal permitir a entrada de uma pessoa engatinhando. Aqui e ali, partes da estrutura quase flutuam para longe da torre central, projetando-se no ar.

E, por todo canto, há pessoas subindo. Seguram-se em bordas, percorrem passagens, sobem ou descem. Algumas plataformas movem-se com o peso delas; outras parecem fortes e firmes. A estrutura toda se mexe constantemente em um movimento leve, como se estivesse respirando.

— Por que é chamado de labirinto? — pergunta Bailey.

— Você vai ver — diz Widget.

Eles caminham pela passarela, que oscila gentilmente, como um cais sobre a água. Bailey se esforça para manter o equilíbrio ao olhar para cima.

Algumas plataformas estão suspensas em cordas ou correntes penduradas. Em níveis mais baixos, há grandes postes que atravessam múltiplas plataformas, embora Bailey não consiga determinar se eles vão até o topo. Em dados lugares, há trechos com redes; em outros, cordas pendem como laços.

Eles param do lado oposto à entrada, onde a passarela oscila perto o bastante para que pulem em uma das plataformas mais baixas.

Bailey pega uma das esferas brancas. É mais leve do que parece e macia como um gatinho. Do outro lado da tenda, as pessoas as jogam umas nas outras como se fossem bolas de neve, mas em vez de se desmancharem elas quicam dos alvos e caem flutuando gentilmente. Bailey joga a que está segurando de volta e segue Poppet e Widget.

Assim que dão alguns passos estrutura adentro, Bailey entende por que é chamada de labirinto. Ele tinha esperado paredes, esquinas e becos sem saída, mas não é isso. As plataformas estão penduradas em todos os níveis: algumas são baixas, chegando só até seus joelhos ou cintura, outras alongam-se bem acima da cabeça, sobrepondo-se em padrões irregulares. É um labirinto que sobe e desce, e balança de um lado para o outro.

— Vejo vocês depois — despede-se Widget, pulando em uma plataforma próxima e escalando outra acima dela.

— Widget sempre vai direto para o topo — conta Poppet. — Ele conhece todas as rotas mais rápidas para chegar lá.

Bailey e Poppet optam por uma rota mais demorada, escolhendo plataformas aleatórias, rastejando sobre trechos de rede branca e se espremendo com cuidado por passagens estreitas. Bailey não consegue identificar a localização das bordas, ou quão alto já subiram, mas fica aliviado por Poppet parecer bem menos apreensiva do que no Observatório. Ela ri, ajudando-o nos trechos mais difíceis.

— Como a gente desce? — Bailey questiona em certo momento, ponderando sobre como vão achar o caminho para baixo.

— O jeito mais fácil é pular — explica ela, que o puxa por uma curva escondida, revelando a borda da plataforma.

Eles estão bem mais no alto do que Bailey suspeitava, embora ainda não tenham chegado ao topo.

— Não se preocupe — diz Poppet. — É seguro.

— Isso é impossível. — Bailey espia sobre a beirada.

— Nada é impossível — responde Poppet. Depois, sorri para ele e salta, o cabelo ruivo estendendo-se atrás de si enquanto cai.

Poppet desaparece no mar de esferas brancas abaixo, completamente envolta antes de emergir, seu cabelo vermelho-vivo contrastando com o branco conforme a garota acena para ele.

Bailey só hesita por um momento e resiste ao impulso de fechar os olhos ao saltar. Em vez disso, ri enquanto despenca pelo ar.

Atingir a piscina de esferas abaixo é mesmo como cair numa nuvem: suave, leve e reconfortante.

Quando Bailey se puxa para fora, Poppet e Widget estão ambos à sua espera na passarela ao lado, a jovem sentada na beirada e balançando as pernas.

— Precisamos voltar — avisa Widget, tirando um relógio do bolso. — Temos que preparar os gatinhos para outra apresentação e já é quase meia-noite.

— Já? — pergunta Bailey. — Não sabia que era tão tarde, eu já devia estar em casa.

— Deixa a gente te acompanhar até os portões, Bailey, por favor? — pede Poppet. — Tem uma coisa que quero dar a você.

Eles voltam juntos pelos caminhos tortuosos, atravessando o pátio até os portões. Poppet toma a mão de Bailey a fim de puxá-lo pelo túnel acortinado, encontrando o caminho no escuro sem dificuldade. O campo visível além dos portões, quando chegam ao outro lado, não está mais lotado a essa hora, embora alguns visitantes de entrada ou saída permaneçam na área.

— Espere aqui — pede Poppet. — Já volto. — Ela sai correndo na direção da bilheteria e Bailey observa o relógio se aproximar da meia-noite. Poucos momentos depois, Poppet está de volta com algo prateado na mão.

— Ah, ótima ideia, Pet — diz Widget quando vê o papel. Bailey olha de um para o outro, confuso. É um cartão prateado quase do tamanho do seu ingresso. Poppet o estende:

— É um ingresso especial — explica. — Para convidados importantes, para você não ter que pagar toda vez que vem ao circo. É só mostrar na bilheteria e te deixam entrar.

Bailey o observa com os olhos arregalados.

Este cartão concede ao portador acesso ilimitado

Está escrito de um lado em tinta preta, e no verso ele lê:

Le Cirque des Rêves

E em letras menores abaixo:

Chandresh Christophe Lefèvre, proprietário

Bailey encara o cartãozinho prateado chocado.

— Achei que você ia gostar — justifica Poppet, parecendo alarmada com a falta de uma resposta articulada. — Quer dizer, se quiser voltar enquanto estamos aqui.

— É maravilhoso — diz Bailey, erguendo os olhos do cartão. — Muito obrigado.

— De nada — responde Poppet, sorrindo. — E eu disse para avisarem a gente quando você chegar, então saberemos quando estiver aqui e podemos vir encontrá-lo. Se não se incomodar.

— Seria ótimo — comenta Bailey. — Sério, obrigado.

— Então a gente se vê em breve. — Widget estende a mão.

— Com certeza — responde Bailey quando a aperta. — Posso voltar amanhã à noite.

— Seria perfeito — diz Poppet. Quando Bailey solta a mão de Widget, ela se inclina e o beija rapidamente na bochecha, e Bailey consegue sentir as bochechas corarem. — Durma bem — acrescenta ao se afastar.

— V-vocês também — diz Bailey. — Boa noite. — Ele acena para os irmãos antes que sumam atrás da cortina pesada e, uma vez que desaparecem, se vira para voltar para casa.

Parece que se passou uma vida desde que caminhou até o circo, embora tenham sido poucas horas. Mais do que isso, parece que o Bailey que entrou no circo era uma pessoa completamente diferente do que aquela que sai dele agora, com um ingresso prateado no bolso. Ele se pergunta qual é o Bailey de verdade, pois sem dúvida o Bailey que passava horas em árvores sozinho não é o Bailey que ganha admissão especial a um circo espetacular, que faz amizade com pessoas tão interessantes sem nem tentar.

Ao chegar na fazenda, tem certeza de que o Bailey que é agora está mais próximo do Bailey que deveria ser do que o Bailey que fora no dia anterior. Pode não ter certeza do que isso significa, mas por enquanto acha que não importa muito.

Em seus sonhos, ele é um cavaleiro portando uma espada prateada, e isso não parece tão estranho, no fim das contas.

Tête-à-tête

LONDRES, AGOSTO DE 1896

O Jantar à Meia-Noite está um tanto desanimado esta noite, apesar do número de convidados. O circo se prepara para permanecer um tempo nos arredores de Londres, após deixar Dublin recentemente, então há uma série de artistas presentes. O sr. Barris também veio de Viena.

Celia Bowen passa boa parte da refeição conversando com madame Padva, que está sentada à sua esquerda em seda lápis-lazúli.

O vestido de Celia é uma criação de Padva, pensado para as apresentações, mas logo considerado inapropriado, uma vez que o tecido prateado refletia a luz em cada dobra e curva de um jeito que distraía a plateia. O efeito era tão lisonjeiro que Celia não quis devolvê-lo, guardando-o para usar no tempo livre.

— Alguém não consegue tirar os olhos de você, minha cara — comenta madame Padva, sutilmente inclinando a taça na direção da porta, onde Marco está parado em silêncio com as mãos unidas atrás das costas.

— Talvez ele esteja admirando o seu trabalho — sugere Celia sem se virar.

— Aposto que está mais interessado no conteúdo do que no vestido em si.

Celia apenas ri, mas sabe que madame Padva está certa — ela sentiu o olhar de Marco queimando sua nuca a noite toda, e está achando-o cada vez mais difícil de ignorar.

A atenção dele só se desvia de Celia uma vez, quando Chandresh derruba uma pesada taça de cristal que por pouco não derruba um dos candelabros, derramando vinho tinto sobre a toalha com renda dourada.

No entanto, antes que Marco possa reagir, Celia se ergue num pulo do outro lado da mesa, endireitando a taça sem tocá-la, um detalhe que só Chandresh tem a perspectiva correta para notar. Quando ela afasta a mão, a taça está cheia outra vez e a toalha imaculadamente limpa.

— Que desastrado — murmura Chandresh, dando um olhar desconfiado para Celia antes de se virar e retomar a conversa com o sr. Barris.

— Você podia ter sido uma bailarina — comenta madame Padva. — É ágil de pé.

— É que você não me viu deitada — replica Celia, e o sr. Barris quase derruba a própria taça enquanto madame Padva dá uma gargalhada.

Durante o restante do jantar, Celia fica atenta em Chandresh. Ele passa a maior parte do tempo discutindo algum tipo de reforma na casa com o sr. Barris, ocasionalmente se repetindo, embora o sr. Barris finja não reparar. Chandresh não toca a taça de novo, que ainda está cheia quando os pratos são retirados.

Depois do jantar, Celia é a última a partir. Durante o êxodo, ela perde o xale e se recusa a deixar qualquer um esperá-la enquanto o procura, acenando para que os outros saiam para a noite.

Prova-se difícil localizar uma faixa de renda marfim no caos singular da *maison* Lefèvre. Por mais que refaça seus passos até a biblioteca e a sala de jantar, a peça não está em lugar algum.

Por fim, Celia abandona a busca e volta ao saguão, onde Marco está ao lado da porta com o xale dobrado casualmente sobre o braço.

— Procurando por isto, srta. Bowen? — pergunta.

O homem se adianta para colocá-lo nos ombros dela, mas a renda se desintegra entre seus dedos e vira pó.

Quando ele ergue os olhos, Celia está usando o xale, perfeitamente amarrado como se nunca tivesse sido removido.

— Obrigada — diz Celia. — Boa noite. — Ela passa depressa e sai pela porta antes que ele possa responder.

— Srta. Bowen? — chama Marco, saindo logo atrás e descendo os degraus da entrada.

— Sim? — responde Celia, virando-se quando chega à calçada.

— Se não for um incômodo, eu esperava oferecer-lhe aquele drinque que não bebemos em Praga — diz Marco. Ele a encara com firmeza enquanto ela considera.

A intensidade do seu olhar é até ainda maior do que quando ele se focou na nuca dela, e por mais que Celia consiga sentir a coerção — uma técnica que o pai sempre gostou de usar —, há algo genuíno ali também, quase como uma súplica.

É isso, além da curiosidade, que a faz assentir.

Ele sorri e se vira, entrando de novo na casa e deixando a porta aberta.

Depois de um momento, Celia o segue. A porta se fecha e se tranca sozinha logo atrás.

Lá dentro, o jantar foi retirado, mas as velas ainda derretem nos candelabros.

Duas taças de vinho esperam na mesa.

— Onde está Chandresh? — pergunta a jovem, pegando uma das taças e seguindo para o lado oposto da mesa onde Marco está de pé.

— Retirou-se para o quinto andar — diz Marco, pegando a taça remanescente. — Ele reformou a antiga ala dos criados para manter como seus aposentos privados porque gosta da vista. Só vai descer de manhã. O restante dos funcionários já partiu, então temos a maior parte da casa para nós.

— Acontece com frequência de você receber convidados depois que os dele partiram? — pergunta Celia.

— Nunca.

Celia o observa e beberica o vinho. Algo na aparência de Marco a incomoda, mas não consegue identificar bem o quê.

— Chandresh realmente insistiu que todo o fogo no circo fosse branco, para combinar com o esquema de cores? — pergunta ela após um momento.

— Sim, isso mesmo — diz Marco. — Ele me pediu para entrar em contato com um químico ou algo assim. Optei por cuidar da questão pessoalmente. — Ele corre os dedos sobre as velas na mesa e as chamas mudam de ouro cálido para branco frio, com um toque de azul prateado no centro. Ao passar a mão na direção oposta, elas voltam ao normal.

— Como você chama isso? — pergunta Marco.

Celia não precisa perguntar o que ele quer dizer.

— Manipulação. Eu chamava de magia quando era mais nova. Levei um bom tempo para largar o hábito, embora meu pai nunca tenha gostado do termo. Ele chamava de encantamento, ou de manipular forçosamente o universo, quando não estava a fim de ser conciso.

— Encantamento? — repete Marco. — Nunca pensei dessa forma antes.

— Duvido — retruca Celia. — É exatamente o que você faz. Você encanta. E é muito bom nisso, com certeza. Fez tantas pessoas se apaixonarem por você. Isobel. Chandresh. E deve haver outras.

— Como sabe sobre Isobel? — pergunta Marco.

— A trupe é bem grande, mas todos falam uns sobre os outros — explica Celia. — Ela parece absolutamente devotada a alguém que nenhum de nós jamais conheceu. Reparei de imediato que presta atenção particular em mim, e até me perguntei em certo ponto se poderia ser minha oponente. Depois que você apareceu em Praga, quando ela estava esperando por *alguém*, foi simples ligar os pontos. Não acho que mais alguém saiba. Os gêmeos Murray têm uma teoria de que ela está apaixonada por uma pessoa com quem sonhou, e não por uma pessoa real.

— Os gêmeos Murray parecem bem espertos — opina Marco. — Se estou *encantando* dessa forma, não é sempre intencional. Foi útil para assegurar a posição com Chandresh, dado que eu só tinha uma recomendação e pouca experiência. Mas não parece estar sendo tão eficaz com você.

Celia abaixa a taça, ainda sem saber o que pensa dele. A luz tremeluzente das velas realça a qualidade indistinta do seu rosto, então ela desvia os olhos antes de responder, voltando a atenção aos objetos na cornija da lareira.

— Meu pai costumava fazer algo parecido — diz ela. — Uma sedução charmosa e arrebatadora. Passei os primeiros anos da minha vida observando minha mãe ansiar por ele, mantendo-se fiel. Amando-o e desejando-o muito depois que ele tinha perdido o pouco interesse que uma vez teve nela. Até que um dia, quando eu tinha cinco anos, ela tirou a própria vida. Quando estava crescida o bastante para entender, prometi que não sofreria dessa maneira por ninguém. Vai ser preciso muito mais do que o seu sorriso charmoso para me seduzir.

Mas, quando ela o olha de novo, o sorriso charmoso desapareceu:

— Sinto muito por ter perdido sua mãe desse jeito.

— Foi há muito tempo — comenta Celia, surpresa com a solidariedade genuína. — Mas obrigada.

— Você se lembra bastante dela?

— Lembro-me mais de impressões do que de fatos. Lembro que ela estava sempre chorando. Lembro que me olhava como se eu fosse algo a ser temido.

— Não me lembro dos meus pais — conta Marco. — Não tenho recordações antes do orfanato de onde fui tirado porque atendia a certos critérios desconhecidos. Fui obrigado a ler muito, viajei, estudei e fui preparado para participar de uma espécie de jogo clandestino. É o que tenho feito pela maior parte da vida, junto a um pouco de contabilidade e o que quer que Chandresh exija de mim.

— Por que está sendo tão sincero comigo? — pergunta a jovem.

— Porque é revigorante ser sincero de verdade com alguém, para variar — responde Marco. — E suspeito que você saberia se eu tentasse mentir. Anseio poder esperar o mesmo de você.

Celia o considera por um momento antes de assentir.

— Você me lembra um pouco do meu pai — revela.

— Em que sentido?

— O modo como manipula a percepção. Nunca fui particularmente boa nisso, sou melhor com coisas tangíveis. Você não tem que fazer isso comigo, aliás — acrescenta, por fim percebendo o aspecto que a desconcerta sobre a aparência dele.

— Fazer o quê?

— É bonito, mas posso ver que não é inteiramente real. Deve ser bem irritante manter a ilusão o tempo inteiro.

Marco franze o cenho, mas então, muito devagar, seu rosto começa a mudar. O cavanhaque esvanece até desaparecer. As feições esculpidas se tornam mais suaves e jovens. O verde dos olhos desbota para um tom cinza-esverdeado.

O rosto falso era bonito, sim, mas de um jeito consciente. Como se ele estivesse ciente demais de como era atraente, algo que Celia achava um pouco desagradável.

E havia mais alguma coisa, um vazio que era provavelmente o resultado da ilusão, uma impressão de que ele não estava presente por completo na sala.

Mas agora há uma pessoa diferente ao lado dela, muito mais presente, como se uma barreira tivesse sido removida entre eles. Marco parece mais próximo, embora a distância não tenha mudado, e seu rosto ainda é bem bonito.

A intensidade do olhar também aumenta com esses olhos; observando-o agora, ela consegue enxergar mais fundo sem ficar distraída pela cor.

Celia consegue sentir o calor subindo pelo pescoço e o controla o suficiente para que o rubor não seja visível à luz das velas.

Em seguida percebe por que há algo familiar ali também.

— Já o vi antes — comenta ela, situando o semblante real dele em um ponto da memória. — Você assistiu à minha apresentação assim.

— Você se lembra de todos os seus espectadores? — pergunta Marco.

— De todos, não — replica. — Mas me lembro de pessoas que me olham do jeito como você me olhou.

— E que jeito seria esse?

— Como se não conseguissem decidir se têm medo de mim ou se gostariam de me beijar.

— Não tenho medo de você — afirma Marco.

Os dois se encaram em silêncio por um longo momento, as velas tremeluzindo ao redor.

— Parece exigir um grande esforço por uma diferença bastante sutil — comenta Celia.

— Tem suas vantagens.

— Acho que você fica melhor sem a ilusão — opina. Marco parece tão surpreso que ela acrescenta: — Eu disse que seria sincera, não disse?

— A senhorita me lisonjeia — diz. — Quantas vezes visitou esta casa?

— Pelo menos uma dúzia — responde Celia.

— Mas nunca fez um tour.

— Nunca me ofereceram um.

— Chandresh não acredita neles. Prefere que a casa permaneça um enigma. Se os convidados não sabem onde estão os limites, têm a impressão de que a casa em si continua para sempre. Costumavam ser dois prédios, então pode ser um pouco confuso.

— Eu não sabia disso — diz Celia.

— Eram duas casas geminadas, uma espelhando a outra. Ele comprou ambas e fez uma reforma para que virassem uma única residência, com uma série de melhorias. Não acho que temos tempo para um tour completo, mas posso mostrar alguns cômodos mais obscuros, se quiser.

— Eu quero — confirma Celia, deixando na mesa a taça vazia, ao lado da dele. — Você dá tours proibidos da casa do seu empregador com frequência?

— Aconteceu apenas uma vez, e só porque o sr. Barris foi muito insistente.

Da sala de jantar, eles passam pela sombra da estátua com cabeça de elefante no corredor, entram na biblioteca e param diante do vitral do pôr do sol que se estende por toda a parede.

— Esta é a sala de jogos — anuncia Marco, empurrando o vidro e deixando-o se abrir para dentro da sala seguinte.

— Que apropriado.

Jogos são mais o tema do que a função da sala. Há vários tabuleiros de xadrez com peças faltando e peças sem tabuleiros alinhadas em peitoris e prateleiras. Alvos sem dardos estão pendurados ao lado de jogos de gamão interrompidos no meio.

A mesa de bilhar no centro da sala é revestida de vermelho-sangue.

Uma seleção de armas ocupa uma parede, disposta em pares. Sabres, pistolas e floretes, cada uma entrelaçada com a outra, preparadas para dezenas de duelos em potencial.

— Chandresh gosta de armamentos antigos — explica enquanto Celia as examina. — Algumas peças estão em outras salas, mas esta é a maior parte da coleção.

Ele a observa de maneira atenta conforme a mulher passeia pela sala. Ela parece estar tentando não sorrir ao examinar os elementos de jogos habilmente arranjados ao redor deles.

— Você sorri como se tivesse um segredo — observa ele.

— Tenho muitos segredos — retruca ela, fitando-o sobre o ombro antes de se virar para a parede. — Quando soube que eu era a sua oponente?

— Não sabia até a audição. Você foi um mistério por anos antes disso. E tenho certeza de que reparou que me pegou de surpresa. — Ele faz uma pausa antes de acrescentar: — Não posso afirmar que foi uma grande vantagem. Há quanto tempo você sabe?

— Descobri na chuva, em Praga, como você sabe perfeitamente bem — responde. — Podia ter me deixado partir com um guarda-chuva para tentar desvendar, mas em vez disso foi atrás de mim. Por quê?

— Eu o queria de volta — diz Marco. — Gosto muito daquele guarda-chuva. E estava cansado de me esconder de você.

— Eu suspeitava de qualquer um, e de todos — conta Celia. — Mas pensava que seria mais provável ser alguém no próprio circo. Devia saber que era você.

— Por quê?

— Porque você finge ser menos do que é. Isso é claro como a luz do dia. Admito que nunca pensei em encantar meu guarda-chuva.

— Morei a maior parte da vida em Londres — explica Marco. — Assim que aprendi a enfeitiçar objetos, foi uma das primeiras coisas que fiz.

Ele tira o paletó e o arremessa sobre uma das poltronas de couro num canto. Pega um baralho de cartas de uma estante, sem saber se Celia vai aceitar o convite, porém curioso demais para não tentar.

— Você quer jogar? — pergunta Celia.

— Não exatamente — responde Marco ao embaralhar. Quando está satisfeito, coloca o baralho na mesa de bilhar.

Ele vira uma carta — o rei de espadas. Bate na superfície e o rei de espadas torna-se o rei de copas. Ergue a mão, recuando e estendendo os dedos sobre a carta, convidando-a a fazer a próxima jogada.

Celia sorri. Tira o xale dos ombros e o atira sobre o paletó descartado, em seguida para com as mãos unidas atrás das costas.

O rei de copas dá um salto e se equilibra na borda. Fica parado por um momento antes de lenta e deliberadamente se rasgar ao meio. As duas partes ficam em pé, separadas, antes de cair com o verso estampado para cima.

Imitando o gesto de Marco, Celia dá uma batidinha na carta, que se remenda. Ela recua a mão e a carta se vira sozinha. A rainha de ouros.

Então o baralho inteiro flutua no ar segundos antes de desabar na mesa, as cartas se espalhando sobre a superfície de feltro vermelho.

— Você é melhor do que eu em manipulação física — admite Marco.

— Tenho uma vantagem — diz Celia. — É o que meu pai chama de talento natural. Acho mais difícil *não* influenciar o meu entorno; era frequente quebrar coisas quando era criança.

— Quanto impacto consegue ter em coisas vivas? — pergunta Marco.

— Depende do que for. Objetos são mais fáceis. Levei anos para dominar qualquer coisa com vida. E trabalho muito melhor com meus próprios pássaros do que poderia com um pombo qualquer tirado da rua.

— O que conseguiria fazer comigo?

— Poderia mudar o cabelo, talvez a sua voz — pondera Celia. — Nada mais do que isso sem seu consentimento e consciência completos, e o verdadeiro consentimento é mais difícil de dar do que talvez imagine. Não consigo curar ferimentos. Raramente consegui mais do que um impacto temporário e superficial. É mais fácil com pessoas com quem estou familiarizada, embora nunca seja fácil mesmo.

— E consigo mesma?

Em resposta, Celia vai até a parede e remove uma fina adaga otomana com cabo de jade, pendurada ali com o seu par. Segurando a arma na mão direita, ela espalma a esquerda na mesa de bilhar, sobre as cartas espalhadas. Sem hesitar, crava a lâmina nas costas da mão, perfurando pele, músculos e cartas até o feltro abaixo.

Marco se encolhe, mas não se pronuncia.

Celia puxa a adaga, a mão e o dois de espadas ainda empalados na lâmina. O sangue começa a pingar até o pulso. Ela estende a mão e a vira devagar, mostrando-a dramaticamente para que Marco veja que não há ilusão envolvida.

Com a outra mão ela remove a adaga, fazendo a carta ensanguentada cair devagar até a mesa. Logo em seguida as gotas de sangue começam a voltar, reentrando no corte na palma, que diminui e desaparece até restar apenas uma linha vermelha fina na pele — e depois nada.

Celia bate na carta e o sangue desaparece. O rasgo deixado pela lâmina não é mais visível. A carta é agora o dois de copas.

Marco ergue a carta e corre os dedos sobre a superfície remendada. Então, com um giro sutil da mão, ela desaparece. Ele a deixa seguramente guardada no bolso.

— Estou aliviado por não sermos desafiados a uma luta física — confessa ele. — Acho que você teria a vantagem.

— Meu pai costumava cortar a ponta dos meus dedos uma a uma até eu conseguir curar os dez ao mesmo tempo — revela, devolvendo a adaga ao lugar na parede. — O mais importante é sentir por dentro como tudo deveria ser, então não consigo fazer com mais ninguém.

— Acho que suas aulas foram bem menos acadêmicas do que as minhas.

— Eu teria preferido mais leituras.

— Acho estranho termos sido preparados de modos drasticamente diferentes para o mesmo desafio — observa Marco. Ele olha de novo para a mão de Celia, embora não haja nada de errado, nenhuma indicação de que ela foi apunhalada apenas momentos antes.

— Suspeito que seja parte do objetivo — arrisca ela. — Duas escolas de pensamento se enfrentando, trabalhando no mesmo ambiente.

— Confesso que não entendo completamente o objetivo, mesmo depois de todo esse tempo.

— Nem eu — admite a jovem. — Suspeito que chamar de desafio ou jogo não é muito preciso. Comecei a pensar nisso mais como uma exibição dupla. O que mais eu posso conhecer no meu tour?

— Gostaria de ver algo em progresso? — pergunta Marco. Saber que ela pensa no circo como uma exibição é uma surpresa agradável, dado que ele parou de pensar no desafio como algo antagônico há anos.

— Gostaria — aceita Celia. — Especialmente se for o projeto que o sr. Barris passou o jantar discutindo.

— O próprio.

Marco a acompanha para fora da sala de jogos, através de outra porta, passando brevemente pelo corredor e pelo grande salão de baile na parte de trás da casa, onde o luar é filtrado pelas portas de vidro na parede dos fundos.

Lá fora, no espaço que o jardim antigamente ocupava para além do terraço, a área foi escavada para ficar em um nível mais baixo, afundada. No momento é principalmente um amontoado de terra batida e pilhas de pedra formando paredes altas, mas rudimentares.

Celia desce com cuidado os degraus de pedra, e Marco a segue. Quando se chega ao último, as paredes criam um labirinto, deixando visível apenas uma pequena porção do jardim de cada vez.

— Achei que seria benéfico para Chandresh ter um projeto com que se ocupar — explica Marco. — Como ele raramente sai de casa por esses dias, reformar os jardins parecia um bom lugar para começar. Gostaria de ver como vai ficar quando estiver completo?

— Sim — confirma Celia. — Você tem o projeto aqui?

Em resposta, Marco ergue uma mão e faz um gesto amplo ao redor.

O que eram pouco mais do que pilhas de pedra bruta momentos antes agora está erguido e entalhado em arcos e passarelas ornamentais, cobertos por trepadeiras e pontilhados com lanterninhas brilhantes. Rosas pendem de treliças arredondadas acima deles, e o céu noturno está visível através dos espaços entre as flores.

Celia leva a mão à boca para abafar um arquejo. A cena inteira, desde o aroma das rosas até o calor irradiando das lanternas, é assombrosa. Ela consegue ouvir uma fonte borbulhando por perto e se vira na trilha — agora coberta de grama — para encontrá-la.

Marco a segue enquanto ela explora, fazendo uma curva após a outra pelas passarelas sinuosas.

A fonte no centro verte-se sobre uma parede de pedra entalhada, fluindo para uma lagoa redonda cheia de carpas. Suas escamas brilham ao luar, manchas brancas e alaranjadas cintilando na água escura.

Celia estende a mão, deixando a água da fonte passar entre os dedos ao pressionar a pedra fria abaixo.

— Você está fazendo isso na minha mente, não é? — pergunta quando ouve Marco atrás de si.

— Você está permitindo — responde ele.

— Provavelmente conseguiria impedi-lo, sabe — pontua a jovem, virando-se para encará-lo. Ele se inclina contra um dos arcos de pedra, observando-a.

— Tenho certeza que sim. Se resistisse, não funcionaria tão bem, e pode ser bloqueado quase inteiramente. E, é claro, a proximidade é a chave para a imersão.

— Você não pode fazer isso com o circo.

Marco dá de ombros.

— A distância é grande demais, infelizmente — admite ele. — É uma das minhas especialidades, mas tenho poucas oportunidades de usá-la. Não sou capaz de criar esse tipo de ilusão para mais de uma pessoa por vez.

— É incrível — elogia ela, vendo os peixes nadando aos seus pés. — Nunca conseguiria sustentar algo tão intricado, embora as pessoas me chamem de ilusionista. Você usaria o título melhor do que eu.

— Suponho que "Linda Mulher que Consegue Manipular o Mundo com a Mente" é meio comprido.

— Não sei se caberia na placa fora da minha tenda.

A risada dele agora é baixa e calorosa, e Celia se vira em busca de esconder o sorriso, mantendo a atenção no redemoinho de água.

— Não tenho como usar uma das minhas especialidades também — confessa ela. — Sou boa em manipular tecidos, mas parece tão desnecessário, dado o que madame Padva consegue fazer. — Ela dá uma voltinha, o tecido prateado do vestido refletindo a luz de modo que brilha tão forte quanto as lanternas.

— Acho que ela é uma bruxa — observa Marco. — E digo isso como o maior dos elogios.

— Acho que ela entenderia como um elogio mesmo — pontua Celia. — Você também está vendo tudo isso, exatamente como eu?

— Mais ou menos — diz Marco. — As nuances são mais ricas quanto mais perto fico do observador.

Celia vai até o lado oposto da lagoa, mais próximo de onde ele está. Ela examina os entalhes na pedra e as trepadeiras retorcendo-se ao redor deles, mas seus olhos voltam sempre para Marco. Qualquer tentativa de sutileza é arruinada, pois ele logo retribui o olhar. Cada vez fica mais difícil desviar.

— Foi inteligente usar a fogueira como estímulo — observa a moça, tentando manter a atenção em uma pequena lanterna brilhante.

— Não estou surpreso que você tenha descoberto — diz Marco. — Eu tinha que dar um jeito de ficar conectado, já que não posso viajar com o circo. A iluminação parecia uma oportunidade perfeita para criar um vínculo duradouro. Não queria que você tivesse muito controle, afinal.

— Teve repercussões — aponta Celia.

— Como assim?

— Digamos apenas que há mais coisas singulares sobre os gêmeos Murray do que apenas o cabelo.

— E você não vai me contar quais são, vai?

— Uma dama não pode revelar todos os seus segredos — afirma Celia. Ela puxa uma rosa de um galho próximo, fechando os olhos ao inalar o aroma, as pétalas suaves como veludo contra a pele. Os detalhes sensoriais da ilusão são tão grandiosos que ela fica quase atordoada. — Quem pensou em rebaixar o jardim? — pergunta ela.

— Chandresh. Foi inspirado em outro cômodo da casa. Posso mostrar, se quiser.

Celia assente e os dois percorrem o caminho de volta pelo jardim. Ela caminha perto dele, perto o bastante para tocar, embora ele mantenha as mãos juntas atrás das costas. Ao chegarem à varanda, Celia olha de volta para o jardim, onde as rosas e lanternas voltaram a ser terra e pedra.

—··—

Dentro da casa, Marco a conduz pelo salão de baile. Ele para próximo à parede mais distante e desliza um dos painéis de madeira escura para o lado, revelando uma escadaria em espiral que desce.

— É uma masmorra? — pergunta Celia ao descerem.

— Não exatamente — responde Marco. Quando chegam à porta dourada no fim das escadas, ele a abre. — Cuidado onde pisa.

A sala é pequena, mas o pé-direito é alto, com um lustre dourado recoberto de cristais suspenso no centro. As paredes arredondadas e o teto estão pintados de um azul profundo e vibrante, e ornamentados com estrelas.

Um caminho envolve o perímetro da sala como um parapeito, embora a maior parte do piso esteja rebaixada e ocupada por almofadas grandes cobertas em um arco-íris de seda bordada.

— Chandresh alega que foi inspirado em um cômodo que pertencia a uma cortesã de Bombaim — conta Marco. — Mas eu acho maravilhoso para ler.

Celia ri e um cacho cai em sua bochecha.

Hesitante, Marco esboça um gesto para afastá-lo do seu rosto, porém, antes que seus dedos a alcancem, ela pula do parapeito, transformando o vestido prateado em um vagalhão ao cair para a pilha de almofadas coloridas.

Ele a observa por um momento antes de imitar a ação e afundar no centro da sala ao lado de Celia.

Os dois ficam deitados, encarando o lustre. A luz que reflete nos cristais o transforma no céu noturno sem necessidade de ilusão.

— Com que frequência consegue visitar o circo? — pergunta Celia.

— Não tanto quanto gostaria. Sempre que está perto de Londres, é claro. Tento ir a outros lugares na Europa, se consigo escapar de Chandresh por tempo suficiente. Às vezes sinto que tenho um pé em cada lado. Estou intimamente familiarizado com tantas partes do circo, mas é sempre surpreendente.

— Qual é a sua tenda preferida?

— Para ser sincero? A sua.

— Por quê? — Celia questiona, virando-se para ele.

— Ela apela ao meu gosto pessoal, acho. Você faz em público coisas que aprendi em segredo. Talvez eu a aprecie de uma forma diferente que a maioria das pessoas. Também gosto muito do Labirinto. Não sabia se você estaria disposta a colaborar nele.

— Recebi um longo sermão sobre aquela colaboração específica — conta. — Meu pai chamou de "justaposição degenerada"; deve ter pensado por dias até encontrar um insulto digno. Ele vê algo vergonhoso na combinação de habilidades, mas nunca entendi por quê. Adoro o Labirinto, me diverti muito acrescentando cômodos ali. Adoro particularmente aquele seu corredor onde neva, e dá para ver as pegadas deixadas pelas pessoas que passeiam ao redor.

— Eu nunca tinha pensado nisso de um jeito tão lascivo — diz Marco. — Não vejo a hora de visitá-lo de novo com isso em mente. Embora eu tivesse a impressão de que seu pai não estava em condição de comentar sobre tais coisas.

— Ele não está morto — informa Celia, virando-se para o teto de novo. — É meio difícil de explicar.

Marco decide não fazê-la tentar explicar, retomando o assunto do circo.

— Qual tenda é a sua preferida? — pergunta ele.

— O Jardim de Gelo — responde sem nem parar para considerar.

— Por quê?

— Por causa da *sensação* que tenho lá — justifica. — É como caminhar num sonho. Como se fosse um lugar completamente diferente e não só outra tenda. Talvez eu só goste de neve. Como você pensou nela?

Marco reflete sobre o processo, uma vez que nunca lhe pediram para explicar a origem de suas ideias.

— Achei que seria interessante ter um jardim de inverno, mas é claro que exigiria uma ausência de cor. Cogitei muitas opções antes de decidir criar tudo em gelo. Fico contente por você achar que é como um sonho, dado que o cerne da minha ideia veio de um.

— É o motivo de eu ter feito a Árvore dos Desejos — compartilha Celia. — Pensei que uma árvore coberta de fogo seria um complemento adequado às feitas de gelo.

Marco repassa na mente seu primeiro encontro com a Árvore dos Desejos, uma mistura de irritação, assombro e nostalgia que lhe parece diferente em retrospecto. Ele não sabia se conseguiria acender a própria vela, seu próprio desejo, conjecturando se seria de algum modo contra as regras.

— Todos aqueles desejos se realizam? — pergunta ele.

— Não tenho certeza. Não pude acompanhar todas as pessoas que os fizeram. Você fez um?

— Talvez.

— O seu desejo se realizou?

— Não tenho certeza ainda.

— Então precisa me contar quando souber — pede Celia. — Espero que se realize. Suponho que, de certa maneira, fiz a Árvore dos Desejos para você.

— Você não sabia quem eu era na época — argumenta Marco, virando-se para ela. A atenção de Celia permanece no lustre, mas aquele sorriso atraente, como de quem guarda segredos, retorna ao seu rosto.

— Não sabia sua identidade, mas tinha uma impressão do meu oponente ao estar cercada pelas suas criações. Achei que poderia gostar dela.

— Gosto mesmo — confirma Marco.

O silêncio que se estabelece é confortável. Ele deseja estender a mão e tocá-la, mas resiste ao impulso, temendo destruir a cumplicidade delicada que estão construindo. Em vez disso, lança olhares furtivos, analisando como a luz se projeta na pele dela. Várias vezes a pega contemplando-o de um jeito parecido, e os momentos em que ela o fita nos olhos são sublimes.

— Como você está evitando que todo mundo envelheça? — pergunta Celia após um tempo.

— Com muito cuidado — responde. — E eles estão envelhecendo, embora muito devagar. Como você está movendo o circo?

— Por trem.

— Trem? — pergunta, incrédulo. — O circo inteiro se locomove em um único trem?

— É um trem grande — explica Celia. — E mágico — acrescenta, fazendo Marco rir.

— Confesso, srta. Bowen, que você não é o que eu esperava.

— Asseguro-lhe que o sentimento é mútuo.

Marco se levanta e volta ao parapeito diante da porta.

Celia lhe estende a mão, e ele a toma para ajudá-la a levantar. É a primeira vez que toca a pele nua dela.

A reação no ar é imediata. Uma descarga súbita ondula pela sala, nítida e brilhante. O lustre começa a tremer.

A sensação disparada na pele de Marco é intensa e íntima, começando onde sua palma encontra a dela mas espalhando-se para além, mais longe e mais fundo.

Celia puxa a mão depois que recupera o equilíbrio, recuando e inclinando-se contra a parede. A sensação começa a amainar assim que o solta.

— Sinto muito — anuncia ela em voz baixa, claramente sem fôlego. — Você me pegou de surpresa.

— Perdão. — O coração dele martelando tão alto nos ouvidos que mal a escuta. — Mas não posso dizer que entendo perfeitamente o que aconteceu.

— Sou particularmente sensível à energia — comenta. — As pessoas que fazem o tipo de coisas que nós fazemos possuem uma energia muito palpável, e eu... não estou acostumada à sua ainda.

— Espero que tenha sido uma sensação tão agradável para você quanto foi para mim.

Celia não responde e ele se segura para não tomar a mão dela de novo. Em vez disso, abre a porta e a conduz pela escadaria em espiral.

Eles atravessam o salão de baile ao luar, seus passos ecoando em uníssono.

— Como está Chandresh? — pergunta Celia, em busca de um assunto que preencha o silêncio, qualquer coisa para distraí-la das mãos ainda trêmulas, e lembrando-se da taça caída no jantar.

— Ele vacila — responde Marco com um suspiro. — Desde que o circo abriu, tem ficado cada vez mais disperso. Eu… faço o que posso fazer para mantê-lo estável, mas temo que tenha um efeito adverso na memória dele. Não era minha intenção, mas, depois do que aconteceu com a falecida srta. Burgess, pensei que era o curso de ação mais sábio.

— Ela estava na posição peculiar de alguém envolvido com tudo isso, mas não dentro do circo em si — observa Celia. — Tenho certeza de que não é a perspectiva mais fácil de sustentar. Pelo menos você está de olho em Chandresh.

— De fato — concorda Marco. — Queria que houvesse um modo de proteger aqueles fora do circo assim como a fogueira protege aqueles no interior.

— A fogueira?

— Ela serve a vários propósitos. Primariamente, é a minha conexão com o circo, mas também serve como salvaguarda, de certa forma. Deixei de considerar o fato de que ela não cobre aqueles fora da cerca.

— Eu sequer considerei uma salvaguarda — admite Celia. — Não acho que entendi a princípio quantas outras pessoas se envolveriam no nosso desafio. — Ela para no meio do salão.

Marco para também, mas não se manifesta, esperando que ela fale.

— Não foi culpa sua — Celia afirma em voz baixa. — O que aconteceu com Tara. As circunstâncias poderiam ter se desdobrado da mesma forma, independentemente de qualquer coisa que você ou eu fizéssemos. Não se pode tirar o livre-arbítrio de alguém: essa foi uma das minhas primeiras lições.

Marco assente, então dá um passo para perto. Estende a mão para tomar a de Celia, lentamente roçando os dedos contra os dela.

A sensação é tão forte quanto antes, mas algo está diferente. O ar muda, mas os lustres acima continuam firmes e imóveis.

— O que está fazendo? — pergunta ela.

— Você mencionou algo sobre energia. Estou focando a sua com a minha, para você não quebrar os lustres.

— Se eu quebrasse qualquer coisa, provavelmente poderia consertá-la — replica Celia, mas não o solta.

Sem se preocupar com o efeito que pode exercer no entorno, ela consegue relaxar e desfrutar da sensação em vez de resistir. É esplêndido. Como ela se sentiu em muitas das tendas dele, a empolgação de estar cercada por alguma coisa magnífica e fantástica, só que exacerbada e centrada diretamente nela. A sensação de ter a pele de Marco contra a sua reverbera por todo o corpo, embora os dedos dele permaneçam entrelaçados nos dela. Ela ergue os olhos para o rapaz, encarando aquele cinza-esverdeado assombroso outra vez, e não vira o rosto.

Encaram-se em silêncio por instantes que parecem se estender longamente.

O relógio no corredor bate as horas e Celia dá um pulo, sobressaltada. Assim que solta a mão de Marco quer tomá-la de novo, mas a noite toda já teve emoções demais.

— Você esconde tão bem — comenta ela. — Posso sentir a mesma energia irradiando como calor em cada uma de suas tendas, mas pessoalmente fica bem oculta.

— A prestidigitação é uma das minhas especialidades.

— Não será tão fácil agora que você tem minha atenção.

— Gosto de ter sua atenção — admite. — Obrigado por isso. Por ficar.

— Eu o perdoo por roubar meu xale.

Celia sorri quando ele dá risada.

E em seguida desaparece. Um simples truque para distrair a atenção de Marco o suficiente para que possa escapulir pelo corredor, apesar da persistente tentação de ficar.

Marco encontra o xale deixado na sala de jogos, ainda jogado sobre o seu paletó.

PARTE III

INTERSECÇÕES

Eu adoraria ler as reações e observações de cada uma das pessoas que atravessam os portões de Le Cirque des Rêves, para saber o que veem, ouvem e sentem. Para ver como a experiência delas sobrepõe-se à minha e como se difere da minha. Tive a sorte de receber cartas com tais informações de *rêveurs* que compartilham comigo escritos de seus diários ou pensamentos rabiscados em papéis.

Acrescentamos nossas próprias histórias, cada visitante, cada visita, cada noite passada no circo. Suponho que jamais faltarão coisas para serem ditas, histórias para serem contadas e compartilhadas.

— FRIEDRICK THIESSEN, 1895

OS AMANTES

Na plataforma em meio à multidão, altas o bastante para serem bem visíveis de todos os ângulos, duas figuras estão imóveis como estátuas.

A mulher usa algo parecido a um vestido de noiva tecido para uma bailarina, branco, com babados e enfeitado com laços pretos que esvoaçam no ar noturno. As pernas estão envoltas em uma meia-calça, os pés em botas de cano alto pretas de abotoar. Os cachos escuros estão presos no alto e adornados com penas brancas.

Seu companheiro é um homem bonito, um pouco mais alto que ela, usando um terno preto listrado com corte impecável. A camisa é imaculadamente branca; a gravata, preta e com um laço à perfeição. Um chapéu-coco preto acomoda-se em sua cabeça.

Estão entrelaçados, mas não se tocam, com as cabeças inclinadas na direção um do outro. Os lábios congelados no momento anterior (ou posterior) ao beijo.

Embora você os observe por um tempo, eles não se movem. Não há o agitar de dedos ou cílios. Nenhuma indicação de que estejam sequer respirando.

— Eles não podem ser reais — comenta alguém por perto.

Muitos não lhes dispensam mais do que um olhar de soslaio antes de seguir seu caminho, mas, quanto mais você observa, mais consegue detectar movimentos sutis. A mudança na curva de uma mão pairando perto de um braço. O ângulo de uma perna equilibrada de maneira perfeita se alterando minimamente. Um sempre gravitando em direção ao outro.

No entanto, eles nunca se tocam.

Treze

LONDRES, SEXTA-FEIRA, 13 DE OUTUBRO DE 1899

A grande celebração do aniversário de Le Cirque des Rêves não é realizada aos dez anos, o que seria esperado e tradicional, mas após o circo estar aberto e na estrada há treze anos. Alguns dizem que aconteceu assim porque o décimo aniversário veio e passou, e ninguém pensou em dar uma festa para comemorá-lo antes disso.

A recepção ocorre na casa londrina de Chandresh Christophe Lefèvre no dia 13 de outubro de 1899, uma sexta-feira. A lista de convidados é seleta; só membros da trupe e alguns convidados especiais marcam presença. O evento não é divulgado, é claro, e embora se possa especular que tenha algo a ver com o circo, não é possível confirmar o fato. Além disso, ninguém realmente suspeita que o infame circo preto e branco possa estar relacionado a um evento tão cheio de cor.

A festa é muito colorida: tanto a casa quanto os convidados estão adornados com um arco-íris de tonalidades. As luzes de cada cômodo recebem um cuidado especial — verdes e azuis em um, vermelhas e laranja em outros. As mesas na sala de jantar estão cobertas com toalhas estampadas e vibrantes. Os centros de mesa são arranjos florais elaborados com flores de cores vivas. Os músicos da banda no salão de baile, que tocam melodias estranhas, porém harmoniosas e dançantes, vestem ternos de veludo vermelho. Até as taças de champanhe são de vidro azul-cobalto em vez de translúcidas, e os criados trajam verde em vez de preto. O próprio Chandresh veste um terno roxo vibrante com um colete de caxemira dourado e, ao longo da noite, fuma charutos especialmente produzidos que exalam uma fumaça violeta para combinar.

Um espectro de rosas, que vão de tons naturais a inimagináveis, foi disposto no colo dourado de uma estátua com cabeça de elefante no saguão, e as pétalas caem como uma cascata sempre que alguém passa por ali.

Coquetéis são servidos no bar em uma variedade de taças com formatos esquisitos e copos coloridos. Há vinho cor de rubi e absinto verde turvo. Tapeçarias de sedas vibrantes pendem das paredes e cobrem qualquer coisa que permaneça imóvel. Velas brilham em arandelas de vidro colorido, projetando uma luz cambiante sobre a festa e os presentes.

Poppet e Widget são os convidados mais novos, tendo a mesma idade do circo. Seu cabelo ruivo brilhante está completamente à mostra, e eles vestem roupas combinando do tom cálido de um céu azul ao crepúsculo, com detalhes em rosa e amarelo. Como presente de aniversário, Chandresh lhes dá dois gatinhos laranja felpudos com olhos azuis e laços listrados no pescoço. Poppet e Widget ficam encantados e de imediato os chamam de Bootes e Pavo, ainda que mais tarde nunca se lembrarão qual dos dois gatinhos idênticos é qual e se referirão aos dois coletivamente sempre que possível.

Os conspiradores originais estão todos lá, exceto pela falecida Tara Burgess. Lainie Burgess usa um vestido solto amarelo-canário e é acompanhada pelo sr. Ethan Barris em um terno azul-marinho, que é o máximo de cor que ele é capaz de ostentar, embora a gravata seja de um tom levemente mais claro e ele prenda uma rosa amarela na lapela.

O sr. A. H— veste o cinza habitual.

Madame Padva comparece após ser coagida por Chandresh, gloriosamente envolta em sedas douradas bordadas com filigrana vermelha e penas carmesins no cabelo branco. Ela passa a maior parte da noite em uma das poltronas próximo à lareira, observando os eventos se desenrolarem ao seu redor em vez de participar deles diretamente.

Herr Friedrick Thiessen comparece graças a um convite especial, sob a condição de que não escreva uma única palavra ao público sobre a reunião nem a mencione a ninguém. Ele faz a promessa alegremente e aparece quase todo de vermelho, com apenas um toque de preto, uma inversão de seu traje habitual.

Passa a maior parte da noite na companhia de Celia Bowen, cujo vestido elaborado muda de cor, atravessando um arco-íris de matizes para complementar a roupa de quem quer que esteja mais próximo.

Não há artistas exceto a banda, dado que é difícil encontrar entretenimentos que impressionem um grupo composto predominantemente de artistas circenses. A maior parte da noite é feita de conversas.

No jantar, que começa pontualmente à meia-noite, cada refeição é decorada em preto ou branco, mas solta uma explosão de cor quando é perfurada com garfos ou colheres, revelando camada após camada de sabores. Algumas são servidas em pequenos espelhos no lugar de pratos.

Poppet e Widget discretamente passam bocadinhos para os gatinhos cor de marmelada a seus pés, enquanto escutam, atentos, às histórias sobre balé de madame Padva. A mãe dos dois alerta que o conteúdo de tais histórias pode não ser tão apropriado para crianças que mal completaram treze anos, mas madame Padva prossegue sem se perturbar, só passando por cima dos detalhes mais sórdidos — que Widget consegue ver na centelha em seus olhos, ainda que ela não os revele em voz alta.

A sobremesa consiste principalmente de um gigantesco bolo em camadas, elaborado na forma de tendas de circo com uma cobertura de listras, e cujo recheio é um creme de framboesas brilhante. Também há leopardos de chocolate em miniatura e morangos cobertos em voltas de chocolate preto e branco.

Depois que a sobremesa é retirada, Chandresh dedica um longo discurso de agradecimento a todos os convidados pelos treze anos espetaculares e todo o encanto do circo que, mais de uma década antes, não era nada além de uma ideia. Ele divaga por um tempo sobre sonhos e família e almejar a originalidade em um mundo de mesmices. Determinadas partes são profundas e outras desconexas e sem sentido, mas quase todos consideram seu gesto como algo gentil. Muitos aproveitam a oportunidade para agradecê-lo pessoalmente depois, pela festa e pelo circo. Vários fazem questão de retomar os comentários dele.

Exceto, é claro, pela observação de que ninguém parece envelhecer, a não ser os gêmeos Murray, que foi recebida com um silêncio desconfortável quebrado apenas pela tosse do sr. Barris. Ninguém ousa mencioná-la, e muitos parecem um tanto aliviados com o fato de o próprio Chandresh não se lembrar da maioria dos comentários mesmo uma hora depois.

Após o jantar, passa-se ao salão de baile, onde faixas de seda coloridas e bordadas de ouro estão dependuradas sobre paredes e janelas, cintilando à luz das velas.

O sr. A. H— se move pelos cantos, passando quase despercebido e falando com apenas alguns outros convidados, incluindo o sr. Barris, que o apresenta a *Herr* Thiessen. Os três homens entabulam uma conversa breve mas instigante sobre relógios e a natureza do tempo antes que o sr. A. H— peça licença educadamente e desapareça outra vez.

Ele evita o salão de baile, exceto por uma única valsa quando Tsukiko o coage até a pista de dança. Ela usa um vestido feito a partir de um quimono rosa, tem o cabelo trançado preso num penteado elaborado e os olhos contornados de vermelho vivo.

A elegância combinada dos dois supera todos os outros casais.

Isobel, usando um azul-claro como o céu, tenta em vão chamar a atenção de Marco. Ele a evita sempre que possível, e é difícil identificá-lo na multidão, dado que está vestido da mesma forma que o restante dos criados. Por fim, com a ajuda de várias taças de champanhe, Tsukiko a convence a abandonar a empreitada, levando-a ao jardim rebaixado a fim de distraí-la.

A atenção de Marco, quando não está recebendo ordens de Chandresh ou pairando ao redor de madame Padva, que bate nele com a bengala toda vez que pergunta se ela precisa de qualquer assistência, pertence apenas a Celia.

— Não poder convidá-la para uma dança me destrói — sussurra Marco quando ela passa por ele no salão de baile, o terno verde-escuro escorrendo para o vestido dela como musgo.

— Então você é destrutível demais — murmura Celia com suavidade, com uma piscadela quando Chandresh surge sem aviso e lhe oferece o braço. O musgo que estava se espalhando é esmagado pela cor de ameixa escura e por ouro cintilante assim que ela é puxada para longe.

Chandresh apresenta Celia ao sr. A. H—, sem conseguir lembrar se eles já se conheceram. Celia alega que não, embora se lembre do cavalheiro que educadamente aceita a mão estendida, dado que tem a mesma aparência de quando ela o conheceu, aos seis anos. Só o terno mudou, atualizado para se adequar à moda atual.

Várias pessoas importunam Celia para que faça uma apresentação. Embora no início ela se recuse, em dado momento cede e arrasta uma Tsukiko confusa para o meio da pista de dança, fazendo-a desaparecer em um piscar de olhos apesar da quantidade de pessoas ao redor. Em um momento há duas mulheres trajando vestidos rosa-pétala e, no seguinte, Celia está sozinha.

Segundos depois, ouvem-se gritos da biblioteca quando Tsukiko reaparece no sarcófago decorado com lanternas, que está apoiado um canto. Tsukiko pega uma taça de champanhe de um garçom chocado e lhe oferece um sorriso tranquilo antes de voltar ao salão de baile.

Ela passa por Poppet e Widget; Poppet está ensinando os gatinhos cor de marmelada a subir nos seus ombros e Widget puxa livro após livro das estantes bem abastecidas da biblioteca. Por fim, Poppet o arrasta à força da sala para proibi-lo de passar a festa inteira lendo.

Os convidados cruzam o salão de baile em revoadas de cor até os corredores e a biblioteca, um arco-íris cambiante pontuado por risos e conversas. O clima permanece ruidoso e animado, até nas primeiras horas da manhã.

Quando Celia atravessa sozinha o salão de entrada, Marco agarra a sua mão e a puxa para uma alcova sombria atrás da estátua dourada e imponente. As pétalas de rosa giram em descontrole com a mudança súbita no ar.

— Ainda não me acostumei com isso, sabe — comenta Celia. Tira a mão da dele, mas não se afasta, embora não haja muito espaço entre a parede e a estátua. A cor do seu vestido se assenta em um verde-escuro firme.

— Você está igualzinha à primeira vez em que a vi.

— Imagino que você usou essa cor de propósito? — pergunta Celia.

— Foi só uma coincidência feliz. Chandresh insistiu que todos os criados usassem verde. E não antecipei a engenhosidade do seu vestido.

Celia dá de ombros.

— Eu não conseguia decidir o que usar.

— Você está linda.

— Obrigada — responde Celia, recusando-se a encontrar os olhos dele. — Você também está bonito. Prefiro seu rosto de verdade.

O rosto dele muda, revertendo para o que ela se lembra nos mínimos detalhes da noite que passaram nos mesmos cômodos, três anos antes, sob circunstâncias muito mais íntimas. Houve poucas oportunidades desde então para qualquer coisa além de breves momentos roubados.

— Não é um pouco arriscado usar esse rosto nesta companhia? — pergunta Celia.

— Só estou fazendo para você — explica Marco. — O restante vai me ver como sempre me viu.

Eles ficam parados, se observando em silêncio, e um grupo aos risos atravessa o corredor do outro lado da estátua. O tumulto ecoa pelo espaço, mas eles permanecem longe o suficiente para não serem vistos, e o vestido de Celia continua verde-musgo.

Marco ergue a mão para afastar um cacho rebelde do rosto de Celia, posicionando-o atrás da orelha dela e acariciando sua bochecha com a ponta dos dedos. As pálpebras dela tremulam e se fecham, e as pétalas de rosa ao redor dos pés deles começam a se revirar.

— Senti saudades — sussurra ele suavemente.

O ar entre os dois é elétrico quando ele se inclina, roçando com gentileza os lábios contra o pescoço dela.

Na sala adjacente, os convidados reclamam do súbito aumento de temperatura. Leques são tirados de bolsas coloridas, voejando como pássaros tropicais.

Na sombra da estátua com cabeça de elefante, Celia se afasta de imediato. O motivo não fica aparente até que nuvens cinza começam a se espalhar sobre o verde do vestido.

— Olá, Alexander — saúda ela, inclinando a cabeça em cumprimento para o homem que apareceu atrás deles sem um som, sequer perturbando as pétalas de rosa espalhadas no chão.

O homem de terno cinza a cumprimenta com um aceno cortês.

— Srta. Bowen, eu gostaria de conversar a sós com o seu companheiro por um momento, caso não se importe.

— É claro — replica Celia. Ela parte sem dirigir um único olhar a Marco, o vestido mudando da aurora cinzenta para um pôr do sol violeta ao caminhar pelo corredor, rumo ao local onde os gêmeos Murray estão provocando os gatinhos cor de marmelada com colheres de café prateadas e reluzentes.

— Não posso afirmar que julgo esse comportamento apropriado — diz o homem de terno cinza para Marco.

— Você a conhece — fala Marco em voz baixa, os olhos ainda em Celia quando ela para na entrada do salão de baile, onde seu vestido se reveste de carmesim assim que *Herr* Thiessen lhe oferece uma taça de champanhe.

— Eu a *conheci*. Não posso afirmar que de fato a conheço de modo significativo.

— Você sabia perfeitamente quem ela era antes de tudo isso começar e nunca pensou em me contar?

— Não achei necessário.

Vários convidados aparecem no salão, saindo da sala de jantar, fazendo a cascata de pétalas de rosa cair novamente. Marco conduz o homem de terno cinza até a biblioteca, deslizando a porta de vitral para acessar a sala de jogos vazia e continuar a conversa.

— Treze anos praticamente sem notícias e agora você quer falar comigo? — pergunta Marco.

— Eu não tinha nada específico para dizer a você. Apenas desejava interromper a sua... conversa com a srta. Bowen.

— Ela sabe o seu nome.

— Claramente tem uma boa memória. O que você gostaria de discutir?

— Gostaria de saber se estou indo bem — diz Marco, com um tom baixo e frio.

— O progresso tem sido suficiente — responde o instrutor. — Seu emprego aqui é estável e você tem uma posição adequada para trabalhar.

— No entanto, não posso ser eu mesmo. Você me ensinou um monte de coisas e então me deixou aqui para ser algo que não sou, já ela está no centro do palco fazendo exatamente o que foi ensinada a fazer.

— Mas ninguém naquela tenda acredita nisso. Pensam que ela os está enganando. Não veem o que ela é mais do que veem o que você é; ela é só mais chamativa. Não se trata de ter um *público*. Estou tentando provar que você pode fazer tanto quanto ela sem todos os truques e espetáculos extravagantes. Que pode manter seu relativo anonimato e se equiparar às realizações dela. Sugiro que mantenha distância dela e concentre-se no seu próprio trabalho.

— Estou apaixonado.

Nada que Marco tenha dito ou feito antes inspirou uma reação visível do homem de terno cinza, nem quando ele ateou fogo por acidente à mesa durante as aulas, mas a expressão que cruza o rosto do homem agora é inconfundivelmente triste.

— Sinto muito em ouvir isso — diz. — Tornará o desafio muito mais difícil para você.

— Estamos nessa brincadeira há mais de uma década. Quando acaba?

— Acaba quando houver um vencedor.

— E quanto tempo isso vai levar? — Quer saber Marco.

— É difícil precisar. O desafio mais recente antes deste durou trinta e sete anos.

— Não podemos manter o circo aberto por trinta e sete anos.

— Então você não terá que esperar muito tempo. Foi um bom aluno e é um bom competidor.

— Como poderia saber? — pergunta Marco, elevando a voz. — Não se dignou a falar comigo por anos. Não fiz nada disso por você. Tudo que fiz, cada mudança que efetuei naquele circo, cada façanha impossível e visão assombrosa, fiz por ela.

— Seus motivos não impactam o jogo.

— Estou farto do seu jogo — admite o rapaz. — Desisto.

— Você não pode desistir — responde o instrutor. — Está vinculado a ele. A ela. O desafio vai continuar. Um de vocês vai perder. Você não tem escolha quanto a isso.

Marco pega uma bola da mesa de bilhar e lança contra o homem de terno cinza, que desvia com facilidade, e o objeto bate contra o vitral de pôr do sol.

Sem se pronunciar, Marco dá as costas para o instrutor. Sai pela porta nos fundos, sequer notando Isobel ao cruzar com ela no corredor, onde ela estava perto o bastante para ouvir a discussão.

Segue diretamente para o salão de baile e dirige-se para o centro da pista de dança. Toma o braço de Celia e a gira para longe de *Herr* Thiessen.

Marco a puxa contra si em um abraço esmeralda, tão apertado que é impossível distinguir onde o terno dele termina e o vestido dela começa.

Para Celia, de repente não existe mais ninguém na sala assim que Marco a segura nos braços.

No entanto, antes que possa vocalizar sua surpresa, os lábios dele cobrem os seus, e ela se perde em um êxtase mudo.

Marco a beija como se fossem as únicas duas pessoas no mundo.

O ar se revolta em uma tempestade ao redor do casal, escancarando as portas de vidro para o jardim e emaranhando as cortinas ondulantes.

Todos os olhares na sala lotada se viram na direção deles.

No momento seguinte, ele a solta e vai embora.

Quando Marco deixa o salão, quase todos já esqueceram completamente o incidente. Ele foi substituído por uma confusão momentânea atribuída ao calor ou a quantidades excessivas de champanhe.

Herr Thiessen não consegue lembrar por que Celia parou de dançar ou quando o vestido dela assumiu o atual tom verde-musgo.

— Aconteceu alguma coisa? — indaga ele ao perceber que ela está tremendo.

Furioso, o sr. A. H— atravessa o salão de entrada, milagrosamente evitando tropeçar em Poppet e Widget, esparramados no chão ensinando Bootes e Pavo a andar em círculos nas pernas traseiras.

Widget entrega Bootes (ou Pavo) para Poppet e segue o homem de terno cinza. Ele o observa chegar ao saguão, pegar a cartola cinza e a bengala prateada com o mordomo, e sair pela porta da frente. Depois que vai embora, Widget pressiona o nariz à janela mais próxima, observando-o passar sob postes de luz antes de desaparecer na escuridão.

Poppet o alcança a essa altura, com os gatinhos empoleirados nos ombros ronronando de contentamento. Chandresh segue logo atrás, abrindo caminho no salão.

— O que foi? — pergunta Poppet. — O que aconteceu?

Widget se vira da janela.

— Aquele homem não tem sombra — comenta ele enquanto Chandresh se inclina sobre os gêmeos para espiar a rua vazia pela janela.

— O que você disse? — pergunta Chandresh, mas Poppet e Widget e os gatinhos laranja já saíram correndo pelo salão, perdendo-se entre a multidão colorida.

Histórias de ninar

CONCORD, MASSACHUSETTS, OUTUBRO DE 1902

Bailey passa a maior parte do início da noite com Poppet e Widget explorando o Labirinto. É uma rede vertiginosa de câmaras, intercaladas com corredores abrigando diferentes portas umas das outras. Salas que giram e salas com pisos de tabuleiro de xadrez brilhantes. Um salão está ocupado por pilhas de malas. Em outro, está nevando.

— Como isso é possível? — pergunta Bailey, e flocos derretem e grudam em seu casaco.

Em resposta, Poppet joga uma bola de neve nele e Widget só ri.

Ao atravessarem o Labirinto, Widget conta a história do Minotauro com tantos detalhes que Bailey quase espera encontrar o monstro a cada curva.

Eles chegam a uma sala parecida com uma grande gaiola metálica para pássaros, em que só há escuridão através das barras. O alçapão pelo qual entraram se tranca ao se fechar e não pode ser aberto de novo. Parece não haver outra saída.

Widget interrompe a narrativa ao investigarem cada barra prateada, sem encontrar quaisquer aberturas ou dobradiças engenhosamente ocultas. Poppet começa a ficar visivelmente aflita.

Depois de um considerável tempo presos na sala, Bailey encontra uma chave escondida no banco do balanço que está no meio da gaiola.

Quando a gira, o próprio balanço sobe e o topo da gaiola se abre, permitindo que eles subam e fujam para um templo pouco iluminado e vigiado por uma esfinge albina.

Embora o templo tenha pelo menos doze portas nas paredes, Poppet encontra de imediato aquela que leva de volta ao circo.

A menina ainda parece aborrecida, mas, antes que Bailey possa perguntar se aconteceu alguma coisa, Widget pega seu relógio e descobre que estão atrasados para a próxima apresentação. Os três combinam de se encontrar depois, e os gêmeos desaparecem na multidão.

Bailey viu os gatinhos tantas vezes nas últimas noites que praticamente decorou a apresentação, então decide explorar sozinho à espera de que eles fiquem livres de novo.

O caminho por qual ele escolhe enveredar não tem portas óbvias, sendo apenas uma passagem entre tendas, com listras infinitas iluminadas por luzes piscantes.

Ele repara em um ponto irregular entre a alternância de preto e branco.

Bailey encontra um vão do lado de uma das tendas. Um rasgo no tecido, cada borda pontilhada com ilhoses prateados, e uma fita preta balançando logo acima da sua cabeça, como se a abertura devesse ser amarrada para manter a tenda fechada. Ele se pergunta se algum membro do circo se esqueceu de reatá-la.

Aí ele vê a etiqueta. É do tamanho de um cartão-postal grande e está presa à fita preta como alguém prenderia um cartão a um presente. A etiqueta oscila livremente cerca de um metro acima do chão. Bailey a vira. O lado com imagens mostra um desenho em preto e branco de uma criança numa cama coberta de travesseiros fofos e uma colcha xadrez, não em um quarto e sim sob um céu noturno salpicado de estrelas. O lado oposto é branco, com uma caligrafia elegante em tinta preta que diz:

Histórias de ninar
Rapsódias de anoitecer
Antologias da memória

Entre com cautela, por favor,
e fique à vontade para abrir o que está fechado

Bailey não sabe dizer se a etiqueta se refere ao vão na tenda ou se pertence a alguma outra e foi parar ali por acidente. A maioria das tendas tem placas de madeira pintada, expostas com destaque, e entradas bem demarcadas ou sinalizadas. Esta parece ter sido feita para não ser encontrada. Outros visitantes passam por ele a caminho de uma ou outra parte do circo, absortos demais em suas conversas para notá-lo contemplando uma etiqueta do tamanho de um cartão-postal do lado de uma tenda.

Hesitante, Bailey afasta as abas desatadas o suficiente para espiar no interior e tentar discernir se essa é de fato uma atração à parte e não os fundos de uma tenda de acrobatas ou algum tipo de depósito. Ele consegue distinguir várias luzes piscando e formas que poderiam ser móveis. Ainda inseguro, abre as abas o suficiente para entrar, avançando com cuidado conforme as instruções no cartão-postal, o que se prova uma decisão sábia quando ele topa de imediato com uma mesa coberta de jarras, garrafas e tigelas com tampa que chacoalham umas contra as outras. Ele congela, esperando não derrubar nada.

É uma sala longa, do tamanho de uma sala de jantar formal, ou talvez só se pareça com uma sala de jantar por causa da mesa, que ocupa toda a extensão, embora haja espaço suficiente para caminhar com cuidado ao redor dela. Todas as jarras e garrafas são diferentes. Algumas são simples frascos de vidro de conserva, outras são de cerâmica esmaltada ou vidro fosco ornado. Há garrafas de vinho ou uísque ou perfume. Há potes de açúcar com tampas de prata e recipientes que se parecem um pouco com urnas. Eles não parecem seguir nenhuma disposição ou ordem específica; estão apenas esparramados pela mesa. Há jarras e garrafas adicionais ao redor da sala também, algumas no chão e outras em caixas e altas estantes de madeira.

O único elemento que conecta a sala com o desenho na etiqueta é o teto. Ele é preto e coberto com luzinhas piscantes. O efeito é quase idêntico à visão que se teria ao olhar o céu noturno ao ar livre.

Bailey se pergunta como tudo isso poderia se relacionar a uma criança na cama, ou a histórias de ninar, enquanto contorna a mesa.

Lembra-se do que a etiqueta dizia sobre abrir coisas, perguntando-se o que todas as jarras podem conter. A maioria dos recipientes de vidro translúcido parece vazia. Ao chegar ao lado oposto da mesa, escolhe um aleatoriamente, uma jarrinha de cerâmica redonda, esmaltada em preto e muito lustrosa, com uma tampa com um puxador curvo. Ele destampa e olha no interior. Um leve fio de fumaça escapa, mas fora isso ela está vazia. Ao espiar dentro, sente o cheiro da fumaça de uma fogueira crepitante e um toque de neve e castanhas torradas. Curioso, inspira profundamente. Há o aroma de quentão e doces açucarados, de hortelã e fumaça de cachimbo. O aroma nítido de pinheiros. A cera de velas pingando. Ele quase consegue sentir a neve, a empolgação, a expectativa, o gosto açucarado de um doce com listras. É atordoante, maravilhoso e perturbador. Depois de alguns momentos, fecha a tampa e devolve a jarra com cuidado à mesa.

Observa ao redor para as jarras e garrafas, intrigado porém hesitante a respeito de abrir outra. Por fim, pega um frasco de conserva e abre a tampa de metal prateada. A jarra não está vazia, contendo uma pequena quantidade de areia branca que se desloca no fundo. O aroma que emana é o cheiro inconfundível do oceano, um dia de verão ensolarado à beira-mar. Ele consegue ouvir as ondas batendo na areia e o canto de uma gaivota. Há algo misterioso também, algo fantástico. A bandeira de um navio pirata no horizonte longínquo, o rabo de uma sereia erguendo-se e desaparecendo atrás de uma onda. O aroma e a sensação são aventureiros e empolgantes, com o toque salgado de uma brisa marítima.

Bailey fecha a jarra e o aroma e a sensação evanescem, presos novamente no vidro com seu punhado de areia.

Em seguida, escolhe uma garrafa de uma prateleira na parede, perguntando-se se há qualquer distinção entre jarras e garrafas na mesa e aquelas ao redor, se há algum sistema de classificação indiscernível para os curiosos recipientes.

Esta garrafa é alta e esguia, com uma rolha atada por um fio prateado. Ele a puxa com um pouco de dificuldade, e ela se abre com um estalo. Há alguma coisa no fundo da garrafa, mas ele não consegue identificar o que é. O aroma que emana do gargalo fino é fresco e floral. Uma roseira repleta de flores pingando orvalho, o cheiro de musgo na terra. Tem a sensação de que está atravessando um jardim. Há o zumbido de abelhas e a melodia de pássaros cantantes nas árvores. Ele inspira fundo e outras flores surgem junto às rosas: lírios, íris e açafrão. As folhas das árvores estão farfalhando no vento quente e suave, e os passos de alguma outra pessoa soam não muito longe. A sensação de um gato roçando em suas pernas é tão real que ele abaixa os olhos, esperando encontrá-lo, mas não há nada no chão exceto mais jarras e garrafas. Bailey tampa a garrafa e a devolve à prateleira. Em seguida, escolhe outra.

Encaixada no fundo de uma das prateleiras há uma pequena garrafa arredondada com um gargalo curto e fechada com uma rolha de vidro combinando. Ele a pega com cuidado; é mais pesada do que aparenta. Ao tirar a rolha, Bailey fica confuso, pois a princípio os cheiros e as sensações não mudam. Mas então vem o aroma de caramelo, flutuando na brisa fresca de um vento outonal. O cheiro de lã e suor o faz sentir que está usando um casaco pesado, assim como um cachecol quente ao redor do pescoço. Há a impressão de pessoas usando máscaras. O aroma da fogueira se mistura ao do caramelo. Em seguida há uma mudança, algum movimento diante dele. Algo cinza. Uma dor aguda no peito. A sensação de cair. Um som como o uivo do vento ou uma garota gritando.

Bailey devolve a rolha ao seu lugar, perturbado. Sem querer terminar a visita com aquela experiência, devolve a garrafinha estranha à estante e decide escolher mais uma antes de sair para encontrar Poppet e Widget.

Dessa vez, escolhe uma das caixas na mesa, uma caixa de madeira polida com um padrão de redemoinho gravado na tampa. O interior é forrado com seda branca. O aroma é como incenso, profundo e temperado, e ele sente uma fumaça se enrodilhando ao redor da cabeça. Faz calor sob o ar seco do deserto, com o sol inclemente e areia fina e macia. Suas faces coram devido ao calor e a alguma outra coisa. A sensação e a impressão de algo prazeroso como seda caem sobre sua pele em ondas. Há uma melodia que não consegue identificar. Algum tipo de flauta. E risadas, risos estridentes que se mesclam em harmonia à música. O sabor de algo doce mas apimentado na língua. A sensação é suntuosa e jovial, mas também secreta e sensual. Ele sente uma mão no ombro e pula de surpresa, deixando a tampa cair na caixa.

A sensação se interrompe de maneira abrupta. Bailey está sozinho na tenda, sob as estrelas brilhantes.

Chega, pensa. Volta à aba no lado da tenda, com cuidado para não derrubar nenhuma das jarras ou garrafas próximas.

Ele faz uma pausa para arrumar a etiqueta que pende da fita, de modo que fique mais visível, embora não saiba por que o faz. A ilustração da criança adormecida na cama sob as estrelas está voltada para fora, mas é difícil indicar se os sonhos da criança são agradáveis ou inquietos.

Ele retraça seus passos para encontrar Poppet e Widget, ponderando se vão querer ir ao pátio para comer alguma coisa.

Então o aroma de caramelo flutua no ar e Bailey percebe que não está faminto, no fim das contas.

Perambula por caminhos sinuosos, a mente preocupada com garrafas cheias de mistérios.

Quando faz uma curva, encontra uma plataforma elevada com uma ocupante imóvel como uma estátua, mas diferente da mulher coberta de neve que viu antes.

A pele da mulher é cintilante e pálida, e os longos cabelos negros estão amarrados com dezenas de laços prateados que cascateiam sobre os ombros. O vestido é branco, coberto por algo que, para Bailey, parecem espirais de bordado preto, mas quando se aproxima vê que as marcas pretas na verdade são palavras escritas no tecido. Ficando perto o suficiente para ler partes dele, percebe que são cartas de amor escritas à mão. Palavras de desejo e saudade envoltas na cintura dela, descendo pela cauda do vestido conforme transborda pela plataforma.

A estátua permanece imóvel, mas uma das mãos está estendida e só então Bailey repara na jovem usando um cachecol vermelho em pé diante dela, oferecendo à estátua vestida de cartas de amor uma única rosa carmesim.

O movimento é tão sutil a ponto de ser quase indetectável, mas lenta, muito, muito lentamente, a estátua se estica para aceitar a rosa. Seus dedos se abrem, e a jovem com a rosa espera, paciente, à medida que a estátua aos poucos fecha a mão ao redor do caule, soltando-a apenas quando vê que é seguro.

Em seguida, a jovem faz uma mesura para a estátua e parte por entre a multidão.

A estátua continua segurando a rosa. A cor parece mais vibrante contra o vestido preto e branco.

Bailey ainda está observando a estátua quando Poppet dá um tapinha em seu ombro.

— Ela é a minha favorita — revela Poppet, contemplando a estátua junto a Bailey.

— Quem é? — pergunta ele.

— Tem vários nomes — conta Poppet —, mas geralmente é chamada de Amante. Fico feliz que alguém lhe deu uma flor hoje. Eu mesma faço isso, às vezes, se ela não tem. Acho que ela parece incompleta sem uma.

A estátua está erguendo a rosa, gradualmente, até o rosto. Suas pálpebras se fecham devagar.

— O que você fez no tempo livre? — pergunta Poppet ao se afastarem da Amante e seguirem em direção ao pátio.

— Encontrei uma tenda cheia de garrafas e outras coisas, e não sei se podia ter entrado — diz Bailey. — Era... estranha.

Para sua surpresa, Poppet ri.

— É a tenda de Widget — explica. — Celia a montou para ele, é um lugar em que ele pratica registrar as suas histórias. Ele fala que é mais fácil assim do que escrevendo. Disse que queria treinar ler as pessoas, aliás, podemos encontrar Widget mais tarde. Ele faz isso às vezes, para coletar pedacinhos de histórias. Talvez ele estará na Sala dos Espelhos ou na Sala de Desenhos.

— O que é a Sala de Desenhos? — A curiosidade de Bailey acerca de uma tenda sobre a qual nunca ouviu falar supera o impulso fugaz de questionar quem é Celia, dado que não se lembra de Poppet ter mencionado o nome antes.

— É uma tenda feita de paredes pretas vazias com baldes cheios de giz em que você pode desenhar em todo canto. Algumas pessoas só assinam o nome, mas outras desenham. Às vezes Widget escreve historinhas, mas ele também desenha. É muito bom nisso.

Enquanto voltam ao pátio, Poppet insiste que ele tem de experimentar um chocolate com especiarias que é ao mesmo tempo maravilhosamente aconchegante e levemente doloroso. Ele percebe que seu apetite voltou, então dividem uma tigela de pastéis e um pacote de pedaços de papel comestível, com ilustrações detalhadas que combinam com os respectivos sabores.

Passeiam por uma tenda cheia de névoa, onde encontram criaturas feitas de papel. Cobras brancas e sinuosas com línguas pretas tremulantes, pássaros batendo asas cor de carvão na névoa espessa.

A sombra escura de uma criatura indefinível voa sobre as botas de Poppet até sair de vista.

Ela alega que há um dragão de papel que cospe fogo em algum lugar na tenda e, embora Bailey acredite, tem dificuldade em aceitar a ideia de um papel que cospe fogo.

— Está ficando tarde — comenta Poppet ao passarem de uma tenda a outra. — Você tem que voltar para casa?

— Posso ficar mais um pouco. — Ele se tornou quase um especialista em entrar furtivamente em casa sem acordar ninguém, então vem ficando cada vez mais tarde no circo.

Há menos visitantes a essa hora e, conforme passeiam, Bailey repara que muitos deles usam cachecóis vermelhos. São de tipos diferentes, de lã pesada a renda fina, mas todos são de um tom escarlate escuro que parece ainda mais vermelho em contraste com o cenário preto e branco.

Bailey pergunta a Poppet sobre eles, depois de ver tantos vislumbres de vermelho que tem certeza de que não é uma coincidência, e lembrando-se de que a jovem com a rosa tinha um cachecol vermelho também.

— É como um uniforme — explica. — Eles são *rêveurs*. Alguns seguem o circo ao redor do mundo. Sempre ficam mais tarde do que os outros. O detalhe vermelho é como reconhecem uns aos outros.

Bailey tenta fazer mais perguntas sobre os *rêveurs* e seus cachecóis, mas, antes que consiga, Poppet o puxa para outra tenda e ele se cala de imediato diante da visão que encontra no interior.

A sensação o faz recordar da primeira neve do inverno, daquelas primeiras horas em que tudo fica coberto de branco, suave e silencioso.

Tudo nessa tenda é branco. Não há nada preto, nem sequer listras visíveis nas paredes. O branco é cintilante, quase ofusca. Há árvores, flores e grama cercando os caminhos de pedrinhas sinuosos, cada folha e pétala perfeitamente branca.

— O que é isso? — pergunta Bailey. Ele não teve a chance de ler a placa do lado de fora.

— Este é o Jardim de Gelo — responde Poppet, puxando-o para o caminho. Ele se transforma num espaço aberto com uma fonte no meio, com espuma branca borbulhando sobre gelo transparente esculpido. Árvores pálidas ladeiam as margens da tenda, e flocos de neve chovem dos galhos.

Não há mais ninguém ali, nada que perturbe os arredores. Bailey espia uma rosa próxima e, embora esteja fria e congelada e branca, há um levíssimo aroma ao se inclinar para perto. O aroma de rosa, gelo e açúcar. Lembra-o das flores de caramelo vendidas nas barracas no pátio.

— Vamos brincar de esconde-esconde — sugere Poppet, e Bailey concorda antes que ela desabotoe o casaco e o deixe em um banco congelado, tornando-se praticamente invisível nos trajes brancos do circo.

— Não é justo! — exclama ele quando ela desaparece atrás dos galhos pendentes de um salgueiro. Ele a segue por entre árvores e topiarias, através de videiras e rosas emaranhadas, perseguindo vislumbres do cabelo ruivo.

Contabilidade

LONDRES, MARÇO DE 1900

Chandresh Christophe Lefèvre está sentado à enorme mesa de mogno em seu escritório, com uma garrafa de conhaque semivazia à frente. Em certo momento da noite ele tinha um copo, mas o perdeu há horas. Perambular de um cômodo a outro se tornou um hábito noturno impulsionado pela insônia e pelo tédio. Ele também perdeu o paletó, abandonado em um cômodo no qual vagava mais cedo. Ele será recuperado sem alarde por uma criada diplomática pela manhã.

No escritório, entre goles de conhaque direto da garrafa, tenta trabalhar. Isso consiste principalmente em rabiscar, com canetas-tinteiro, vários pedacinhos de papel. Ele não trabalha de verdade há anos. Não tem novas ideias, não realiza produções inéditas. O ciclo de planejamento, execução e passagem a um novo projeto deteve-se de repente, e ele não sabe dizer por quê.

Não faz sentido para ele. Nem a noite em questão nem qualquer outra, nem a qualquer altura da garrafa de conhaque. Não é assim que deveria ser. Um projeto começa, sendo desenvolvido, montado e enviado ao mundo, e em geral se torna autossuficiente. E aí ele não é mais necessário. Não é sempre uma posição agradável de ocupar, mas é o jeito como tais coisas funcionam, e Chandresh conhece bem o processo. A pessoa se orgulha disso, coleta os louvores que lhe são devidos e, mesmo se está um pouco melancólica, segue em frente.

O circo o deixou para trás, velejando para o alto-mar, e, no entanto, ele não consegue se afastar da costa. Passou-se tempo mais do que suficiente para lamentar a perda do processo criativo e inflamá-lo outra vez, mas não houve nenhuma outra faísca. Nenhuma nova empreitada, nada maior ou melhor por quase catorze anos.

Talvez, ele pensa, tenha atingido seu ápice. Mas não é um pensamento agradável, então o afoga com conhaque e tenta ignorá-lo.

O circo o incomoda.

Incomoda-o sobretudo em momentos como esse, no fundo da garrafa de conhaque e na calada da noite. Não é terrivelmente tarde — a noite é uma criança, para os padrões do circo —, mas o silêncio já é pesado.

E agora, com a garrafa e a caneta drenadas, ele apenas permanece sentado, correndo a mão pelo cabelo distraidamente, encarando o outro lado do escritório sem olhar para nada em particular. As chamas queimam baixas na lareira com detalhes dourados; as estantes altas, abarrotadas com curiosidades e relíquias, espreitam nas sombras.

Seus olhos vagam até pousar na porta aberta e alcançar o outro lado do corredor. É a porta do escritório de Marco, posicionada discretamente entre um par de colunas persas. Faz parte dos aposentos que pertencem a Marco, para mantê-lo à disposição de Chandresh, embora ele tenha saído esta noite.

Chandresh se pergunta, em meio à confusão do álcool, se Marco guarda os documentos do circo no escritório — e o que exatamente esses documentos contêm. Ele só viu de passagem a papelada envolvida com o circo e não se dá ao trabalho de esquadrinhar os detalhes da coisa há anos. Agora, está curioso.

Ainda segurando a garrafa de conhaque vazia, levanta-se com um empurrão e sai no corredor aos tropeços. Estará trancada, ele pensa, quando alcança a porta de madeira escura polida, mas a maçaneta de prata gira com facilidade. A porta se abre.

Chandresh hesita no umbral. O pequeno escritório está escuro, exceto pelo filete de luz que entra do corredor e a névoa baça dos postes da rua que se infiltra pela única janela.

Por um momento, reconsidera. Se houvesse qualquer conhaque restante na garrafa, ele poderia ter fechado a porta e dado meia-volta. Mas a garrafa está vazia, e a casa é sua, afinal. Ele tateia a parede em busca do interruptor na arandela mais próxima à porta e ela se acende, iluminando o cômodo à frente.

O escritório tem mobília em excesso. Armários e baús revestem as paredes, caixas de documentos estão empilhadas em fileiras ordenadas. A escrivaninha no centro, que ocupa quase metade do espaço, é uma versão menor e mais modesta daquela no seu próprio escritório, embora sua superfície contenha potes de tinta, canetas e uma pilha de cadernos, todos em perfeita ordem e não perdidos em meio a uma confusão de estatuetas, pedras preciosas e armas antigas.

Chandresh deposita a garrafa de conhaque vazia na superfície e começa a vasculhar os armários e documentos, abrindo gavetas e folheando papéis sem uma ideia clara do que está procurando. Não parece haver uma seção específica para o circo; coisas que se referem a ele estão misturadas com livros-caixa de teatros e listas de rendimentos de bilheteria.

Ele fica levemente surpreso ao não encontrar um sistema de catalogação discernível. Não há etiquetas nas caixas. O conteúdo do escritório está organizado, mas não segue uma lógica nítida.

Em um armário, Chandresh encontra pilhas de projetos e rascunhos. Muitos contêm os selos e as iniciais do sr. Barris, mas há outros diagramas escritos em caligrafias diferentes que Chandresh não reconhece. Em alguns casos, ele nem consegue identificar em qual língua estão escritos, embora todos tenham "Le Cirque des Rêves" escrito cuidadosamente na margem do papel.

Levando-os mais próximo à luz, espalhando-os sobre o pouco espaço livre no chão que consegue encontrar, ele os examina, folha após folha, deixando-as rolar e cair em pilhas enquanto passa à subsequente.

Até os projetos que claramente são obra do sr. Barris contêm anotações por cima. Adições feitas numa letra diferente, camadas dispostas acima dos planos originais.

Deixando os papéis no chão, Chandresh volta à escrivaninha e à pilha organizada de cadernos próximo à garrafa de conhaque abandonada. Parecem ser livros-razão, com fileiras e mais fileiras de números e cálculos, com notações, somas e datas. Chandresh os deixa de lado.

Ele volta a atenção à escrivaninha. Começa a abrir as pesadas gavetas de madeira. Várias estão vazias. Uma contém dezenas de cadernos vazios e potes de tinta fechados. Outra está cheia de agendas velhas, os compromissos que encheram os dias escritos em algum tipo de estenografia na letra caprichada e delicada de Marco.

A última gaveta está trancada.

Chandresh começa a se virar para outra caixa de documentos, mas algo o puxa de volta à gaveta trancada.

Não há chave na escrivaninha. Não há trancas nas outras gavetas.

Ele não consegue lembrar se havia uma tranca na escrivaninha quando foi instalada ali, anos antes, quando o escritório abrigava apenas a mesa e um único armário, parecendo quase espaçoso.

Após procurar uma chave por alguns minutos, ele fica impaciente e volta ao seu escritório para pegar a faca de prata fincada no alvo na parede.

Deitado no chão atrás da escrivaninha, ele praticamente destrói a tranca nas tentativas de abrir o mecanismo, mas por fim é recompensado por um clique satisfatório quando a fechadura cede à lâmina.

Largando a faca no chão, abre a gaveta e só encontra um caderno.

É um volume grande, encadernado em couro. Chandresh o retira da gaveta, surpreso com o peso, e o solta com um baque na mesa.

O caderno é velho e empoeirado. O couro está desgastado e a encadernação desfia nas bordas.

Hesitando só um momento, Chandresh abre a capa.

A página de guarda está coberta com um desenho primorosamente detalhado de uma árvore coberta de símbolos e outras marcações. O texto é denso; há mais tinta do que página em branco. Chandresh não consegue decifrar nenhuma parte, não sabe precisar nem se as marcações estão divididas em palavras ou se são simplesmente sequências contínuas de símbolos. Cá e lá há uma marcação que parece familiar. Algumas são quase números. Outras lembram a forma de hieróglifos egípcios. Elas o lembram da tatuagem da contorcionista.

As páginas estão cobertas com marcações parecidas, embora predominantemente apresentem outras coisas. Pedacinhos de papel tirados de outros documentos.

Chandresh leva várias páginas para perceber que cada pedaço de papel contém uma assinatura.

Leva ainda mais tempo para perceber que conhece os nomes.

Só quando encontra a página com os rabiscos infantis quase idênticos formando os nomes dos gêmeos Murray ele tem certeza de que o caderno contém o nome de todas as pessoas envolvidas com o circo.

E, examinando mais de perto, repara que estão acompanhadas por mechas de cabelo.

As páginas finais apresentam os nomes dos conspiradores originais, embora um nome esteja obviamente ausente e outro tenha sido removido.

A página final contém a própria assinatura de Chandresh, um floreio de *C*s ilegíveis, cuidadosamente recortada de um pedaço de papel que poderia ter sido uma fatura ou uma carta. Abaixo há uma única mecha de cabelo escuro colada na página e cercada por símbolos e letras. A mão de Chandresh se estende para tocar os fios do próprio cabelo, que se curvam ao redor do colarinho.

Uma sombra passa sobre a mesa e Chandresh pula para trás de surpresa. O caderno se fecha.

— Senhor?

Marco está parado na porta, observando Chandresh com uma expressão de curiosidade.

— Eu... achei que tinha saído esta noite — diz Chandresh. Ele olha para o caderno e então de volta para Marco.

— Eu saí, senhor, mas esqueci algumas coisas. — Os olhos de Marco percorrem os papéis e projetos espalhados no chão. — Posso perguntar o que está fazendo, senhor?

— Eu poderia fazer a mesma pergunta — rebate. — O que é tudo isto? — Ele abre o caderno de novo e as páginas esvoaçam até se acomodarem.

— São registros do circo — responde Marco, sem olhar para o caderno.

— Que tipo de registros? — insiste Chandresh.

— É um sistema pessoal que criei — continua. — O circo demanda muita organização, como o senhor sabe.

— Há quanto tempo vem fazendo isso?

— Fazendo o quê, senhor?

— Mantendo o que… o que quer que seja este disparate. — Ele folheia as páginas do caderno, embora descubra que não quer mais tocá-las.

— Meu sistema remonta à criação do circo.

— Você está fazendo algo com ele, com todos nós, não está?

— Só estou fazendo meu trabalho, senhor — argumenta Marco. Há uma tensão na voz agora. — E, se me permite, não aprecio que o senhor mexa em meus pertences sem me informar.

Chandresh contorna a mesa para encará-lo, pisoteando projetos e tropeçando, embora sua voz permaneça firme.

— Você é meu empregado, tenho todo direito de ver o que há na minha casa e o que está sendo feito com os meus próprios projetos. Você está trabalhando com ele, não é? Vem escondendo isso de mim o tempo todo e não tinha o direito de agir pelas minhas costas…

— Pelas suas costas? — interrompe-o Marco. — Você não consegue nem começar a compreender as coisas que ocorrem pelas suas costas. Que ocorreram pelas suas costas antes até que qualquer parte disso começasse.

— Isso não é o que eu queria com o arranjo — diz Chandresh.

— Você nunca teve escolha sobre esse arranjo — dispara Marco. — Não tem controle e nunca teve. E nunca sequer quis saber como as coisas eram feitas. Assinou os recibos sem uma olhada sequer. Dinheiro não é um problema, você disse. Os detalhes também não. Eles foram sempre deixados nas minhas mãos.

Os papéis na mesa estremecem conforme Marco ergue a voz e ele se cala, recuando um passo da escrivaninha. Os papéis se acomodam novamente em pilhas bagunçadas.

— Você vem sabotando essa empreitada — acusa Chandresh. — Mentindo na minha cara. Mantendo sabe-se lá o que nesses cadernos…

— Que cadernos, senhor? — pergunta Marco. Chandresh olha de volta para a mesa. Não há papéis, não há pilha de livros-razão. Há um pote de tinta ao lado do abajur, uma estátua de bronze de uma divindade egípcia, um relógio e a garrafa de conhaque vazia. Não resta mais nada na superfície de madeira polida.

Chandresh tropeça, olhando da mesa para Marco e de volta para ela, sem conseguir se focar.

— Não vou permitir que faça isso comigo! — exclama Chandresh, pegando a garrafa de conhaque na mesa e a empunhando à frente. — Você está demitido. Vá embora agora mesmo!

A garrafa de conhaque desaparece. Chandresh congela, a mão se fechando ao redor de nada.

— Não posso ir embora — rebate Marco com a voz calma e controlada. Ele pronuncia cada palavra de modo lento, como se explicasse algo a uma criança pequena. — Não tenho permissão. Devo permanecer aqui, e devo continuar com esse *disparate*, como você tão bem colocou. Você vai voltar para suas bebidas e suas festas e nem vai lembrar que tivemos essa conversa. As coisas vão continuar como sempre. É isso que vai acontecer.

Chandresh abre a boca para protestar, mas então a fecha de novo, confuso. Olha para Marco, depois de volta para a escrivaninha vazia. Observa a própria mão, abrindo e fechando os dedos, tentando agarrar algo que não está mais lá, embora não consiga lembrar o que era.

— Perdão — desculpa-se, voltando-se para Marco. — Eu... perdi o fio da meada. O que estávamos discutindo?

— Nada importante, senhor — diz Marco. — Só alguns detalhes menores sobre o circo.

— É claro — concorda Chandresh. — Onde está o circo agora?

— Sydney, Austrália, senhor. — A voz falha, mas ele disfarça com uma tosse baixa antes de se virar.

Chandresh apenas assente, distraído.

— Posso descartar isso, senhor? — pergunta Marco, indicando a garrafa vazia novamente apoiada na escrivaninha.

— Ah. Sim, sim, claro. — Ele entrega a garrafa a Marco sem sequer olhar, mal percebendo a ação.

— Devo providenciar outra, senhor?

— Sim, obrigado — consente Chandresh, saindo do escritório de Marco e voltando ao próprio escritório. Ele se acomoda em uma poltrona de couro junto à janela.

No escritório, Marco reúne os cadernos caídos e papéis com mãos trêmulas. Enrola os projetos e empilha os documentos e registros.

Pega a faca prateada que encontra jogada no chão e a devolve ao alvo no escritório, cravando-a bem no centro.

Então esvazia todas as gavetas em sua sala, remove cada pasta e documento. Quando tudo está organizado o suficiente, localiza um par de malas em seus cômodos adjacentes e as enche até quase estourar, o grande caderno de couro protegido entre maços de papel. Ele passa um pente-fino nos aposentos, removendo cada item pessoal do espaço.

Apaga as lâmpadas do escritório e fecha a porta atrás de si.

Antes de sair para a noite, com os braços repletos de malas e rolos de projetos, Marco deixa uma garrafa cheia de conhaque e um copo na mesinha ao lado da poltrona de Chandresh, que sequer parece notar a presença. Ele olha pela janela, encarando a escuridão e a chuva. Não ouve o clique da porta quando Marco vai embora.

— Ele não tem sombra — comenta consigo mesmo antes de se servir um copo de conhaque.

Muito tarde naquela noite, Chandresh tem uma conversa muito longa com o fantasma de um velho conhecido que ele chamava apenas de Prospero, o Mágico. Pensamentos que poderiam ter se afastado em ondas de conhaque permanecem intactos em sua mente, confirmados e assegurados por um mágico diáfano.

Três xícaras de chá com Lainie Burgess

LONDRES, BASILEIA E CONSTANTINOPLA, 1900

O estúdio de madame Ana Padva é um espaço extraordinário próximo ao Cemitério de Highgate, com janelas do chão ao teto que propiciam uma vista panorâmica de Londres. Manequins exibindo vestidos elaborados estão dispostos em grupos e pares, passando a impressão de uma festa com muitos convidados sem cabeça.

Lainie Burgess perambula pela coleção de vestidos brancos e pretos ao esperar madame Padva, parando para admirar um de cetim marfim delicadamente coberto com um padrão de drapeados de veludo preto, como ferro forjado em longas linhas e curvas.

— Posso fazer de uma cor que você goste — oferece madame Padva ao entrar na sala, a bengala a acompanhando com batidas ritmadas no chão de azulejos.

— É dramático demais para mim, *tante* Padva — diz Lainie.

— É difícil chegar a um equilíbrio sem cor — comenta madame Padva, virando o manequim e observando a cauda com os olhos apertados. — Branco demais e as pessoas pensam que são vestidos de noiva; preto demais e se tornam pesados e fúnebres. Este talvez precise de mais preto. Eu aumentaria a manga, mas Celia não as suporta.

Madame Padva mostra a Lainie o restante de seus últimos trabalhos, incluindo uma parede com esboços recentes, antes que se sentem para tomar chá a uma mesa ao lado de uma das janelas.

— Você tem uma assistente nova a cada vez que a visito — comenta Lainie, depois que a versão mais recente traz uma bandeja com o chá e desaparece outra vez.

— Elas ficam entediadas me esperando morrer e vão trabalhar para outra pessoa quando decidem que é trabalhoso demais me empurrar por uma janela e torcer para que saia rolando pela colina até o mausoléu. Sou uma velha com muito dinheiro e nenhum herdeiro; elas são abutres com belos penteados. Esta não vai durar mais de um mês.

— Sempre imaginei que deixaria tudo para Chandresh — opina Lainie.

— Chandresh não precisa de nada disso, financeiramente, e não acho que seria capaz de administrar os negócios do modo como eu gostaria. Ele não tem tino para isso. Não que tenha tino para muita coisa, ultimamente.

— Ele está tão mal assim? — indaga Lainie, mexendo o chá.

— Ele perdeu algo de si — responde. — Já o vi ficar obcecado com projetos antes, mas nunca nesse nível. O circo o transformou num fantasma do que era, ainda que, no caso de Chandresh, um fantasma do seu antigo eu seja mais vibrante do que a maioria das pessoas. Faço o que posso. Encontro companhias de balé *avant-garde* para ocupar os teatros dele. Eu o apoio na ópera, quando ele deveria fazer isso por mim. — Ela toma um gole de chá antes de acrescentar: — E não quero abordar um assunto delicado, minha cara, mas o mantenho bem longe de trens.

— Provavelmente é sábio — pontua Lainie.

— Eu o conheço desde criança, é o mínimo que posso fazer.

Lainie assente. Ela tem outras perguntas, mas decide que é melhor reservá-las para outra pessoa que pretende visitar. Pelo restante da tarde, elas não discutem nada além de moda e movimentos artísticos. Madame Padva insiste em fazer para ela uma versão menos formal do vestido marfim e preto em tons de creme e pêssego, terminando um esboço em questão de minutos.

— Quando eu me aposentar, tudo isso vai ficar com você, minha cara — anuncia madame Padva antes que Lainie vá embora. — Eu não confiaria em mais ninguém.

O escritório é grande, mas parece menor do que é na realidade devido ao volume dos conteúdos. Embora boa parte das paredes seja feita de vidro fosco, elas estão ocultas por armários e estantes. A mesa de desenho junto às janelas está quase coberta pelo caos meticulosamente ordenado de papéis, diagramas e projetos. O homem de óculos sentado atrás dela está quase invisível, mesclando-se com o ambiente. O som do lápis rabiscando o papel é tão metódico e preciso quanto o tique-taque do relógio num canto.

O lugar é idêntico ao escritório que ocupou um espaço parecido em Londres, e a outro em Viena, antes de ser transferido para a Basileia.

O sr. Barris abaixa o lápis e serve para si uma xícara de chá. Quase a deixa cair ao erguer os olhos e se deparar com Lainie Burgess parada na porta.

— O seu assistente parece ter saído — comenta ela. — Não quis assustá-lo.

— Não tem problema — garante o sr. Barris, deixando a xícara na mesa e erguendo-se da cadeira. — Só não esperava vê-la tão cedo hoje.

— Tomei um trem adiantado — explica. — E queria ver você.

— Mais tempo com você é sempre um prazer — diz o sr. Barris. — Chá?

Lainie assente enquanto abre caminho com cuidado em meio ao escritório abarrotado até a cadeira do outro lado da mesa.

— O que é que discutiram quando Tara o visitou em Viena? — pergunta a mulher antes de sequer se sentar.

— Achei que você soubesse — replica ele sem fitá-la, mantendo a atenção no bule ao servir o chá.

— Somos pessoas diferentes, Ethan. Só porque você nunca conseguiu decidir por qual de nós estava apaixonado não significa que éramos intercambiáveis.

Ele abaixa o bule e prepara o chá dela, ciente de como Lainie o prefere sem ter de perguntar.

— Pedi você em casamento e você nunca me deu uma resposta — diz ele enquanto mexe.

— Você me propôs depois que ela morreu — replica. — Como posso ter certeza de que foi uma escolha que fez ou uma que foi feita em seu lugar?

Ele lhe estende a xícara, apoiando a mão sobre a dela enquanto Lainie a toma.

— Eu te amo — diz ele. — Eu também a amava, mas nunca foi o mesmo. Todos vocês são queridos como família para mim. Alguns mais queridos do que outros.

Ele volta à cadeira, tirando os óculos para limpá-los com o lenço.

— Não sei por que uso esse negócio — diz ele, olhando para as lentes. — Não preciso deles há anos.

— Você usa porque ficam bem em você.

— Obrigado — agradece, colocando-os novamente e observando-a bebericar o chá. — A oferta ainda está de pé.

— Eu sei — responde Lainie. — Estou considerando.

— Leve o tempo que precisar — oferece o sr. Barris. — Parecemos ter muito dele.

Lainie assente e apoia a xícara na mesa.

— Tara era a irmã racional e sensata — afirma ela. — Nós nos equilibrávamos; era um dos motivos para sermos excepcionais no que fazíamos. Ela trazia minhas ideias fantasiosas para a realidade. Eu via em detalhes o que ela via em escopo. Não ver o escopo é o motivo de eu estar aqui, e ela não. Encarei cada elemento separado e nunca notei que não se encaixavam adequadamente.

O tique-taque do relógio é pesado na pausa seguinte.

— Não quero ter essa conversa — posiciona-se o sr. Barris quando o tique-taque se torna insuportável. — Não queria ter com ela na época, e não quero ter com você agora.

— Você sabe o que está acontecendo aqui, não sabe? — questiona Lainie.

O sr. Barris endireita um maço de papéis na escrivaninha ao considerar a resposta.

— Sim — responde após um momento. — Sei.

— Contou para a minha irmã?

— Não.

— Então conte para mim.

— Não posso. Uma explicação exigiria uma quebra de confiança e não estou disposto a fazer isso, nem mesmo por você.

— Quantas vezes mentiu para mim? — pergunta Lainie, erguendo-se da cadeira.

— Eu *nunca* menti — rebate o sr. Barris, também se levantando. — Apenas não compartilho o que não tenho liberdade de contar. Dei minha palavra e pretendo mantê-la, mas nunca menti para você. Você nunca sequer me perguntou, imaginando que eu não soubesse de nada.

— Tara perguntou para você — argumenta Lainie.

— Indiretamente. Não acho que ela sabia o que perguntar e eu não teria respondido se ela tivesse. Eu estava preocupado com ela e sugeri que falasse com Alexander se quisesse respostas. Presumo que foi por isso que ela estava na estação. Não sei se ela chegou a falar com ele. Não perguntei.

— Alexander também sabe? — pergunta Lainie.

— Acredito que há pouca coisa que ele ignore, se é que há algo.

Lainie suspira e volta à cadeira. Ergue a xícara e, sem tomar um gole, a abaixa novamente.

O sr. Barris contorna a mesa e toma as mãos dela nas suas, certificando-se de que ela o fite nos olhos antes de falar.

— Eu lhe contaria, se pudesse.

— Sei disso, Ethan — diz ela. — De verdade.

Ela aperta as mãos dele com delicadeza, como que para reconfortá-lo.

— Não me incomodo com isso, Lainie. Transfiro meu escritório a cada poucos anos, contrato novos funcionários. Acompanho meus projetos por correspondência. Não é uma coisa difícil de administrar, considerando o que recebo em troca.

— Entendo. Onde o circo está agora?

— Não tenho certeza. Acredito que tenha deixado Budapeste recentemente, contudo não sei para onde vai. Posso descobrir; Friedrick saberá, e estou devendo um telegrama para ele.

— E como *Herr* Thiessen vai saber aonde o circo vai?

— Porque Celia Bowen conta para ele.

Lainie não faz mais perguntas.

O sr. Barris fica aliviado quando ela aceita o convite para o jantar, e ainda mais quando ela concorda em estender a estada na Suíça antes de alcançar o circo.

—·—

Lainie convida Celia para encontrá-la no Hotel Pera Palace, em Constantinopla, assim que chega à cidade. Ela espera no salão de chá, onde duas xícaras levemente fumegantes com formato de tulipa e pires combinando estão apoiadas na mesa de ladrilhos diante de si.

Quando Celia chega, elas se cumprimentam calorosamente. Celia pergunta sobre a viagem de Lainie antes de discutirem a cidade e o hotel, incluindo a altura impressionante do salão em que estão sentadas.

— É como estar na tenda dos acrobatas — comenta Lainie, erguendo os olhos para os domos que ladeiam o teto, cada um salpicado com círculos de vidro turquesa.

— Você não visita o circo há tempo demais — observa Celia. — Temos suas fantasias, se quiser se juntar às estátuas hoje à noite.

— Obrigada, mas não — recusa Lainie. — Não estou com vontade de ficar tão imóvel.

— É sempre bem-vinda — diz Celia.

— Eu sei. Mas, para ser sincera, não estou aqui pelo circo. Vim falar com você.

— Sobre o que gostaria de falar? — pergunta Celia, uma pontada de preocupação cruzando seu rosto.

— Minha irmã foi morta na estação St. Pancras após uma visita ao Midland Grand Hotel — conta Lainie. — Você sabe por que ela estava lá?

Celia aperta a xícara com mais força.

— Sei quem ela foi visitar — replica Celia, escolhendo as palavras com cuidado.

— Suponho que Ethan contou para você — diz Lainie.

Celia assente.

— Sabe por que ela queria vê-lo?

— Não, não sei.

— Porque ela sentia que as coisas não estavam certas — revela Lainie. — Tara sabia, no seu âmago, que o mundo dela tinha mudado e que não tinha recebido explicação alguma, nada a que se agarrar, para entendê-lo. Acredito que todos nos sentimos de um jeito similar e lidamos com isso de modos diferentes. Ethan e *tante* Padva ambos têm o seu trabalho para passar o tempo e manter a mente ocupada. Não me preocupei por muito tempo. Amava minha irmã profundamente e sempre a amarei, mas acredito que ela cometeu um erro.

— Achei que tinha sido um acidente — disse Celia com delicadeza, olhando para as estampas dos ladrilhos na mesa.

— Não, antes disso. O erro dela foi fazer as perguntas erradas às pessoas erradas. Não é um erro que pretendo repetir.

— É por isso que está aqui.

— É por isso que estou aqui — confirma Lainie. — Há quanto tempo nos conhecemos, Celia?

— Mais de dez anos.

— Certamente a esta altura você confia o suficiente em mim para me contar o que de fato está acontecendo. Não creio que ousaria me dizer que não é nada ou sugeriria que eu não me preocupasse com tais questões.

Celia apoia a xícara no pires. Ela explica o melhor que consegue. Mantém os detalhes vagos, cobrindo apenas o conceito do desafio e de como o circo serve de palco para ele. Como certas pessoas sabem mais do que outras em todos os níveis, embora escolha não citar cada indivíduo e deixe claro que ela mesma não tem todas as respostas.

Lainie não se pronuncia, só escuta com atenção e ocasionalmente dá um golinho no chá.

— Há quanto tempo Ethan sabe? — pergunta quando Celia terminou.

— Há muito tempo.

Lainie assente e ergue a xícara aos lábios, porém, em vez de beber, abre os dedos e a solta.

A xícara cai, batendo no pires abaixo.

O vidro se estilhaça e o som ecoa pela sala. O chá se esparrama sobre os ladrilhos.

Antes que alguém se vire para o barulho, a xícara se endireitou. Os cacos quebrados se reconstroem ao redor do líquido até que a xícara esteja intacta e a superfície ladrilhada da mesa, seca.

Aqueles que viraram a cabeça ante o som pensam tê-lo imaginado, e voltam a atenção para o próprio chá.

— Por que não a parou antes de quebrar? — pergunta Lainie.

— Não sei — responde Celia.

— Se um dia precisar de algo de mim, eu gostaria que pedisse — observa Lainie quando se levanta para sair. — Estou cansada de todo mundo guardar segredos tão bem que levam outras pessoas a serem mortas. Estamos todos envolvidos no seu jogo, e não somos tão facilmente consertados quanto xícaras de chá.

Celia permanece sentada sozinha por algum tempo após a partida de Lainie, enquanto as duas xícaras de chá esfriam.

Mares tempestuosos

DUBLIN, JUNHO DE 1901

Depois que a ilusionista faz uma mesura e desaparece diante dos olhos da plateia hipnotizada, eles aplaudem o espaço vazio. Levantam-se dos assentos e alguns conversam com os companheiros, maravilhando-se com este ou aquele truque ao saírem em fila pela porta que reapareceu do lado da tenda listrada.

Um homem, sentado no círculo interno de cadeiras, permanece conforme os outros saem. Seus olhos, quase ocultos em sombras projetadas pela aba do chapéu-coco, estão fixos no espaço central do círculo que a ilusionista ocupava até momentos antes.

O restante da plateia vai embora.

O homem continua sentado.

Minutos depois, a porta se mescla com a parede da tenda, novamente invisível.

O olhar do homem não vacila. Ele nem sequer relanceia para a porta desaparecida.

Em seguida, Celia Bowen está sentada diante dele, virada de lado e apoiando os braços nas costas da cadeira. Está usando o traje da apresentação, um vestido branco com estampa de peças de quebra-cabeça soltas, que caem até a escuridão da bainha.

— Você veio me visitar — comenta ela, sem conseguir esconder o prazer na voz.

— Tive alguns dias livres — responde Marco. — E você não esteve em Londres recentemente.

— Estaremos em Londres no outono — informa Celia. — Tornou-se uma espécie de tradição.

— Eu não podia esperar tanto para vê-la.

— Também é bom ver você — replica ela com suavidade. Estende a mão e endireita a aba do chapéu dele.

— Gostou do Labirinto de Nuvens? — pergunta o rapaz. Toma uma das mãos dela nas suas quando ela a abaixa.

— Gostei — responde Celia, perdendo o fôlego conforme os dedos dele se fecham ao redor dos dela. — Você convenceu o nosso sr. Barris a ajudar com ele?

— Convenci. — Marco corre o polegar pela parte interna do pulso de Celia. — Pensei que seria útil ter uma ajuda para atingir o equilíbrio certo. Além disso, você tem o seu Carrossel e nós dividimos o Labirinto, achei que seria justo eu ter uma produção Barris original também.

A intensidade dos olhos e do toque dele cobre Celia como uma onda, e ela puxa a mão antes que a sensação a arrebate.

— Veio me mostrar suas próprias façanhas de ilusão ilustre? — pergunta ela.

— Não estava na agenda para esta noite, mas se quiser...

— Você já me observou, seria justo.

— Eu poderia observá-la a noite toda.

— E fez isso — concorda Celia. — Esteve em todas as apresentações desta noite. Eu reparei.

Ela se ergue e vai até o centro do círculo, virando de modo que o vestido rodopie ao seu redor.

— Consigo ver todos os assentos — ela conta. — Você não fica escondido quando se senta na fileira de trás.

— Achei que ficaria tentado demais a tocar você se sentasse na frente — explica Marco, erguendo-se da cadeira e parando na borda do espaço circular, só um pouco para trás da primeira fileira de cadeiras.

— Estou perto o bastante para a sua ilusão? — pergunta ela.

— Se eu disser que não, vai chegar mais perto? — ele rebate, sem se dar ao trabalho de disfarçar o sorriso.

Em resposta, Celia dá mais um passo em direção a ele, a bainha do vestido roçando sobre os sapatos. Perto o bastante para ele levantar o braço e gentilmente apoiar a mão na cintura dela.

— Você não teve de me tocar da última vez — comenta ela, mas não protesta.

— Pensei em tentar algo especial — sugere.

— Devo fechar os olhos? — Celia pergunta em tom brincalhão, mas, em vez de responder, ele a gira, deixando-a de costas, e mantém a mão na cintura dela.

— Observe — sussurra no ouvido dela.

Os lados listrados de lona da tenda se enrijecem, a superfície suave endurecendo conforme o tecido se transforma em papel. Palavras surgem nas paredes, letras datilografadas sobrepondo-se a um texto manuscrito. Celia consegue distinguir excertos de sonetos shakespearianos e fragmentos de hinos a deusas gregas à medida que a poesia preenche a tenda. Ela recobre as paredes e o teto, e se espalha pelo chão.

Então, a tenda começa a se abrir, o papel se dobrando e rasgando. As listras pretas se estendem para o espaço vazio conforme contrapartes brancas ficam mais claras, estendendo-se para o alto e bifurcando-se em galhos.

— Gostou? — pergunta Marco quando o movimento cessa e os dois estão parados em uma floresta escurecida de árvores cobertas de poemas e brilhando suavemente.

Celia só consegue assentir.

Ele a solta com relutância, seguindo-a enquanto a mulher anda em meio às árvores, lendo pedacinhos de versos em galhos e troncos.

— Como você pensa nessas imagens? — Celia quer saber, apoiando a mão no tronco em camadas de papel de uma das árvores. Está quente e sólida sob seus dedos, e iluminada por dentro como uma lanterna.

— Vejo coisas na mente — explica o rapaz. — Em sonhos. Fico pensando no que você poderia gostar.

— Não acho que deveria imaginar como agradar a sua oponente — pontua Celia.

— Nunca entendi inteiramente as regras do jogo, então só sigo meus instintos — argumenta Marco.

— Meu pai ainda é vago de propósito sobre as regras — diz Celia ao caminhar entre as árvores. — Em especial se pergunto quando ou como o veredito será determinado.

— Alexander também não se deu ao trabalho de fornecer essas informações.

— Espero que ele não o azucrine tanto quanto meu pai faz comigo — diz Celia. — Mas, é claro, meu pai não tem nada melhor para fazer.

— Mal o vejo há anos — comenta Marco. — Ele sempre foi... distante e nunca me deu muitas respostas, mas é a coisa mais próxima de uma família que tenho. Mesmo assim, não me conta nada.

— Estou com um pouco de inveja — revela Celia. — Meu pai está sempre me dizendo como sou uma decepção.

— Me recuso a acreditar que você poderia decepcionar alguém.

— Você nunca teve o prazer de conhecer meu pai.

— Você me contaria o que aconteceu com ele de fato? — pergunta Marco. — Estou bastante curioso.

Celia suspira antes de começar, parando ao lado de uma árvore gravada com palavras de amor e saudades. Ela nunca contou a história a ninguém, nunca teve a chance de relatá-la a alguém que entenderia.

— Meu pai sempre foi um tanto ambicioso demais — começa. — O que ele pretendia fazer não deu certo, não como imaginava. Ele queria sair do mundo físico.

— Como isso seria possível? — pergunta Marco. Celia aprecia o fato de ele não desconsiderar a ideia de cara. Ela o percebe tentando compreender e se esforça para encontrar o melhor jeito de explicar.

— Suponha que tenho uma taça de vinho — ela diz. Uma taça de vinho aparece em sua mão. — Obrigada. Se eu pegasse este vinho e o vertesse em uma bacia de água, ou em um lago, ou mesmo no oceano, o vinho em si sumiria?

— Não, apenas ficaria diluído — responde Marco.

— Precisamente — concorda Celia. — Meu pai encontrou um jeito de remover a taça dele. — Ao falar, a taça em sua mão se esvanece, mas o vinho permanece flutuando no ar. — Contudo ele foi direto para o oceano em vez de procurar uma bacia ou mesmo uma taça maior. Tem dificuldade em juntar as suas partes de novo. Pode fazê-lo, claro, mas com dificuldade. Se ele se contentasse em frequentar um único lugar, provavelmente ficaria mais confortável. Em vez disso, o processo o deixou à deriva. Ele tem que se agarrar às coisas agora. Assombra a sua casa em Nova York. Teatros em que costumava se apresentar. Aferra-se a mim, quando consegue, embora eu tenha aprendido a evitá-lo quando desejo. Ele odeia isso, ainda mais porque só estou amplificando uma das técnicas de proteção dele.

— Seria possível? — pergunta Marco. — O que ele estava tentando fazer exatamente?

Celia observa o vinho pairando sem a taça. Ergue uma mão para tocá-lo e o líquido estremece, dividindo-se em gotas e então se juntando novamente.

— Acredito que sim — diz ela —, sob as circunstâncias certas. Seria preciso ter uma pedra de toque. Um lugar, uma árvore, um elemento físico ao qual se agarrar. Algo para evitar a dispersão. Suspeito que meu pai apenas queria que o mundo como um todo fosse seu, mas acredito que teria que ser mais concentrado. Seria como uma taça, mas haveria mais flexibilidade para se mover dentro dela.

Ela toca o vinho flutuante outra vez, empurrando-o na direção da árvore ao seu lado. O líquido se embebe no papel, manchando-o com vagarosidade até que a árvore inteira brilha, carmesim-escuro, em uma floresta de branco.

— Você está manipulando a minha ilusão — pontua Marco, olhando com curiosidade para a árvore encharcada de vinho.

— Você está permitindo — concorda Celia. — Não tinha certeza se eu conseguiria.

— Você seria capaz? — questiona. — De fazer o que ele estava tentando fazer?

Pensativa, Celia contempla a árvore por um momento antes de responder.

— Se eu tivesse motivos para isso, acho que sim — confirma. — Mas sou bastante afeiçoada ao mundo físico. Acho que meu pai estava sentindo a idade, que era muito mais avançada do que aparentava, e não gostava da ideia de apodrecer na terra. Talvez também quisesse controlar o próprio destino, mas não posso ter certeza, dado que ele não me consultou antes de tentar. Ele me deixou com muitas perguntas para responder e um funeral para encenar. O que é mais fácil do que você poderia imaginar.

— Mas ele fala com você?

— Sim, mas não tanto quanto já falou. Ele parece igual; acho que é um eco, a consciência retendo a aparência de uma forma física. Mas lhe falta solidez, o que o aborrece muito. Ele poderia ter ficado mais tangível se tivesse feito de outro jeito. Mas não tenho certeza se eu gostaria de ficar presa em uma árvore pelo resto da eternidade. Você ficaria?

— Acho que dependeria da árvore.

Ele se vira para a árvore carmesim e ela brilha mais forte, o vermelho de brasas transformando-se no calor intenso do fogo.

As árvores ao redor a imitam.

Conforme a luz aumenta, o brilho fica tão forte que Celia fecha os olhos.

O chão sob seus pés se remexe, subitamente instável, mas Marco apoia uma mão na cintura dela a fim de equilibrá-la.

Quando ela abre os olhos, ambos estão parados no tombadilho de um navio no meio do oceano.

Só que o navio é feito de livros, com velas consistindo em milhares de páginas sobrepostas, e o mar no qual ele flutua é feito de tinta preta bem escura.

Pequenas luzes estão penduradas no céu, como um aglomerado denso de estrelas, brilhantes como o sol.

— Pensei que algo vasto seria agradável, depois de toda aquela conversa sobre espaços confinados — explica Marco.

Celia vai até a borda do convés, correndo as mãos pelas lombadas dos livros que formam a amurada. Uma brisa suave brinca com seu cabelo, trazendo consigo o aroma misturado de volumes empoeirados e tinta úmida e pungente.

Marco se posiciona ao seu lado conforme ela contempla o mar da meia-noite, que se estende até um horizonte claro sem sinal de terra à vista.

— É lindo — elogia a jovem.

Olha para baixo, para a mão direita dele apoiada na amurada, e franze o cenho ao observar os dedos nus e lisos dele.

— Procurando por isso? — pergunta ele, movendo a mão com um floreio. A pele se transforma, revelando a cicatriz que circunda o dedo anelar. — Foi feita por um anel quando eu tinha catorze anos. Dizia alguma coisa em latim, mas não sei o que era.

— *Esse quam videri* — diz Celia. — Ser, e não parecer. É o lema da família Bowen. Meu pai adorava gravá-lo nas coisas. Não tenho certeza se ele apreciava a ironia. O anel era provavelmente algo assim.

Ela põe a mão direita ao lado da dele, junto aos livros empilhados. O anel prateado no dedo está gravado com o que Marco pensava ser uma filigrana complexa, mas é a mesma frase em uma caligrafia floreada.

Celia gira o anel, deslizando-o no dedo para que ele veja a cicatriz similar.

— É o único ferimento que nunca fui capaz de curar completamente — afirma ela.

— A minha era parecida. — Marco olha para o anel dela, embora seus olhos fiquem voltando para a cicatriz. — Mas era dourado. A sua marca foi feita por algo que pertencia a Alexander?

Celia assente.

— Quantos anos você tinha?

— Seis. O anel era simples e de prata. Era a primeira vez que eu conhecia alguém que podia fazer as coisas que meu pai fazia, embora parecesse muito diferente do meu pai. E disse que eu era um anjo. Foi a coisa mais gentil que alguém já havia dito para mim.

— E ainda não chega nem perto de descrevê-la — observa Marco, cobrindo a mão dela com a sua.

Uma brisa súbita puxa as velas de papel sobreposto. As páginas esvoaçam e a superfície de tinta ondula abaixo.

— Você fez isso — diz Marco.

— Não era minha intenção — justifica Celia, mas não afasta a mão.

— Não ligo — responde Marco, entrelaçando os dedos deles. — Também sei fazer isso, sabe.

O vento aumenta, empurrando ondas de tinta escura contra o casco do navio. Páginas caem das velas e rodopiam ao redor como folhas. O navio começa a vergar e Celia quase perde o equilíbrio, mas Marco a abraça pela cintura para firmá-la enquanto ela ri.

— Isso é muito impressionante, sr. Ilusionista — ela comenta.

— Me chame pelo meu nome — Marco pede. Ele nunca a ouviu pronunciar o seu nome e, segurando-a nos braços, de repente anseia pelo som. — Por favor — acrescenta quando ela hesita.

— Marco — fala ela, a voz baixa e suave. O som do seu nome nos lábios dela é até mais embriagante do que imaginava, e se inclina para sentir o gosto também.

Um instante antes que os lábios se toquem, ela se vira.

— Celia — suspira Marco ao ouvido dela, imbuindo o nome com todo o desejo e frustração que ela mesma sente, seu hálito quente no pescoço dela.

— Sinto muito — diz a jovem. — Eu... não quero tornar isso mais complicado do que já é.

Ele não se pronuncia, mantendo os braços ao redor de Celia, mas a brisa começa a amainar, e as ondas batendo contra o navio se acalmam.

— Passei boa parte da minha vida lutando para me manter em controle — explica Celia, inclinando a cabeça contra o ombro dele. — Para me conhecer por inteiro e manter tudo em perfeita ordem. Eu perco essa habilidade quando estou com você. Isso me assusta e...

— Não quero assustá-la — interrompe-a.

— Me assusta o quanto gosto disso — conclui Celia, virando o rosto para ele outra vez. — Como é tentador me perder em você. Me soltar. Deixar você me impedir de quebrar lustres em vez de sempre me preocupar com isso.

— Eu poderia fazer isso.

— Eu sei.

Eles ficam parados em silêncio conforme o navio prossegue em direção ao horizonte infinito.

— Fuja comigo — pede Marco. — Para qualquer lugar. Para longe do circo, para longe de Alexander e do seu pai.

— Não podemos.

— Claro que podemos — insiste Marco. — Você e eu juntos podemos fazer qualquer coisa.

— Não — contraria-o Celia. — Só podemos fazer qualquer coisa aqui.

— Não entendo.

— Você já pensou em apenas ir embora? Pensou de verdade, com a intenção de realizar o plano e não como um sonho ou um capricho momentâneo? — Quando ele não responde, ela continua: — Faça isso agora. Imagine nós dois abandonando este circo e este jogo e recomeçando a vida em algum outro lugar, com toda a sinceridade.

Marco fecha os olhos e desdobra a cena na mente, focando não no sonho improvável, mas nos aspectos práticos. Planeja até os mínimos detalhes, desde organizar os livros-razão de Chandresh para um novo contador até aprontar as malas no apartamento e incluindo as alianças de casamento nos dedos dos dois.

E então a mão direita dele começa a queimar, a dor afiada e escaldante, começando na cicatriz ao redor do dedo e subindo pelo braço, escurecendo cada pensamento em sua mente. É a mesma dor de quando a cicatriz foi forjada, só que mil vezes mais forte.

O movimento do navio cessa de imediato. Os papéis desabam e o oceano de tinta se esvanece, deixando apenas um círculo de cadeiras dentro de uma tenda listrada assim que Marco desaba no chão.

A dor amaina levemente quando Celia se ajoelha ao seu lado e lhe toma a mão

— Na noite da festa de aniversário — diz ela. — Quando você me beijou. Pensei a esse respeito naquela noite. Não queria mais jogar, só ficar com você. Pensei em chamá-lo para fugir comigo e estava sendo sincera. No exato momento que me convenci de que seria possível, senti tanta dor que mal consegui me levantar. Friedrick não sabia o que fazer. Ele me sentou num canto tranquilo, segurou minha mão e não insistiu quando não consegui explicar o que estava acontecendo, porque ele é gentil assim.

Ela contempla a cicatriz na mão de Marco, que se esforça para recuperar o fôlego.

— Achei que talvez fosse por sua causa — ela continua. — Então, uma vez, tentei não embarcar no trem partindo e também foi doloroso. Nós estamos verdadeira e completamente vinculados a isso.

— Você queria fugir comigo — afirma Marco, sorrindo apesar da dor remanescente. — Eu não sabia que aquele beijo seria tão eficaz.

— Você poderia ter me feito esquecer, apagado a lembrança com a mesma facilidade com que a apagou de todo mundo na festa.

— Isso não foi particularmente fácil. E eu não queria que você esquecesse.

— Eu jamais poderia. Como está se sentindo?

— Horrível. Mas a dor está passando. Eu disse a Alexander naquela noite que queria desistir. Acho que não estava falando a sério; só queria uma reação dele.

— Talvez tudo isso foi projetado para nos fazer pensar que não estamos aprisionados — pondera Celia. — Não sentimos as barras, a não ser que tentemos forçá-las. Meu pai afirma que seria mais fácil se não pensássemos um no outro. Talvez ele tenha razão.

— Eu tentei — diz Marco, tomando o rosto dela nas mãos. — Tentei esquecê-la e não consegui. Não consigo parar de pensar em você. Não consigo parar de sonhar com você. Você não sente o mesmo por mim?

— Sinto. Tenho você aqui, ao meu redor. Sento-me no Jardim de Gelo para recordar a sensação, o jeito como você me faz sentir. Eu sentia até antes de saber quem você era, e a cada vez que penso que não pode ficar mais forte, fica.

— Então o que nos impede de ficarmos juntos agora? — pergunta o rapaz. Desliza as mãos do rosto dela, seguindo o decote do vestido.

— Eu quero — diz Celia, ofegando quando as mãos dele descem mais. — Acredite, eu quero. Mas isso não é só sobre mim e você. Há muitas pessoas envolvidas no jogo. Está ficando cada vez mais difícil manter tudo sob controle. E isso — ela apoia a mão na dele — me distrai demais. Eu me preocupo com o que poderia acontecer se perder minha concentração.

— Você não tem uma fonte de poder — ele diz.

Ela o olha, confusa.

— Fonte de poder?

— Do jeito que eu uso a fogueira, como um conduíte, tomando energia emprestada do fogo. Você não tem nada assim, só trabalha consigo mesma?

— Não conheço nenhum outro jeito — explica.

— Está controlando o circo o tempo todo? — pergunta Marco.

Celia assente.

— Estou acostumada. Na maior parte do tempo, é manejável.

— Não consigo imaginar como deve ser exaustivo.

Ele dá um beijo suave em sua testa antes de soltá-la, ficando o mais perto que consegue sem a tocar.

E então conta histórias para ela. Mitos que ouviu do seu instrutor. Fantasias que criou sozinho, inspirado por trechos de outros, lidos em livros antigos com lombadas gastas. Conceitos para o circo que não caberiam em tendas.

Ela responde com contos de sua infância passados nos bastidores de teatros. Aventuras em cidades longínquas que o circo visitou. Reconta episódios dos dias como espiritualista, e fica encantada por ele achar a ideia tão absurda quanto ela achava na época.

Os dois conversam até logo antes do amanhecer, e ele a deixa só quando o circo está para fechar.

Marco abraça Celia por um momento antes de se levantar, puxando-a consigo.

Ele tira um cartão do bolso que contém só a letra *M* e um endereço.

— Tenho passado menos tempo na casa de Chandresh — conta, entregando-lhe o cartão. — Quando eu não estiver lá, você me encontrará aqui. É sempre bem-vinda, dia ou noite. Se tiver vontade de uma distração.

— Obrigada. — Ela vira o cartão nos dedos e ele desaparece.

— Quando tudo isso acabar, não importa qual de nós vencer, não vou deixá-la tão facilmente. Combinado?

— Combinado.

Marco toma a mão dela e a leva aos lábios, beijando o anel prateado que oculta a cicatriz.

Celia traça a linha de sua mandíbula com a ponta dos dedos. Então se vira, desaparecendo antes que ele possa puxá-la de volta.

Uma súplica

CONCORD, MASSACHUSETTS, 30 DE OUTUBRO DE 1902

As ovelhas estão num humor péssimo quando Bailey tenta conduzi--las de um campo a outro. Resistiram a cutucões, empurrões e palavrões, insistindo que a grama no campo atual é muito mais saborosa do que a grama do outro lado do portão no muro de pedra baixo, por mais que Bailey tentasse persuadi-las do contrário.

E então há uma voz atrás dele.

— Olá, Bailey.

Poppet parece não pertencer à cena, parada do outro lado do muro. A luz do sol é clara demais; o entorno, mundano e verdejante demais. Suas roupas, embora sejam as que ela usa para andar anonimamente e não a fantasia do circo, parecem elegantes demais. A saia tem babados em excesso para ser de uso cotidiano; as botas, embora sujas, são delicadas e nem um pouco práticas para caminhar por uma fazenda. Ela não está usando chapéu, e os cabelos ruivos soltos são açoitados pelo vento ao redor.

— Oi, Poppet — cumprimenta ele ao se recuperar da surpresa. — O que está fazendo aqui?

— Eu precisava falar com você sobre um assunto. Pedir uma coisa, na verdade.

— Não podia esperar até a noite? — pergunta Bailey. Encontrar-se com Poppet e Widget assim que o circo abre se tornou uma rotina noturna.

Poppet balança a cabeça.

— Achei que seria melhor dar tempo para você pensar a respeito — explica a garota.

— Pensar sobre o quê?

— Sobre vir com a gente.

Bailey a encara, sem entender.

— O quê? — Consegue perguntar, enfim.

— É nossa última noite aqui. E quero que você venha com a gente quando partirmos.

— É uma brincadeira? — indaga Bailey.

Poppet balança a cabeça.

— Não é, juro. Queria esperar até ter certeza de que era a coisa certa a pedir, a coisa certa a fazer, e agora tenho. É importante.

— Como assim? Importante como? — questiona o jovem.

Poppet suspira. Ela olha para cima, concentrada como se estivesse procurando as estrelas ocultas no céu azul cheio de nuvens brancas e fofas.

— Eu sei que você precisa vir com a gente — afirma ela. — Disso tenho certeza.

— Mas por quê? Por que eu? O que eu faria, só acompanharia vocês? Não sou como você e Widget, não sei fazer nada especial. Não pertenço ao circo.

— Pertence, sim! Tenho certeza. Só não sei por que ainda, mas tenho certeza de que seu lugar é comigo. Com a gente, quero dizer. — Um rubor escarlate cobre as bochechas dela.

— Eu gostaria, de verdade. Eu só… — Bailey olha ao redor para as ovelhas, a casa e o celeiro no topo da colina coberta de macieiras. Ou isso resolveria o dilema Harvard *versus* fazenda, ou o tornaria muito pior. — Não posso simplesmente ir embora — admite, ainda que não seja bem o que deseja dizer.

— Eu sei — concorda Poppet. — Sinto muito. Eu não devia lhe pedir isso. Mas acho… não, não acho, eu *sei*. Sei que, se você não vier com a gente, nós não vamos voltar.

— Não vão voltar para cá? Por quê?

— Não vamos voltar para lugar nenhum — assevera Poppet. Ela ergue os olhos para o céu de novo, fazendo uma careta antes de se voltar para Bailey outra vez. — Se você não vier com a gente, não haverá mais um circo. E não me pergunte o motivo, elas não me contam por quê. — Ela gesticula para o céu e para as estrelas além das nuvens. — Só dizem que, para o circo ainda existir no futuro, você precisa estar lá. Você, Bailey. Você e eu e Widget. Não sei por que é importante haver nós três, mas é. Se não estivermos lá, vai desmoronar. Já está começando.

— O que você quer dizer? O circo está bem.

— Não sei se é algo que dá para ver de fora. Quer dizer… se uma de suas ovelhas estivesse doente, eu notaria?

— Provavelmente, não — diz Bailey.

— Mas você sim?

Bailey assente.

— É o mesmo com o circo. Eu sei como deveria ser, não está desse jeito agora e já faz um tempo que não está. Posso sentir que há algo errado e posso sentir que está desmoronando como um bolo sem cobertura suficiente para mantê-lo firme, mas não sei o que é. Faz sentido?

Bailey só a encara, e ela suspira antes de continuar.

— Lembra-se da noite no Labirinto? Quando ficamos presos na sala com a gaiola de pássaro?

Bailey assente.

— Nunca fiquei presa em nenhum lugar no Labirinto antes. Nunca. Se não conseguimos achar a saída de uma sala ou corredor, consigo só me focar e sentir onde estão as portas. Sei dizer o que está atrás delas. Tento não fazer isso porque desse jeito não é divertido, mas naquela noite eu fiz quando não conseguíamos achar uma porta e não funcionou. O circo está começando a parecer estranho, e não sei o que fazer quanto a isso.

— Mas como posso fazer qualquer coisa para ajudar? — pergunta o rapaz.

— Foi você que finalmente achou a chave, lembra? — continua Poppet. — Eu tenho procurado respostas, a coisa certa a fazer, e nada ficou claro, exceto você. Sei que é pedir demais que deixe sua casa e sua família, mas o circo é o meu lar e a minha família, e não posso perdê-los. Não se puder fazer algo para evitar. Sinto muito.

Ela se acomoda no muro de pedra, dando-lhe as costas. Bailey senta-se ao seu lado, ainda contemplando o campo e as ovelhas incorrigíveis. Os dois permanecem em silêncio. As ovelhas perambulam em círculos preguiçosos, mordiscando a grama.

— Você gosta de viver aqui, Bailey? — pergunta Poppet, examinando a fazenda.

— Não muito.

— Já desejou que alguém aparecesse e o levasse embora?

— Widget te contou isso? — pergunta Bailey, imaginando se o pensamento é tão forte que está assentado sobre ele, evidente e legível.

— Não — diz Poppet. — Foi um palpite. Mas Widget me pediu para entregar isso a você. — Ela puxa um frasquinho de vidro do bolso e o estende para Bailey.

Bailey sabe que, embora a garrafa pareça vazia, provavelmente não está, e fica curioso demais para não a abrir no mesmo instante. Ele puxa a rolha minúscula, aliviado quando ela permanece conectada ao frasco com um arame torcido.

A sensação no interior é tão familiar, tão reconfortante, reconhecível e real, que Bailey consegue sentir a aspereza do tronco da árvore, o cheiro das bolotas de noz, até o burburinho dos esquilos.

— Ele queria que você pudesse guardar a sua árvore — explica Poppet. — Se decidir vir com a gente.

Bailey tampa a garrafa. Nenhum dos dois fala por um tempo. A brisa agita o cabelo dela.

— Quanto tempo tenho para pensar? — pergunta em voz baixa.

— Vamos partir quando o circo fechar esta noite — responde Poppet. — O trem vai estar pronto antes do alvorecer, mas seria melhor se viesse antes disso. A partida pode ser um pouco... complicada.

— Vou pensar a respeito. Mas não posso prometer nada.

— Obrigada, Bailey — agradece Poppet. — Mas pode me fazer um último favor? Se não for vir com a gente, poderia não ir ao circo esta noite e deixar que esta seja a nossa despedida? Acho que seria mais fácil.

Bailey a encara sem reação por um momento, não conseguindo absorver as palavras. Isso é ainda mais horrível do que a escolha de partir. Mas ele concorda com um aceno, porque sente que é a coisa certa a se fazer.

— Tudo bem — afirma ele. — Não vou aparecer se não for com vocês.

— Obrigada, Bailey. — E Poppet sorri, mas ele não sabe precisar se o sorriso é feliz ou não.

E, antes que ele possa lhe pedir que se despeça de Widget por ele, se necessário, ela se inclina e o beija — não na bochecha, como fez algumas vezes antes, mas nos lábios, e Bailey sabe nesse momento que vai segui-la para qualquer lugar.

Poppet se vira sem dizer mais nada e vai embora. Bailey a observa até não poder distinguir mais o cabelo dela contra o céu, mas continua olhando, o frasquinho apertado na mão, ainda sem saber bem como se sentir ou o que fazer e tendo poucas horas para tomar uma decisão.

Atrás dele, as ovelhas, deixadas por conta própria, resolvem atravessar o portão aberto para o campo além.

Convite

LONDRES, 30 DE OUTUBRO DE 1901

Quando o circo chega a Londres, embora Celia Bowen esteja tentada a ir imediatamente para o apartamento de Marco, cujo endereço está impresso no cartão que ela mantém consigo a todo momento, ela segue para o Midland Grand Hotel.

Ela não faz perguntas na recepção.

Não fala com ninguém.

Fica parada no meio do saguão, sem ser notada pelos funcionários e hóspedes que passam por ela a caminho de outros destinos, outros compromissos e outros locais temporários.

Depois que permaneceu por mais de uma hora, tão imóvel quanto uma das estátuas do circo, um homem de terno cinza se aproxima.

Ele escuta sem reagir ao que ela tem a dizer e, quando ela termina, só assente.

Ela executa uma mesura perfeita, então se vira e vai embora.

O homem de terno cinza fica parado por algum tempo no saguão, sozinho, sem ser notado.

Intersecções I: Um piscar de olhos

LONDRES, 31 DE OUTUBRO - 1º DE NOVEMBRO DE 1901

O circo sempre é especialmente festivo na véspera do Dia de Todos os Santos. Lanternas de papel redondas são penduradas no pátio, e as sombras dançam sobre as superfícies brancas como rostos uivando em silêncio. Máscaras de couro pretas, brancas e prateadas, amarradas com fitas, são deixadas em cestas perto dos portões e por todo o circo para que os visitantes as usem, caso desejem. Às vezes é difícil diferenciar artistas de visitantes.

É uma experiência bem diferente passear pelo circo em anonimato. Mesclar-se com os arredores, tornar-se parte da atmosfera. Muitos visitantes apreciam imensamente a experiência, já outros a acham desconcertante e preferem usar os próprios rostos.

Agora a multidão reduziu-se bastante, nessas horas depois da meia-noite, conforme o relógio tiquetaqueia em direção ao Dia de Todos os Santos.

Os visitantes mascarados remanescentes vagam como fantasmas.

A fila para a tenda da vidente diminuiu bastante. A maioria das pessoas busca saber sua sorte mais cedo na noite. As horas tardias são mais apropriadas a atividades menos cerebrais. Antes, os consulentes entravam sem parar, mas à medida que outubro se torna novembro, não há mais ninguém esperando no vestíbulo, ninguém atrás da cortina de contas querendo ouvir os segredos que as cartas têm a revelar.

E então a cortina de contas se abre, embora ela não ouça ninguém se aproximar.

O que Marco vem lhe dizer não deveria ser um choque. As cartas lhe trazem a mesma notícia há anos, mas ela se recusou a ouvir, escolhendo vislumbrar outras possibilidades e caminhos alternativos a serem tomados.

Ouvir dos lábios dele é outra história. Assim que ele fala as palavras, uma lembrança esquecida sobe à superfície da mente dela. Duas figuras vestidas de verde no centro de um baile vibrante, tão inegavelmente apaixonadas que o salão inteiro enrubesceu.

Ela lhe pede que escolha uma única carta. O fato de que ele consente é uma surpresa.

Que a carta que ela tira seja *La Papessa* não é.

Quando ele vai embora, Isobel tira sua placa pelo restante da noite.

Às vezes ela remove a placa mais cedo, ou por períodos em que se sente cansada das leituras ou precisa de uma folga. Muitas vezes passa seu tempo com Tsukiko, mas em vez de procurar a contorcionista nessa noite específica, ela se senta à mesa, embaralhando as cartas de tarô em um ritmo compulsivo.

Ela vira uma carta para cima, depois outra e mais uma.

Há apenas espadas. Linhas delas em fileiras pontiagudas. Quatro. Nove. Dez. Um único ás de espadas.

Ela as junta para formar uma pilha novamente.

Abandona as cartas e vira-se para outra coisa.

Mantém a caixa para chapéus sob a mesa. É o lugar mais seguro que conseguiu achar, e o de mais fácil acesso. Muitas vezes esquece que está lá, escondida pela cascata de veludo. Sempre suspensa entre ela e seus consulentes. Uma presença invisível constante.

Agora, ela estende as mãos sob a mesa e a puxa das sombras de veludo para a claridade tremeluzente das velas.

A caixa para chapéus é simples e redonda, coberta com seda preta. Não tem fecho nem dobradiça, e a tampa é fechada por dois laços, um branco e um preto, amarrados em nós cuidadosos.

Isobel apoia a caixa na mesa e espana uma camada espessa de poeira do topo, embora boa parte do pó ainda fique grudada nos laços amarrados. Ela hesita e pensa por um momento que seria melhor deixá-la quieta, devolvê-la ao local de repouso. Mas não parece mais importar.

Ela desfaz os laços com lentidão, soltando os nós com as unhas. Assim que estão soltos o suficiente para que ela remova a tampa, puxa-a com hesitação, como se temesse o que vai encontrar lá dentro.

Dentro da caixa há um chapéu.

Está exatamente como ela o deixou. Um velho chapéu-coco preto, um pouco desgastado nas bordas. Fitas pretas e brancas estão amarradas nele, embrulhando-o como um presente em laços claros e escuros. Sob os nós das fitas há uma única carta de tarô. Entre o chapéu e a carta há um lenço branco de renda dobrado, as beiradas bordadas com videiras em espiral.

Eram coisas tão simples — nós e intenções.

Ela tinha rido ao longo das lições, preferindo suas cartas. Elas pareciam muito mais diretas em comparação, apesar de sua miríade de significados.

Era só uma precaução. Precauções são sábias em circunstâncias tão imprevisíveis. Algo tão normal quanto levar um guarda-chuva para uma caminhada quando parece que vai chover, mesmo que o sol esteja brilhando forte.

Entretanto ela não tem certeza se estava fazendo algo além de reunir poeira, na verdade. Não tem como se certificar, não há barômetro com o qual medir grandezas tão insubstanciais. Não há termômetro para o caos. No momento, parece que está abrindo com facilidade o caminho no vácuo absoluto.

Com cuidado, Isobel ergue o chapéu da caixa, as longas extremidades dos laços caindo em uma cascata ao redor dele. É estranhamente bonito, para um chapéu velho, um lenço e uma carta amarrada em uma fita em frangalhos. Quase festivo.

— Os menores encantamentos podem ser os mais eficazes — diz Isobel, surpresa quando sua voz falha, quase à beira das lágrimas.

O chapéu não responde.

— Acho que você não está causando efeito algum — conclui.

Novamente, o chapéu não oferece resposta.

Ela só queria manter o circo em equilíbrio. Evitar que dois lados conflitantes causassem danos um ao outro ou ao seu entorno.

Impedir a balança de quebrar.

Em sua mente, ela não consegue parar de vê-los juntos no salão de baile.

Lembra-se de trechos de uma briga entreouvida. Marco alegando que fizera tudo por *ela*, uma declaração que ela não entendeu no momento e esqueceu logo em seguida.

Mas agora está nítido.

Toda a emoção que via nas cartas quando tentava ler sobre ele eram para Celia.

O próprio circo era para ela. Para cada linda tenda que ele cria, ela cria outra em resposta.

E a própria Isobel estava ajudando a manter tudo equilibrado. Ajudando-o. Ajudando os dois.

Ela encara o chapéu em suas mãos.

A renda branca acaricia a lã preta, as fitas entrelaçadas. Inseparáveis.

Isobel as arranca com os dedos, puxando-as com uma fúria súbita.

O lenço flutua como um fantasma, as iniciais C.N.B. legíveis entre as vinhas bordadas.

A carta de tarô cai ao chão, virada para cima. Há a imagem de um anjo gravada nela, com a palavra *Tempérance* abaixo.

Isobel para, segurando o fôlego. Esperando alguma repercussão, algum resultado do ato. Mas tudo está em silêncio. As velas tremeluzem ao seu redor. A cortina de contas está calma e imóvel. De repente, se sente boba e idiota, sozinha na tenda com uma pilha de laços emaranhados e um chapéu velho. Considera-se estúpida por acreditar que ela podia ter qualquer impacto em tais eventos. Que qualquer coisa que ela já tenha feito chegou a importar.

Ela se abaixa para recuperar a carta caída, mas a mão congela logo acima dela quando ouve algo. Por um segundo, parece o chiado estridente dos freios de um trem.

Isobel leva um momento para perceber que o barulho fora da tenda na verdade é o som de Poppet Murray gritando.

Mais escuro antes do amanhecer

CONCORD, MASSACHUSETTS, 31 DE OUTUBRO DE 1902

Poppet e Widget aguardam perto dos portões do circo, fora do caminho da bilheteria, embora a fila tenha diminuído bastante a essa hora. O túnel repleto de estrelas já foi removido e substituído por uma única cortina listrada. O relógio *Wunschtraum* bate três vezes atrás deles. Widget belisca um saquinho de pipoca com cobertura de chocolate.

— O que vochê dixe pra ele? — pergunta, com a boca praticamente transbordando.

— Tentei explicar o melhor possível — diz Poppet. — Acho que fiz uma analogia com bolos.

— Bem, não tem como falhar. Quem não gosta de uma boa analogia com bolos?

— Não sei se o que eu disse fez sentido. Acho que ele ficou mais aborrecido por eu ter pedido para não vir hoje se não fosse partir com a gente. Eu não sabia o que mais dizer, só tentei fazê-lo entender que era importante. — Poppet suspira, inclinando-se contra a cerca de ferro. — E o beijei — acrescenta.

— Eu sei — diz Widget.

Poppet lhe lança um olhar furioso, o rosto ficando quase da cor do cabelo.

— Não foi de propósito — justifica-se Widget, dando de ombros. — Você não está escondendo nada bem. Deveria treinar mais se não quer que eu veja as coisas. Celia não te ensinou a fazer isso?

— Por que a sua visão está melhorando e a minha piorando? — pergunta Poppet.

— Sorte?

Poppet revira os olhos.

— Você falou com Celia? — pergunta ela.

— Sim. Contei que você disse que Bailey precisa vir conosco. Ela só disse que não faria nada para impedir.

— Bem, pelo menos isso.

— Ela está distraída — observa Widget, sacudindo o saquinho de pipoca. — Não me conta nada e mal me ouviu quando tentei explicar o que estávamos pedindo. Eu podia ter dito que queríamos trazer um hipopótamo alado junto como bicho de estimação e ela teria aceitado. Mas Bailey não vem só por diversão, não é?

— Não sei — responde Poppet.

— O que você *sabe*?

Poppet contempla o céu noturno. Nuvens escuras cobrem a maior parte das estrelas, mas alguns bolsões entram à vista, brilhando de modo suave.

— Lembra quando estávamos no Observatório e vi algo brilhante, mas não conseguia determinar o que era?

Widget assente.

— Era o pátio. O pátio inteiro, não só a fogueira. Estava iluminado e queimando. E daí... não sei o que aconteceu, mas Bailey estava lá. Disso tenho certeza.

— E isso vai acontecer em breve? — pergunta Widget.

— Muito em breve, acho.

— Não é melhor raptá-lo?

— Estou falando sério, Widget.

— Eu também. A gente consegue. Podemos entrar escondidos na casa dele, atingi-lo com algo pesado e arrastá-lo de volta para cá o mais discretamente possível. A gente o segura de pé, e as pessoas vão pensar que é um bêbado da cidade. Ele estará no trem antes de recuperar a consciência e aí não terá escolha. Rápido e indolor. Bem, indolor pra gente. Exceto por carregar o peso.

— Não me parece a melhor ideia, Widget — diz Poppet.

— Ah, vamos, vai ser divertido.

— Não acho. Acho que já fizemos o que tínhamos de fazer, e agora temos que esperar.

— Tem certeza? — pergunta Widget.

— Não — responde Poppet baixinho.

Depois de um tempo, Widget sai em busca de mais alguma coisa para comer e Poppet espera sozinha junto aos portões, espiando vez ou outra por cima do ombro a fim de conferir a hora no relógio atrás de si.

Intersecções II: Fúrias escarlates e destinos vermelhos

LONDRES, 31 DE OUTUBRO - 1º DE NOVEMBRO DE 1901

"Apesar de qualquer noite no circo poder tranquilamente ser chamada de mágica", *Herr* Friedrick Thiessen escreveu uma vez, "a véspera do Dia de Todos os Santos é especial. O próprio ar crepita com mistério."

Esta noite de Halloween em particular está fria. A multidão ruidosa veste casacos pesados e cachecóis. Muitos usam máscaras, os rostos ocultos sob faixas de tecido preto, prata e branco.

A iluminação do circo está mais fraca do que o normal. As sombras parecem se esgueirar em cada canto.

Chandresh Christophe Lefèvre entra no circo sem alarde. Pega uma máscara prateada de uma cesta junto aos portões e a veste. A mulher na bilheteria não o reconhece quando ele paga o valor cheio da entrada.

Ele vaga pelo circo como um homem num sonho.

O homem de terno cinza não usa máscara. Caminha relaxadamente, com um passo calmo e quase preguiçoso. Não tem nenhum destino específico em mente ao vagar entre as tendas. Entra em algumas, mas passa reto por outras. Compra uma xícara de chá e fica um tempo no pátio, observando a fogueira, antes de enveredar pelos caminhos entre as tendas.

Ele nunca esteve no circo antes e parece estar se divertindo.

Chandresh o segue — a cada passo, a cada parada. Persegue-o através de tendas e o vê pagar pelo chá no pátio. Fita o chão perto do homem de terno cinza, à procura da sombra dele, mas é frustrado pela luz tremeluzente.

Exceto por Chandresh, ninguém presta qualquer atenção a ele. Os transeuntes não reparam; sequer lhe dispensam um olhar de passagem, apesar da altura e do terno cinza imaculado e da cartola. Até a garota que lhe vende o chá mal o vê, virando-se depressa para o cliente seguinte. Ele desliza pelo circo tal qual uma sombra. Carrega uma bengala de castão prateado que não usa.

Chandresh o perde na multidão mais de uma vez, quando o cinza se funde num borrão preto e branco pontuado com as cores dos visitantes. Ele nunca demora muito para avistar a cartola cinza de novo, mas nos intervalos fica nervoso a ponto de tremer, remexendo no casaco e no conteúdo dos bolsos.

Chandresh murmura consigo mesmo. Aqueles que passam perto o bastante para escutá-lo o fitam estranhamente e fazem um esforço para evitá-lo.

Seguindo Chandresh, há um jovem que ele não reconheceria mesmo se o olhasse nos olhos. Ainda assim, o homem mantém distância. A atenção de Chandresh permanece fixa no homem de terno cinza, e seu olhar jamais desvia para o outro homem, que possui uma leve semelhança com o seu assistente.

Marco mantém os olhos cinza-esverdeados concentrados em Chandresh, não usando máscara sobre um rosto que só Celia reconheceria, e a ilusionista está ocupada no momento.

Isso continua por algum tempo. O sr. A. H— passeia sem pressa. Visita a vidente, que não o reconhece, mas dispõe educadamente o seu futuro em fileiras de cartas, embora admita que alguns trechos estão sobrepostos e confusos. Assiste à apresentação da ilusionista, a qual reconhece sua presença com um único aceno sutil. Cruza a Sala dos Espelhos, acompanhado por incontáveis figuras de terno cinza e cartola idênticos aos seus. Dá uma volta no Carrossel. Parece gostar em especial do Jardim de Gelo.

Chandresh o segue de uma tenda a outra, esperando fora daquelas que ele não entra, cada vez mais encharcado de ansiedade.

Marco perde ambos de vista só quando tira alguns momentos para cuidar de outra questão.

Nas proximidades dos portões, o relógio bate os minutos, o tempo cada vez mais avançado; as decorações sobre a peça giram e se transmutam.

Outubro vira novembro, uma mudança que passa despercebida exceto por aqueles que estão perto do relógio.

A multidão vai diminuindo. As máscaras são devolvidas às cestas no pátio e junto aos portões, pilhas bagunçadas de laços e olhos vazios. Crianças são arrastadas para casa com promessas de que podem voltar na noite seguinte, ainda que na noite seguinte o circo não vá estar lá e aquelas crianças vão se sentir traídas e injustiçadas.

Em uma passagem perto dos fundos do circo, razoavelmente larga e ocupada apenas por um punhado de visitantes, o sr. A. H— para de andar. Chandresh o observa a certa distância, sem conseguir perceber com clareza por que ele parou, mas suspeitando que esteja conversando com alguém. Através da máscara, Chandresh só vê o terno cinza e a cartola acima dele. Vê um alvo aberto, sem empecilho algum entre eles.

Ouve o eco de uma voz garantindo-lhe que o homem não é real. Que é fruto de sua imaginação. Nada além de um sonho.

Então há uma pausa. Apenas por um momento, o tempo reduz de velocidade como um objeto que cai resistindo à gravidade. A brisa fresca, que circulava entre os caminhos livres do circo, cessa. Naquele momento, nada tremula — nem o tecido das tendas, nem os laços de dezenas de máscaras.

Na tenda mais alta, uma das acrobatas perde o equilíbrio perfeito, caindo por certa distância antes que um dos colegas a segure, evitando por pouco se espatifar no chão.

No pátio, a fogueira cospe faíscas em uma nuvem de fumaça negra, fazendo os visitantes mais próximos pularem para longe, tossindo.

O gatinho que salta pelo ar das mãos de Poppet até as do irmão dela faz um giro no ar, aterrissando de costas em vez de sobre as patas e rolando em direção a Widget com um uivo indignado.

A ilusionista pausa sua apresentação impecável e fica congelada, o rosto mortalmente lívido. Ela oscila como se fosse desmaiar, e vários membros atenciosos da plateia avançam para ajudá-la, mas ela não cai.

Marco desaba como se tivesse levado um soco no estômago de um agressor invisível. Um visitante que passava o segura pelo braço para firmá-lo.

E Chandresh Christophe Lefèvre puxa a pesada faca de prata do bolso do casaco e a lança sem hesitação.

A faca voa de sua mão, a lâmina girando sobre o cabo em perfeitas rotações no ar.

Sua mira é precisa e firme. Tão exata quanto tais coisas podem ser.

Então o alvo se move.

A lã cinza das costas do terno feito sob medida do sr. A. H— muda de posição. Ele se vira levemente para o lado. É um passo gracioso. Um gesto inconsciente. Uma movimentação de peso no espaço.

E, assim, a faca roça pela manga dele e aterrissa no peito do homem com quem ele está falando. A lâmina desliza com facilidade através do colete preto desabotoado, atingindo o coração como se fosse o alvo almejado, o cabo de prata projetando-se logo por baixo do cachecol carmesim.

O sr. A. H— segura *Herr* Friedrick Thiessen, que tomba para a frente.

Chandresh encara sua mão vazia como se não conseguisse recordar o que estava segurando momentos antes. Ele sai cambaleante, seguindo na direção do pátio da fogueira. Esquece de remover a máscara ao sair e, quando a encontra jogada em casa no dia seguinte, não consegue se lembrar de onde veio.

O sr. A. H— abaixa *Herr* Thiessen ao chão, falando uma sequência de palavras constante sobre ele em um tom baixo demais para alguém ouvir. Os visitantes dispersos ao redor não reparam em nada a princípio, embora alguns estejam distraídos pelo fato de os dois jovens artistas a poucos passos dali terem interrompido a apresentação de repente e o garoto de terno preto reúne os gatinhos claramente agitados.

Após um longo momento, o sr. A. H— para de falar e passa uma mão enluvada cinza sobre o rosto de *Herr* Friedrick Thiessen, fechando com gentileza seus olhos surpresos.

O silêncio subsequente é estilhaçado pelos gritos de Poppet Murray conforme a poça de sangue no chão se espalha por baixo de suas botas brancas.

Antes que o choque se transforme em caos, o sr. A. H— delicadamente remove a faca de cabo prateado do peito de *Herr* Thiessen e então se endireita e vai embora.

Ao passar por Marco, pasmo e ainda trêmulo, entrega a ele a faca ensanguentada sem lhe dirigir uma palavra ou olhar antes de desaparecer na multidão.

O punhado de visitantes que testemunham o evento é rapidamente dispersado. Mais tarde, imaginam ter sido uma encenação. Um toque de teatralidade em uma noite já festiva.

O POÇO DE LÁGRIMAS

A placa fora da tenda é acompanhada por uma caixinha com pedras pretas e lisas. O texto instrui você a levar uma ao entrar.

A tenda é escura por dentro, o teto recoberto por guarda-chuvas pretos abertos, os cabos curvos pendendo como pingente de gelo.

No centro da sala há um poço, um poço rodeado por um muro de pedra preta cercado por cascalho branco.

O ar carrega o travo salgado do oceano.

Você vai até a orla para olhar dentro dele, triturando o cascalho sob os pés.

O poço é raso, mas brilhante. Uma luz irisada e cintilante sobe até a superfície da água. É uma fulgurância suave, suficiente para iluminar o poço e as pedras no fundo dele. Centenas de pedrinhas, todas idênticas à que você segura na mão. A luz por baixo atravessa os espaços entre as pedras.

Reflexos ondulam pela sala, passando a impressão de que a tenda inteira está submersa.

Você se senta no muro e gira a pedra preta nos dedos por um longo tempo.

A imobilidade da tenda se transforma em melancolia tranquila.

Lembranças começam a emergir de cantos ocultos de sua mente. Decepções fugazes. Chances e causas perdidas. Corações partidos e uma solidão desolada e horrível.

Dores que você pensava há muito esquecidas se mesclam com feridas ainda recentes.

A pedra parece mais pesada em sua mão.

Quando você a joga no poço, para se juntar às outras, sente-se mais leve. Como se tivesse soltado algo além de uma pedra polida.

Adeus

CONCORD, MASSACHUSETTS, 30 E 31 DE OUTUBRO DE 1902

Bailey escala o carvalho para recuperar a caixa escondida antes do pôr do sol, olhando para o circo abaixo, banhado em uma escura luz alaranjada, projetando sombras pontiagudas no campo. Mas, quando a abre, não acha nada que realmente queira levar consigo.

Ele tira a luva branca de Poppet, guardando-a no bolso do casaco, e devolve a caixa à árvore.

Em casa, conta as economias, que resultam numa quantia maior do que esperava, e embala uma troca de roupas e um suéter extra. Considera levar mais um par de sapatos, mas decide que talvez pode tomar emprestados os de Widget, se precisar. Enfia tudo em uma bolsa de couro gasta e espera seus pais e Caroline irem dormir.

Enquanto espera, desfaz a bolsa e então a refaz, reconsiderando as escolhas sobre o que levar e o que deixar.

Ele espera ainda uma hora depois de ter certeza de que todos estão dormindo, e depois mais uma hora só para garantir. Embora tenha se tornado especialista em entrar na casa em horas anormais, sair dela é outra história.

Ao enfim se esgueirar pelo corredor, fica surpreso ao notar como está tarde. Sua mão está na porta, pronto para sair, quando ele se vira, abaixa a bolsa e em silêncio procura um pedaço de papel.

Quando encontra um, se senta à mesa da cozinha para escrever um bilhete aos pais. Explica o melhor possível seus motivos para partir e espera que eles entendam. Não menciona Harvard nem nada sobre o futuro da fazenda.

Lembra-se de que, quando era muito pequeno, a mãe uma vez lhe disse que desejava felicidade e aventuras. Se isso não contar como uma aventura, nada mais vai.

— O que você está fazendo? — questiona uma voz atrás dele.

Bailey se vira, deparando-se com Caroline parada na porta. Ela está de camisola, com os cabelos amontoados na cabeça, os cachos presos com grampos pontudos e fora do lugar, e um cobertor de tricô arrumado sobre os ombros.

— Nada com que você precise se preocupar — Bailey responde, voltando à carta. Ele assina e a dobra, deixando-a apoiada em uma tigela de maçãs no centro da mesa. — Garanta que eles leiam isso.

— Você está fugindo? — pergunta Caroline, olhando para a bolsa dele.

— Algo assim.

— Não pode estar falando sério — diz ela com um bocejo.

— Não sei quando vou voltar. Escreverei quando puder. Fale para eles não se preocuparem comigo.

— Bailey, volte pra cama.

— Por que *você* não volta para a cama, Caroline? Parece que precisa de um descanso.

Em resposta, Caroline só retorce o rosto em uma careta.

— Além disso — continua Bailey —, quando você já se importou com o que eu faço?

— Você passou a semana inteira agindo como um bebê — censura-o, erguendo a voz mas mantendo-a num sussurro sibilante. — Brincando naquele circo idiota, ficando fora a noite toda. Cresça, *Bailey*.

— É exatamente o que estou fazendo — assevera ele. — Não me importo se você não entende isso. Ficar aqui não vai me fazer feliz. Vai fazer você feliz, porque você é insípida e maçante, e uma vida insípida e maçante te basta. Não basta para mim. Nunca vai bastar. Então estou indo embora. Faça o favor de se casar com alguém que cuide direito das ovelhas.

Ele alcança uma maçã da tigela e a joga no ar, pegando-a e enfiando-a na bolsa antes de se despedir de Caroline com um aceno alegre e nada mais.

Ele a deixa parada junto à mesa abrindo e fechando a boca em uma fúria calada assim que cerra a porta em silêncio atrás de si.

Bailey se afasta da casa zumbindo de energia. Quase espera que Caroline venha atrás ou acorde os pais no mesmo instante e os alerte sobre a partida. Mas a cada passo desferido para longe da casa se torna mais claro que ele está realmente partindo e não há nada que o vá impedir.

A jornada parece mais longa na calada da noite, quando não há mais multidões de pessoas dirigindo-se ao circo ao longo do caminho, como em todas as outras noites, nas quais ele correu para chegar antes da abertura dos portões.

As estrelas ainda estão no céu quando Bailey chega ao seu carvalho com a bolsa sobre o ombro. Está mais atrasado do que gostaria, mas o amanhecer ainda está distante.

Entretanto, sob o céu estrelado, o campo que se estende abaixo da árvore dele está vazio, como se nada jamais tivesse ocupado o espaço exceto grama, folhas e névoa.

Retrospecto

LONDRES, 1º DE NOVEMBRO DE 1901

O homem de terno cinza se afasta com facilidade por entre a multidão de visitantes do circo. Eles saem do seu caminho sem sequer considerar os movimentos, apartando-se como água enquanto ele se dirige aos portões.

A figura que bloqueia o seu caminho perto do pátio é transparente, aparecendo como uma miragem no brilho da fogueira e das lanternas de papel que oscilam de modo sutil. O homem de terno cinza se detém, embora pudesse facilmente atravessar a aparição do colega sem impedimento.

— Noite interessante, não é? — pergunta Hector, atraindo olhares curiosos das pessoas próximas.

O homem de terno cinza sutilmente move os dedos de uma mão enluvada como se estivesse virando as páginas de um livro e os olhares cessam; os curiosos perdem o foco e sua atenção é atraída para outras cenas.

A multidão continua a passar, entrando e saindo dos portões sem notar nenhum dos cavalheiros.

— Não vale o esforço — desdenha Hector. — Metade dessas pessoas espera ver um fantasma a cada esquina.

— Isso saiu do controle — afirma o homem de terno cinza. — Esse palco sempre foi exposto demais.

— É isso o que o torna *divertido* — diz Hector, indicando a multidão com um gesto largo. Sua mão roça o ombro de uma mulher e ela se vira, surpresa, mas segue em frente ao não ver nada. — Você não usou as técnicas de ocultação o suficiente, mesmo depois de entrar nas graças de Chandresh para controlar o palco?

— Não controlo nada — pontua o homem de terno cinza. — Estabeleci um protocolo de sigilo disfarçado com um ar de mistério. Minha orientação é o motivo de esse palco se mover de um local a outro sem aviso. Isso beneficia ambos os jogadores.

— Isso os mantém separados. Se os tivesse colocado juntos desde o começo, ela teria acabado com ele anos atrás.

— Sua condição atual o deixou cego? Você foi tolo de se aprisionar nessa forma e é um tolo se não consegue ver que os dois estão apaixonados. Se não tivessem sido mantidos separados, provavelmente teria acontecido mais cedo.

— Você devia ter sido um maldito casamenteiro — provoca Hector, os olhos estreitados desaparecendo e reaparecendo na luz ondulante. — Treinei a minha jogadora para ser melhor do que isso.

— No entanto, ela me contatou. Convidou-me para vir aqui pessoalmente, como você... — Ele se cala quando uma figura na multidão atrai seu olhar.

— Pensei que tinha dito para escolher um jogador que você toleraria perder — diz Hector, observando como seu companheiro observa o jovem transtornado de chapéu-coco que passa sem notar qualquer um deles, perseguindo Chandresh ao longo da aglomeração de visitantes. — Você sempre se afeiçoou demais aos seus estudantes. Pena que poucos deles o percebem.

— E quantos dos seus próprios estudantes escolheram pôr fim ao jogo com as próprias mãos? — pergunta o homem de terno cinza, virando-se. — Sete? Sua filha será a oitava?

— Isso não vai acontecer de novo — responde Hector, cada palavra afiada e pesada apesar de sua forma insubstancial.

— Se ela ganhar, vai odiá-lo por isso. Se é que já não odeia.

— Ela vai ganhar. Não tente evitar o fato de que ela é mais forte do que o seu jogador, e sempre foi.

O homem de terno cinza ergue uma mão na direção da fogueira, amplificando o som que ecoa além do pátio para que Hector possa ouvir a filha repetindo o nome de Friedrick sem parar em um pânico cada vez maior.

— Isso parece forte para você? — pergunta ele, abaixando a mão e deixando a voz de Celia se mesclar com o ruído da multidão.

Hector só faz uma careta, que é ainda mais distorcida pelas chamas da fogueira.

— Um homem inocente morreu aqui esta noite — continua o homem de terno cinza. — Um homem por quem sua filha era afeiçoada. Se ela já não começou a quebrar, isso vai ser o estopim. Era isso que você pretendia realizar aqui? Não aprendeu nada após tantas competições? Nunca há um modo de prever o que vai ocorrer. Não existem garantias de nenhum dos lados.

— Isso ainda não acabou — anuncia Hector, sumindo em um borrão de luz e sombra.

O homem de terno cinza retoma o passo como se não tivesse parado, seguindo através das cortinas de veludo que separam o pátio do mundo lá fora.

Ele observa o relógio acima dos portões por algum tempo antes de deixar o circo.

Uma bela dor

LONDRES, 1º DE NOVEMBRO DE 1901

O apartamento de Marco já foi simples e despojado, mas agora está abarrotado com móveis aleatórios. Peças de que Chandresh enjoou em determinado momento foram abrigadas neste purgatório, em vez de simplesmente descartadas.

Há livros demais e poucas estantes para contê-los, então ficam empilhados em cadeiras chinesas antigas e almofadas embrulhadas em sáris.

O relógio na cornija da lareira é uma criação de *Herr* Thiessen, contendo livrinhos cujas páginas se viram conforme os segundos ticam rumo às três da manhã.

Os livros maiores na mesa se movem em um ritmo menos constante à medida que Marco vai e volta entre volumes manuscritos, rabiscando notas e cálculos em folhas soltas. Ele risca símbolos e números repetidamente, descarta alguns livros em favor de outros e retorna aos que descartou antes.

Até que a porta do apartamento se abre por vontade própria; a fechadura se destranca e as dobradiças balançam com intensidade. Marco se ergue em um pulo, entornando um pote de tinta sobre os papéis.

Celia está parada na porta, alguns cachos rebeldes escapando dos cabelos presos no alto. Seu casaco cor de creme está desabotoado, leve demais para o clima.

Só quando entra no apartamento e a porta se fecha sozinha atrás de si, trancando-se com uma série de cliques, Marco repara que, sob o casaco, o vestido está coberto de sangue.

— O que aconteceu? — pergunta ele, a mão que estava se movendo para endireitar o pote de tinta parando no ar.

— Você sabe perfeitamente o que aconteceu — responde. A voz está calma, mas ondulações já começam a se formar na superfície escura da tinta empoçada na mesa dele.

— Você está bem? — indaga Marco, tentando se aproximar.

— Certamente, não — rebate Celia, e o pote na mesa se estilhaça, fazendo chover tinta sobre os papéis, manchando as mangas brancas de Marco e caindo invisível no colete preto. As mãos dele estão cobertas de tinta, mas ele ainda está distraído com o sangue no vestido, o escarlate gritante sobre o cetim cor de marfim e desaparecendo atrás do drapeado de veludo preto que o cobre como uma jaula.

— Celia, o que você fez? — pergunta.

— Eu tentei — diz ela. Sua voz falha ao pronunciar as palavras, de modo que ela precisa repetir. — Eu tentei. Pensei que conseguiria curá-lo. Eu o conheço há tanto tempo. Achei que talvez seria como arrumar um relógio e fazê-lo girar de novo. Eu sabia exatamente o que estava errado, mas não conseguia consertar. Ele era tão familiar, mas... não funcionou.

O soluço que vinha crescendo em seu peito escapa. Lágrimas que ela está contendo há horas jorram dos olhos.

Marco avança pela sala a fim de alcançá-la, puxando-a para um abraço e a segurando enquanto ela chora.

— Sinto muito — diz ele, repetindo as palavras como uma litania junto aos soluços até ela se acalmar, a tensão em seus ombros suavizando à medida que relaxa nos braços dele.

— Ele era meu amigo — ela fala baixinho.

— Eu sei — diz Marco, enxugando as lágrimas dela e deixando manchas de tinta em suas faces. — Sinto muito mesmo. Não sei o que aconteceu. Algo me desequilibrou, e não consigo descobrir o que foi.

— Foi Isobel — diz Celia.

— O quê?

— O encantamento que Isobel lançou sobre o circo, sobre você e mim. Eu estava ciente dele, podia senti-lo. Não achei que estivesse fazendo grande coisa, mas aparentemente estava. Não sei por que ela escolheu parar esta noite.

Marco suspira.

— Isobel escolheu esta noite porque enfim contei a ela que amo você — explica ele. — Devia ter feito isso anos atrás, mas só falei hoje. Achei que ela tinha aceitado bem, mas claramente estava errado. Não faço ideia do que Alexander estava fazendo lá.

— Ele estava lá porque eu o convidei — revela Celia.

— Por que faria isso?

— Eu queria um veredito — explica, as lágrimas brotando nos olhos outra vez. — Queria que isso acabasse para poder ficar com você. Achei que, se ele viesse ao circo, um vencedor poderia ser escolhido. Não sei de que outra forma esperam fazer isso. Como Chandresh sabia que ele estaria lá?

— Não sei. Nem sei que loucura o inspirou a ir até lá, e ele insistiu que eu não o acompanhasse, então o segui em vez disso, para ficar de olho nele. Só o perdi por alguns minutos porque fui falar com Isobel e quando o alcancei novamente...

— Também sentiu como se o chão tivesse sido removido de baixo dos pés? — pergunta Celia.

Marco assente.

— Eu estava tentando proteger Chandresh de si mesmo — ele conta. — Nunca considerei que ele poderia ser um perigo para outras pessoas.

— O que é tudo isso? — pergunta Celia, virando-se para os livros na mesa. Eles contêm páginas infinitas de glifos e símbolos, cercadas por textos arrancados de outras fontes, afixados uns aos outros e cobertos com escritos que se sobrepõem. No meio da mesa há um grande volume de couro. Colado dentro da capa, cercado por uma árvore elaboradamente desenhada, Celia mal consegue distinguir algo que devia ter sido um recorte de jornal. A única palavra que consegue discernir é *transcendente*.

— É assim que eu trabalho — diz Marco. — Este volume específico é o que vincula todos no circo. É a salvaguarda, na falta de um termo melhor. Lancei uma cópia dele na fogueira, antes de ela ser acesa, mas fiz ajustes neste.

Celia folheia as páginas de nomes. Ela para em uma que contém um recorte com a assinatura rebuscada de Lainie Burgess, próximo a um espaço onde um excerto de tamanho igual foi removido, deixando apenas uma página vazia.

— Eu deveria ter posto *Herr* Thiessen nele — diz Marco. — Nunca pensei nisso.

— Se não tivesse sido ele, teria sido outro visitante. Não há como proteger todo mundo. É impossível.

— Sinto muito — repete ele. — Não conhecia *Herr* Thiessen tão bem quanto você, mas admirava o homem e seu trabalho.

— Ele me mostrou o circo de um jeito que eu não conseguia vê-lo antes — relata Celia. — Como era visto de fora. Nós trocamos cartas por anos.

— Eu mesmo devia ter escrito para você, mas não conseguia pôr em palavras tudo o que desejava dizer. Um mar de tinta não seria o bastante.

— Mas em vez disso você construiu sonhos para mim — diz Celia, erguendo os olhos para ele. — E construí tendas que você quase nunca vê. Tive tanto de você ao meu redor, sempre, e fui incapaz de lhe dar qualquer coisa em retorno que pudesse manter consigo.

— Ainda tenho seu xale — lembra Marco.

Ela sorri de modo suave ao fechar o livro. Ao lado dele, a tinta derramada volta para dentro do potinho, os cacos de vidro se reconstruindo ao redor do líquido.

— Acho que isso é o que o meu pai chamaria de trabalhar de fora para dentro em vez de dentro para fora — ela diz. — Ele sempre me alertou para não fazer isso.

— Então ele desprezaria a outra sala.

— Que sala? — pergunta Celia. O pote de tinta está inteiro, como se nunca tivesse quebrado.

Marco gesticula para que ela o siga, conduzindo-a à sala adjacente. Ele abre a porta, mas não a atravessa, e quando Celia o segue consegue perceber por quê.

Talvez já tenha sido um escritório ou sala de visitas. Não é muito grande, mas poderia ser considerada aconchegante se não fossem as camadas de papel e barbante que pendem de cada superfície disponível.

Os fios pendem do lustre e se estendem sobre o topo das estantes. Cruzam-se uns nos outros como uma teia caindo do teto.

Sob cada superfície — mesas e escrivaninhas e poltronas — há modelos de tendas meticulosamente construídos. Alguns feitos de jornal, outros de tecido. Pedacinhos de projetos, romances e papel de carta dobrados, cortados e moldados na forma de uma série de tendas listradas, todos amarrados com mais barbante preto, branco e vermelho. Estão conectados a pequenas engrenagens de relógio, cacos de espelho e pedaços de velas derretidas.

No centro da sala, em uma mesa redonda de madeira pintada de preto, mas incrustada com listras claras de madrepérola, há um pequeno caldeirão de ferro. Dentro dele chamas ardem alegremente, brancas e brilhantes, projetando longas sombras sobre o espaço.

Celia dá um passo sala adentro, abaixando-se para desviar dos barbantes que pendem do teto. A sensação é a mesma de entrar no circo, até o aroma de caramelo pairando no ar, mas há algo mais profundo por baixo, algo pesado e antigo subjazendo ao papel e ao barbante.

Marco espera na porta conforme Celia cautelosamente passeia pela sala, tomando cuidado com a bainha do vestido ao se inclinar para examinar as minúsculas tendas e corre os dedos com delicadeza sobre os barbantes e as engrenagens.

— Isso é magia muito antiga, não é? — pergunta ela.

— É o único tipo que conheço — responde Marco. Ele puxa um barbante perto da porta e o movimento reverbera por toda a sala, fazendo o modelo do circo cintilar completamente conforme pedacinhos de metal refletem a luz do fogo. — Mas duvido que já tenha sido usada com esse propósito.

Celia faz uma pausa junto a uma tenda contendo um galho de árvore coberto com cera de vela. Orientando-se a partir dali, localiza outra, gentilmente abrindo a porta de papel para encontrar um círculo de cadeirinhas representando seu próprio espaço de apresentação.

As páginas que o formam estão impressas com sonetos de Shakespeare.

Celia deixa a porta de papel se fechar.

Ela conclui o tour hesitante da sala e junta-se a Marco na porta, fechando-a suavemente atrás de si.

A sensação de estar dentro do circo se esvai assim que ela cruza o umbral, e de repente fica profundamente ciente de tudo que está dentro da sala ao lado. O calor do fogo lutando contra a brisa das janelas. O aroma da pele de Marco sob a tinta e a colônia dele.

— Obrigada por me mostrar — agradece.

— Imagino que seu pai não aprovaria? — pergunta Marco.

— Eu não me importo mais com o que meu pai aprovaria.

Celia passa pela mesa e para diante da lareira, observando as páginas em miniatura virando-se com a passagem do tempo no relógio na cornija.

Ao lado dele, há uma única carta de baralho — o dois de copas. Não há qualquer indício de que já foi perfurada por uma adaga otomana, nenhuma evidência de que o sangue de Celia já manchou a superfície, mas ela sabe que é a mesma carta.

— Posso falar com Alexander — sugere Marco. — Talvez ele tenha visto o bastante para fornecer um veredito ou isso resulte em algum tipo de desqualificação. Tenho certeza de que ele me considera uma decepção a esta altura, ele pode declarar você a venced…

— Pare — pede Celia sem se virar. — Por favor, pare de falar. Não quero mais discutir esse maldito jogo.

Marco tenta protestar, mas a voz falha. Tenta superar o nó na garganta, mas descobre que não é capaz de falar.

Seus ombros caem em um suspiro silencioso.

— Estou farta de sustentar coisas que não podem ser sustentadas — admite Celia assim que ele se aproxima. — De tentar controlar o que não pode ser controlado. Estou farta de negar a mim mesma o que desejo por medo de quebrar coisas que não posso consertar. Elas vão quebrar independentemente do que eu fizer.

Celia se inclina contra o peito dele e Marco envolve os braços ao seu redor, acariciando com gentileza a sua nuca com a mão manchada de tinta. Eles ficam assim por algum tempo, junto aos estalidos do fogo e do tique-taque do relógio.

Quando ela ergue a cabeça, ele a encara conforme tira o casaco dela dos ombros, apoiando as mãos nos braços nus.

A paixão familiar que sempre acompanha o toque da pele dele inunda Celia, que não consegue mais resistir — nem quer fazê-lo.

— Marco — ela o chama, os dedos atrapalhando-se com os botões do colete. — Marco, eu...

Seus lábios estão sobre os dela, quentes e exigentes, antes que Celia consiga terminar.

Enquanto ela abre um botão após o outro, ele puxa com urgência os fechos e laços dela, recusando-se a tirar os lábios dos seus.

O vestido meticulosamente construído desaba em uma poça aos pés dela.

Envolvendo as fitas desamarradas do espartilho dela nos pulsos, Marco a puxa para o chão consigo.

Ambos continuam a remover uma camada após a outra até que nada os separe.

Aprisionado no silêncio, Marco traça desculpas e adorações no corpo de Celia com a língua, expressando em silêncio as coisas que não pode dizer em voz alta.

Ele encontra outros meios de se comunicar, os dedos deixando rastros leves de tinta em seu encalço. Saboreia cada som que extrai dela.

A sala toda treme quando se unem.

E embora haja muitos objetos frágeis ali, nada se quebra.

Acima deles, o relógio continua virando as páginas, eternamente impelindo adiante histórias minúsculas demais para serem lidas.

Marco não se lembra de ter adormecido. Em um momento, Celia está aconchegada em seus braços, descansando a cabeça contra o seu peito e escutando as batidas do coração dele, e no seguinte ele está sozinho.

O fogo se transformou em brasas. A aurora cinza se esgueira pelas janelas, projetando sombras suaves.

Sobre o dois de copas na cornija, há um anel prateado com uma inscrição em latim. Marco sorri, colocando o anel de Celia no dedinho, ao lado da cicatriz no seu dedo anelar.

Apenas mais tarde ele vai reparar que a salvaguarda encadernada de couro que estava na mesa sumiu.

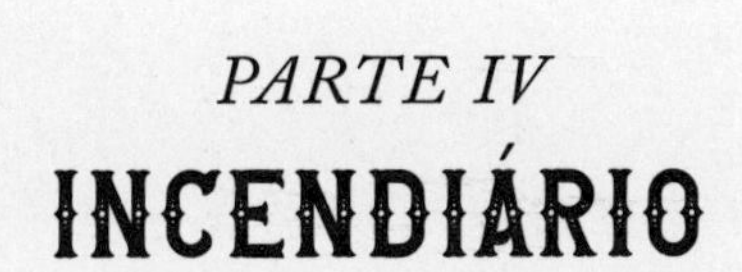

PARTE IV
INCENDIÁRIO

Há tendas, sem dúvida, que não descobri em minhas muitas visitas ao circo. Embora tenha visto boa parte das atrações e percorrido um bom número dos caminhos disponíveis, há sempre cantos que permanecem inexplorados e portas que permanecem fechadas.

— FRIEDRICK THIESSEN, 1896

Tecnicalidades

LONDRES, 1º DE NOVEMBRO DE 1901

Celia queria poder congelar o tempo enquanto escuta as batidas regulares do coração de Marco contra o tique-taque do relógio. Ficar para sempre neste momento, aconchegada nos braços dele, com as mãos suavemente acariciando as costas dela. Não ter de partir.

Ela só consegue reduzir as batidas de Marco o suficiente para ele cair num sono profundo.

Poderia acordá-lo, mas lá fora o céu já clareia, e ela detesta a ideia de se despedir.

Em vez disso, beija-o gentilmente nos lábios e se veste em silêncio enquanto ele dorme. Tira o anel do dedo e o deixa na cornija da lareira, acomodado entre os dois corações gravados na carta de baralho.

Para ao vestir o casaco, fitando os livros espalhados na mesa.

Talvez, se entendesse melhor os sistemas dele, poderia usá-los para tornar o circo mais independente. Para tirar um pouco do peso de si mesma e permitir que eles passem mais do que algumas horas roubadas juntos, sem desafiar as regras do jogo.

É o melhor presente que consegue imaginar dar para ele, uma vez que não podem forçar nenhum dos instrutores a proferir um veredito.

Ela pega um volume cheio de nomes. Parece um bom lugar para começar até compreender a base do que precisa realizar.

Leva-o consigo ao partir.

Celia fecha a porta do apartamento de Marco o mais silenciosamente possível depois de sair no corredor escuro, com o livro encadernado de couro embaixo do braço. As fechaduras se trancam atrás de si com uma série de cliques suaves e abafados.

Ela não repara na figura oculta nas sombras próximas até ele se manifestar.

— Sua vagabunda mentirosa — diz o pai dela.

Celia fecha os olhos, tentando se concentrar, mas é em vão, pois sempre foi difícil repeli-lo depois que ele conseguiu encontrá-la.

— Estou surpresa que você esperou no corredor só para dizer isso, papai.

— Este lugar é absurdamente bem protegido — responde Hector, gesticulando para a porta. — Nada poderia entrar sem que o garoto permitisse explicitamente.

— Ótimo — diz Celia. — Você pode ficar longe dele e de mim.

— O que vai fazer com isso? — pergunta, indicando o caderno sob o braço da filha.

— Nada que seja da sua conta.

— Você não pode interferir no trabalho dele — diz Hector.

— Eu sei, interferência é uma das poucas coisas aparentemente contra as regras. Não pretendo interferir, quero aprender os sistemas dele para não ter mais que gerir uma parte tão grande do circo a todo momento.

— Os sistemas dele... os sistemas de *Alexander* não são nada para você se preocupar. Você não tem ideia do que está fazendo. Eu superestimei sua habilidade de lidar com esse desafio.

— O jogo é esse, não é? — questiona Celia. — O objetivo é analisar como lidamos com as repercussões da magia quando colocados em um local público, em um mundo que não acredita em tais coisas. É um teste de resistência e controle, não habilidade.

— É um teste de força — corrige Hector. — E você é fraca. Mais fraca do que imaginei.

— Então me deixe desistir — pede. — Estou exausta, papai. Não aguento mais. E não é como se você pudesse beber uma garrafa de uísque e se gabar quando um vencedor for declarado.

— Um vencedor não é *declarado* — assevera o pai. — O jogo tem que se desenrolar, não é interrompido. Você já devia ter entendido pelo menos isso. Costumava ser mais esperta.

Celia lhe dá um olhar frio, mas ao mesmo tempo começa a repassar as palavras dele na mente, reunindo as não respostas obscuras sobre as regras que ele deu ao longo dos anos. De repente, a forma dos elementos que ele sempre evitou se torna mais distinta e o fator-chave desconhecido fica evidente.

— O vencedor é quem continua de pé depois que o outro não suporta mais — conclui Celia, o escopo da competição enfim fazendo sentido de um modo arrasador.

— Isso é uma generalização grosseira, mas suponho que serve.

Celia se vira para o apartamento de Marco e apoia a mão na porta.

— Pare de se comportar como se amasse aquele garoto — repreende-a Hector. — Você está acima dessas coisas mundanas.

— Você está disposto a me sacrificar por isso — diz ela em voz baixa. — A deixar que eu me destrua só para ganhar uma discussão. Você me amarrou a este jogo conhecendo os riscos, e me deixou pensar que não era nada além de um simples desafio de habilidades.

— Não me olhe desse jeito — ele diz. — Como se me achasse desumano.

— Você é transparente — dispara Celia. — Não é exatamente difícil de imaginar.

— Não seria diferente mesmo se eu ainda fosse como era no começo.

— E o que acontece com o circo depois do jogo? — pergunta Celia.

— O circo é apenas um palco — pontua ele. — Um estádio. Um coliseu festivo. Você pode continuar com ele depois de vencer, embora não sirva a propósito algum sem o jogo.

— Imagino que as outras pessoas envolvidas também não sirvam a propósito algum, então? O destino delas é só uma consequência do jogo?

— Todas as ações têm repercussões — afirma Hector. — Isso é parte do desafio.

— Por que está me contando tudo isso agora, se nunca mencionou antes?

— Antes, não pensei que seria você a marcada para perder.

— Você quer dizer para morrer — diz Celia.

— Uma tecnicalidade — corrige o pai. — Um jogo é concluído quando só resta um único jogador. Não há outro modo de terminá-lo. Você pode abandonar quaisquer sonhos fantasiosos de continuar a ser a vagabunda daquele *zé-ninguém* que Alexander tirou de uma sarjeta londrina depois que isso acabar.

— Quem resta, então? — pergunta Celia, ignorando o comentário. — Você disse que o pupilo de Alexander ganhou o último desafio. O que aconteceu com ele?

Uma risada desdenhosa estremece nas sombras antes que Hector responda.

— *Ela* está se contorcendo no seu precioso circo.

BRINCANDO COM FOGO

A única iluminação da tenda vem do fogo. As chamas são brancas, radiantes e tremeluzentes, assim como a fogueira no pátio.

Você passa por um engolidor de fogo em uma plataforma listrada. Ele mantém pequenas chamas dançando na ponta de longos bastões ao se preparar para as engolir por inteiro.

Em outra plataforma, uma mulher segura duas correntes longas com uma bola em chamas em cada extremidade. Ela as gira em voltas e círculos, deixando rastros brilhantes de luz branca no caminho, movendo-se tão depressa que elas parecem um cordão de fogo em vez de chamas separadas em correntes.

Artistas em múltiplas plataformas fazem malabarismo com tochas, girando-as alto no ar. Ocasionalmente, jogam as tochas ardentes uns aos outros em uma chuva de faíscas.

Em outro canto, há aros ardentes pendendo em níveis diversos nos quais os artistas entram e dos quais saem com facilidade, como se fossem só de metal e não estivessem envoltos em chamas bruxuleantes.

A artista nesta plataforma segura labaredas nas mãos nuas, transformando-as em cobras, flores e em outras diversas formas. Centelhas voam de estrelas cadentes, pássaros surgem em uma explosão de fogo e desaparecem como uma fênix em suas mãos.

Ela lhe dá um sorriso enquanto você assiste às chamas brancas na própria mão se tornarem, com o movimento habilidoso dos dedos, um barco. Um livro. Um coração de fogo.

月子

DURANTE O PERCURSO ENTRE LONDRES E MUNIQUE, 1º DE NOVEMBRO DE 1901

O trem não chama atenção conforme segue pelos campos, resfolegando nuvens de fumaça cinza no ar. O motor é quase inteiramente preto. Os vagões que puxa são igualmente monocromáticos. Aqueles com janelas têm vidros pintados e sombreados; aqueles sem janelas são pretos como carvão.

Ele viaja em silêncio, sem apitos nem buzinas. As rodas sobre os trilhos não guincham, deslizando suave e silenciosamente. Ele passa quase despercebido em sua rota, sem fazer parada.

De fora, parece um trem de carvão ou algo similar. Não tem qualquer distinção.

O interior é outra história.

Por dentro, o trem é opulento, dourado e quente. A maioria dos vagões de passageiros está revestida com carpetes espessos e estampados, decorados com veludo nas cores vinho, violeta e creme, como se tivessem sido mergulhados em um pôr do sol, pairando no crepúsculo e aferrando-se às cores antes que esmaeçam na noite e nas estrelas.

Há luzes em arandelas acompanhando os corredores, cascatas de cristais pendendo delas e balançando com o movimento do trem. Tranquilizantes e serenas.

Logo depois da partida, Celia guarda o caderno com capa de couro em segurança, camuflando-o em plena vista entre seus próprios volumes.

Ela troca o vestido manchado de sangue por um cinza como o luar, atado com laços pretos, brancos e cor de carvão, que era um dos preferidos de Friedrick.

Os laços esvoaçam atrás de si ao atravessar o trem.

Ela para diante da única porta com dois caracteres caligráficos, assim como um nome manuscrito na etiqueta ao lado.

A batida educada é logo respondida com um convite para entrar.

Embora boa parte dos compartimentos do trem seja saturada em cores, o vagão privado de Tsukiko é quase completamente neutro — um espaço despojado cercado por telas de papel e cortinas de seda pura, perfumado com o aroma de gengibre e creme.

Tsukiko está sentada no chão, no centro do espaço, trajando um quimono vermelho. Um coração carmesim que bate no cômodo pálido.

E não está sozinha. Isobel está deitada no chão com a cabeça no colo de Tsukiko, soluçando baixinho.

— Não quis interromper — diz Celia. Ela hesita na porta, pronta para fechá-la novamente.

— Não está interrompendo — responde Tsukiko, convidando-a a entrar com um gesto. — Talvez consiga me ajudar a convencer Isobel de que ela precisa descansar um pouco.

Celia não se pronuncia, mas Isobel enxuga os olhos e dá um aceno ao se levantar.

— Obrigada, Kiko — agradece ela, alisando as pregas no vestido. Tsukiko permanece sentada, com a atenção fixa em Celia.

Isobel para ao lado de Celia a caminho da porta:

— Sinto muito por *Herr* Thiessen — diz.

— Eu também.

Por um momento, Celia pensa que Isobel vai abraçá-la, mas a outra só assente antes de partir e fechar a porta de correr atrás de si.

— As últimas horas foram longas para todos nós — afirma Tsukiko depois que Isobel partiu. — Você precisa de chá — acrescenta antes que Celia possa explicar por que está lá. Tsukiko a faz sentar numa almofada e vai em silêncio até o fundo do vagão, onde pega o aparelho de chá atrás de um dos painéis altos.

Não é a cerimônia de chá completa que ela executou em várias ocasiões ao longo dos anos, mas ver Tsukiko lentamente preparar duas tigelas de *matcha* verde é lindo e calmante mesmo assim.

— Por que nunca me contou? — pergunta Celia quando Tsukiko se acomodou diante dela.

— Contei o quê? — pergunta, sorrindo acima do chá.

Celia suspira, perguntando-se se Lainie Burgess sentiu uma frustração parecida quando beberam duas outras xícaras de chá em Constantinopla. Por um momento ela cogita quebrar a tigela de Tsukiko só para ver o que ela faria.

— Você se machucou? — pergunta Tsukiko, apontando para a cicatriz no dedo de Celia.

— Fui vinculada a um desafio quase trinta anos atrás — conta Celia. Ela dá um gole antes de acrescentar: — Você vai me mostrar sua cicatriz, agora que viu a minha?

Tsukiko sorri e deposita a tigela no chão à frente. Então se vira e abaixa o quimono.

Na nuca, no espaço entre uma chuva de símbolos tatuados, acomodado na curva de uma lua crescente, há uma cicatriz desbotada do tamanho e formato de um anel.

— Sabe, as cicatrizes duram mais do que o jogo — explica Tsukiko, ajeitando novamente o quimono ao redor dos ombros.

— Foi um dos anéis do meu pai que fez isso — observa Celia, mas Tsukiko não confirma nem nega a declaração.

— Como está o chá? — pergunta.

— Por que você está aqui? — rebate Celia.

— Fui contratada como contorcionista.

Celia abaixa o chá.

— Não estou com paciência para isso, Tsukiko

— Se escolher as perguntas com mais cuidado, pode receber respostas mais satisfatórias.

— Por que nunca me contou que sabia sobre o desafio? — pergunta Celia. — Que você mesma o jogou antes?

— Concordei em não me revelar se não fosse abordada diretamente — explica. — Mantenho a minha palavra.

— Por que veio para cá no início do circo?

— Estava curiosa. Não havia um desafio desse tipo desde aquele em que participei. Eu não pretendia ficar.

— E por que ficou?

— Gostei de monsieur Lefèvre. O cenário para o meu desafio era mais íntimo e esse pareceu único. É raro descobrir lugares realmente únicos. Fiquei para observar.

— Você estava nos assistindo — conclui Celia.

Tsukiko assente.

— Me conte sobre o jogo — pede Celia, esperando obter uma resposta a uma pergunta aberta agora que Tsukiko está mais disposta a falar.

— Há mais questões envolvidas do que você imagina — pontua. — Eu mesma não entendia as regras, na minha época. Não se trata só do que você chama de magia. Acha que criar uma nova tenda no circo é uma jogada? É mais do que isso. Tudo que você faz, cada momento do dia e da noite, é uma jogada. Você carrega seu tabuleiro consigo, ele não está contido em lonas e listras. Embora você e seu oponente não tenham o luxo de ocupar quadradinhos limitados.

Celia reflete ao beber o chá, tentando se reconciliar com o fato de que tudo que aconteceu com o circo, com Marco, tem sido parte do jogo.

— Você o ama? — pergunta Tsukiko, observando-a com um olhar pensativo e o esboço de um sorriso que pode ser solidário, embora Celia tenha sempre achado difícil decifrar as expressões da outra.

Celia suspira. Não parece haver um bom motivo para negar.

— Amo — confirma.

— Acredita que ele ama você?

Ela não responde. O modo como a questão é posta a incomoda. Poucas horas antes, ela tinha certeza. Agora, sentada nesta caverna de seda levemente perfumada, o que parecia constante e inquestionável parece tão delicado quanto o vapor flutuando sobre seu chá. Tão frágil quanto uma ilusão.

— O amor é volúvel e fugaz — continua Tsukiko. — Raramente é uma base sólida sobre a qual tomar decisões, em qualquer jogo.

Celia fecha os olhos para impedir as mãos de tremerem.

Ela precisa de mais tempo do que gostaria para recuperar o controle.

— Isobel já pensou que ele a amava — continua Tsukiko. — Ela tinha certeza. Foi por isso que veio para cá, para ajudá-lo.

— Ele me ama — afirma Celia, embora as palavras não saiam tão fortes dos seus lábios quanto soavam em sua cabeça.

— Talvez — responde Tsukiko. — Ele é muito hábil em manipulação. Você mesma já não mentiu para as pessoas, dizendo o que elas queriam ouvir?

Celia não sabe o que é pior: saber que, para o jogo terminar, um deles tem de morrer ou a possibilidade de que ela não signifique nada para Marco. Que seja só uma peça num tabuleiro, esperando para ser derrubada no xeque-mate.

— É uma questão de perspectiva, a diferença entre oponente e parceiro — explica Tsukiko. — Se der um passo para o lado, a mesma pessoa pode ser um ou ambos, ou algo completamente diferente. É difícil saber qual face é real. E você tem muitos fatores com que lidar além do seu oponente.

— Você não tinha? — pergunta Celia.

— Meu cenário não era tão grandioso. Envolvia menos pessoas e menos movimentos. Sem o desafio, não havia nada para preservar. A maior parte dele agora é um jardim de chá, acredito. Eu não volto àquele lugar desde que o desafio se concluiu.

— O circo pode continuar, depois que esse desafio... se concluir — diz Celia.

— Seria bom — pondera Tsukiko. — Um tributo apropriado ao seu *Herr* Thiessen. Mas seria complicado torná-lo completamente independente de você e do seu oponente. Vocês assumiram uma boa dose de responsabilidade por tudo isso. São vitais à operação. Se eu a esfaqueasse no coração agora, este trem sairia dos trilhos.

Celia abaixa o chá, observando o deslizar tranquilo do trem criando ondulações suaves na superfície do líquido. Mentalmente, ela calcula quanto tempo levaria para parar o trem, por quanto tempo conseguiria manter o coração batendo. Chega à conclusão de que dependeria da faca.

— É possível — ela diz.

— Se eu extinguisse a fogueira, ou o guardião dela, também seria problemático, não?

Celia assente.

— Vocês têm trabalho a fazer se esperam que o circo sobreviva — afirma Tsukiko.

— Está se oferecendo para ajudar? — pergunta Celia, esperando que ela possa ajudá-la a traduzir os sistemas de Marco, dado que tiveram o mesmo instrutor.

— Não — responde Tsukiko, balançando a cabeça educadamente, o sorriso suavizando a aspereza da palavra. — Se vocês não conseguirem geri-lo direito, vou intervir. Isso já durou muito, mas lhes darei algum tempo.

— Quanto tempo? — questiona Celia.

Tsukiko beberica o chá.

— Tempo não é algo que eu possa controlar. Veremos.

Elas permanecem sentadas em silêncio meditativo por uma porção desse tempo incontrolável, conforme o movimento do trem gentilmente agita as cortinas de seda e o aroma de gengibre e creme as envolve.

— O que aconteceu com o seu oponente? — pergunta Celia.

Tsukiko não olha para Celia ao responder, encarando seu chá.

— Minha oponente é agora um monte de cinzas em um campo de Quioto — revela. — A não ser que o vento e o tempo a tenham levado embora.

Escape

CONCORD E BOSTON, 31 DE OUTUBRO DE 1902

Bailey anda em círculos no campo vazio por algum tempo antes de conseguir se convencer de que o circo partiu de fato. Não há absolutamente nada ali, nem sequer uma folha de grama amassada, para indicar que qualquer coisa ocupava o espaço horas antes.

Ele se senta no chão, segurando a cabeça nas mãos e se sentindo completamente perdido, embora tenha brincado nesses campos desde que era pequeno.

Lembra-se de que Poppet mencionou um trem.

Um trem que teria de seguir para Boston a fim de alcançar qualquer destino longínquo.

Poucos minutos depois que o pensamento cruza sua mente, Bailey está de pé e correndo o mais rápido possível em direção à estação.

Não há trem algum à vista quando ele chega, sem fôlego e com as costas doloridas onde a bolsa ficou batendo na corrida. Tinha esperado que, de alguma forma, o trem do circo, que ele nem sabia com certeza se existia, ainda estaria esperando ali.

Em vez disso, a estação está quase deserta; só duas figuras estão sentadas em um dos bancos da plataforma, um homem e uma mulher usando casacos escuros.

Bailey leva um momento para perceber que ambos usam cachecóis vermelhos.

— Você está bem? — pergunta a mulher conforme ele se aproxima correndo pela plataforma. Bailey não consegue identificar o sotaque dela.

— Vocês estão aqui pelo circo? — pergunta, ofegante.

— Estamos, sim. — O homem com um sotaque cadenciado parecido confirma. — Mas ele partiu, como acho que você deve ter notado.

— Fechou cedo também, mas isso não é raro — acrescenta a mulher.

— Vocês conhecem Poppet e Widget? — pergunta Bailey.

— Quem? — pergunta o homem. A mulher inclina a cabeça como se não captasse o sentido da questão.

— Eles são gêmeos e se apresentam com gatinhos — explica. — São meus amigos.

— Os gêmeos! — exclama a mulher. — E seus maravilhosos gatos! Como virou amigo deles?

— É uma longa história — replica.

— Então devia contar para nós enquanto espera — sugere ela com um sorriso. — Você também vai para Boston, não vai?

— Não sei — diz Bailey. — Eu estava tentando seguir o circo.

— É exatamente isso o que vamos fazer — responde o homem. — Mas não podemos seguir Le Cirque até saber para onde ele foi. Isso deve levar cerca de um dia.

— Espero que apareça em algum lugar próximo — comenta a mulher.

— Como vocês vão saber onde é? — Bailey apresenta uma leve incredulidade.

— Nós, *rêveurs*, temos nossos métodos — explica a mulher, sorrindo. — Ainda temos um tempinho de espera, deve ser o bastante para trocar histórias.

O nome do homem é Victor e o da irmã dele é Lorena. Estão no que chamam de "férias estendidas no circo", seguindo Le Cirque des Rêves pelo máximo de destinos possível. Normalmente só fazem isso na Europa, mas nessas férias em particular decidiram persegui-lo até o outro lado do Atlântico. Estavam no Canadá antes.

Bailey lhes conta uma versão resumida de como veio a ser amigo de Poppet e Widget, deixando de fora os detalhes mais peculiares.

Conforme o amanhecer se aproxima, outra *rêveur* se junta, uma mulher chamada Elizabeth que estava hospedada no hotel local e está se dirigindo a Boston também, agora que o circo partiu. Ela é recebida de maneira calorosa e todos parecem ser velhos amigos, embora Lorena alegue que só a conheceram dias antes. Enquanto esperam o trem, Elizabeth pega suas agulhas de tricô e um novelo de lã vermelho-escura.

Lorena apresenta Bailey a ela como um *rêveur* jovem e sem cachecol.

— Não sou um *rêveur*, na verdade — explica Bailey. Ainda não tem certeza se captou o sentido do termo.

Elizabeth o olha por cima do tricô, avaliando-o com olhos estreitados que o lembram de seus professores mais severos, embora ele seja muito mais alto do que ela. Ela se inclina para a frente de um jeito conspiratório.

— Você adora Le Cirque des Rêves? — ela pergunta.

— Sim — responde o jovem sem hesitar.

— Mais do que qualquer coisa no mundo? — acrescenta.

— Sim — confirma Bailey. Não consegue evitar um sorriso, apesar do tom sério dela e do nervosismo que ainda impede seu coração de bater num ritmo regular.

— Então você é um *rêveur* — anuncia Elizabeth. — Não importa o que use.

Eles lhe contam histórias sobre o circo e sobre outros *rêveurs*. Explicam que há um tipo de sociedade que segue o rastro do circo, notificando outros *rêveurs* para que possam seguir de um destino a outro. Victor e Lorena há anos o seguem, o máximo que sua agenda permite, enquanto Elizabeth em geral só viaja nos arredores de Nova York e essa viagem foi longa para ela, embora exista um clube informal de *rêveurs* na cidade que promova reuniões de tempos em tempos, para manter contato enquanto Le Cirque está longe.

O trem chega pouco depois que o sol se ergueu por completo, e no caminho para Boston as histórias continuam enquanto Elizabeth tricota e Lorena apoia a cabeça sonolenta no braço.

— Em que lugar da cidade você vai ficar? — pergunta Elizabeth.

Bailey ainda não pensou no assunto, uma vez que está lidando com essa aventura um passo por vez, tentando não se preocupar com o que pode acontecer quando chegarem a Boston.

— Não tenho certeza — informa. — Provavelmente vou ficar na estação até saber aonde ir em seguida.

— Bobagem — diz Victor. — Você vai ficar com a gente. Temos quase um andar inteiro no Parker House. Você pode ficar no quarto de August, ele voltou para Nova York ontem e não me dei ao trabalho de avisar a gerência que temos um quarto desocupado.

Bailey tenta discutir, mas Lorena o impede.

— Ele é terrivelmente teimoso — sussurra ela. — Não aceita não como resposta depois que se decidiu.

E, de fato, Bailey é arrastado para a carruagem que eles solicitam assim que descem do trem. Sua bolsa é levada junto à mala de Elizabeth ao chegarem ao hotel.

— Algo errado? — pergunta Lorena ao vê-lo de queixo caído, encarando o saguão opulento.

— Eu me sinto como uma daquelas garotas nos contos de fadas que não tem nem sapatos e aí são levadas para um baile no castelo — sussurra Bailey, e ela ri tão alto que várias pessoas se viram para encarar.

Bailey é levado a um quarto que tem metade do tamanho de sua casa inteira, mas descobre que não consegue dormir, apesar das cortinas pesadas que bloqueiam a luz do sol. Fica andando de um lado a outro até que começa a se preocupar em estragar o tapete, então senta-se junto à janela e observa as pessoas abaixo.

Fica aliviado quando há uma batida à porta no meio da tarde.

— Já sabem onde o circo está? — pergunta antes que Victor possa falar qualquer coisa.

— Ainda não, meu caro — ele replica. — Às vezes recebíamos um aviso-prévio sobre o destino, mas ultimamente não vem mais. Imagino que receberemos notícias até o fim do dia e, se nossa sorte se mantiver, vamos partir pela manhã. Você tem um terno?

— Não aqui comigo — diz Bailey, lembrando-se do terno guardado em um baú em casa, que só era tirado para ocasiões especiais.

Ele suspeita que cresceu nesse ínterim e não consegue lembrar-se exatamente de qual foi a última ocasião digna de usá-lo.

— Vamos arranjar um para você, então — informa Victor, como se isso fosse tão simples quanto comprar um jornal.

Eles encontram Lorena no saguão e os dois o arrastam pela cidade para cumprir uma série de tarefas, incluindo uma parada num alfaiate para fazer o terno dele.

— Não, não — opina Lorena ao olharem amostras. — Essas são completamente erradas para a compleição dele. Ele precisa de um cinza. Um cinza-escuro bonito.

Depois de muitas alfinetadas e medições, Bailey termina com um terno mais elegante do que jamais possuiu, mais elegante até do que o melhor terno do seu pai, cor cinza-carvão. Apesar dos protestos, Victor também lhe compra sapatos muito lustrosos e um novo chapéu.

Seu reflexo no espelho é tão diferente do que está acostumado a ver que Bailey acha difícil acreditar que é mesmo ele.

O grupo volta ao Parker House arrastando uma série de sacolas, e mal param nos quartos por tempo o bastante para se sentarem quando Elizabeth vem chamá-los para jantar.

Para a surpresa de Bailey, há quase uma dúzia de *rêveurs* esperando no restaurante no térreo, alguns que vão seguir o circo e outros que permanecerão em Boston. Sua ansiedade ao ver o restaurante chique é aliviada pelo caráter casual e exuberante do grupo. Como sempre, estão vestidos quase inteiramente de preto, branco e cinza, com leves toques de vermelho em gravatas ou lenços.

Quando Lorena percebe que Bailey não tem nada de vermelho, sorrateiramente tira uma rosa de um arranjo floral próximo para encaixar na lapela dele.

Infinitas histórias do circo são contadas ao longo de cada prato, menções a tendas que Bailey nunca viu e países de que nunca ouviu falar. Bailey passa a maior parte do tempo escutando, ainda um tanto estupefato por ter esbarrado com um grupo de pessoas que amam o circo tanto quanto ele.

— Vocês... acham que tem algo errado com o circo? — Bailey pergunta em voz baixa quando a mesa se separou em conversas menores. — Recentemente, quer dizer?

Victor e Lorena trocam um olhar como se debatessem quem deve responder, mas é Elizabeth quem fala primeiro.

— Não é a mesma coisa desde que *Herr* Thiessen morreu — afirma. Victor franze o cenho de súbito, e Lorena assente em concordância.

— Quem é *Herr* Thiessen? — pergunta Bailey. Os três parecem um pouco chocados com tal desconhecimento.

— Friedrick Thiessen foi o primeiro dos *rêveurs* — explana Elizabeth. — Era um relojoeiro. Ele fez o relógio que fica dentro dos portões.

— Aquele relógio foi feito por alguém de fora do circo? Sério? — pergunta Bailey. Nunca pensou em questionar Poppet e Widget a esse respeito. Tinha imaginado que era uma coisa nascida no próprio circo. Elizabeth assente.

— Ele era escritor também — complementa Victor. — Foi assim que o conhecemos, muitos anos atrás. Lemos um artigo que ele escreveu sobre o circo e lhe mandamos uma carta, daí ele escreveu de volta e assim por diante. Isso foi antes de sequer sermos chamados de *rêveurs*.

— Ele me fez um relógio que parece o Carrossel — conta Lorena, com um ar nostálgico. — Com criaturinhas que dão voltas entre nuvens e engrenagens prateadas. É uma peça maravilhosa, eu queria poder levá-lo comigo. Mas é gostoso ter um lembrete do circo que posso manter em casa.

— Ouvi que ele tinha um caso secreto com a ilusionista — comenta Elizabeth, sorrindo atrás da taça de vinho.

— É só uma fofoca absurda — desdenha Victor.

— Em seus escritos, ele sempre parecia gostar muito dela — enfatiza Lorena, como se contemplasse a possibilidade.

— Como alguém poderia não gostar dela? — pergunta Victor. Lorena se vira para ele com um olhar inquiridor. — Ela é extremamente talentosa — murmura, e Bailey vê Elizabeth tentando não rir.

— E o circo não é o mesmo sem esse *Herr* Thiessen? — pergunta Bailey, imaginando se isso tem algo a ver com o que Poppet lhe disse.

— Para nós é diferente sem ele, sem dúvida — diz Lorena. Ela faz uma pausa antes de prosseguir. — Mas o próprio circo parece um pouquinho diferente também. Não é nada em particular, só algo…

— Algo em desarmonia — completa Victor. — Como um relógio que não está marcando as horas direito.

— Quando ele morreu? — pergunta Bailey. Não tem coragem de questionar como.

— Exatamente um ano atrás, por acaso — diz Victor.

— Ah, eu não tinha percebido — diz Lorena.

— Um brinde a *Herr* Thiessen — propõe Victor, alto o bastante para a mesa toda ouvir, e ergue a taça. Taças são erguidas por toda a mesa, e Bailey faz o mesmo.

As histórias sobre *Herr* Thiessen continuam até a sobremesa, interrompidas apenas por uma discussão sobre por que o bolo é chamado de torta se é claramente um bolo. Victor pede licença depois de terminar o café, recusando-se a opinar sobre a questão do bolo.

Quando volta à mesa, tem um telegrama em mãos.

— Estamos a caminho de Nova York, meus amigos.

Impasse

MONTREAL, AGOSTO DE 1902

Depois que a ilusionista faz uma mesura e desaparece diante dos olhos da plateia hipnotizada, eles aplaudem o espaço vazio. Levantam-se dos assentos e alguns conversam com os companheiros, maravilhando-se com este ou aquele truque ao saírem em fila pela porta que reapareceu ao lado da tenda listrada.

Um homem, sentado no círculo interno de cadeiras, permanece conforme os outros saem. Seus olhos, quase ocultos em sombras projetadas pela aba do chapéu-coco, estão fixos no espaço central do círculo que a ilusionista ocupava até momentos antes.

O restante da plateia vai embora.

O homem continua sentado.

Minutos depois, a porta se mescla com a parede da tenda, novamente invisível.

O olhar do homem não vacila. Ele nem sequer relanceia para a porta desaparecida.

Em seguida, Celia está sentada em uma cadeira do outro lado do círculo, ainda usando as roupas da apresentação, um vestido preto coberto com renda branca delicada.

— Geralmente você se senta na fileira de trás — observa ela.

— Eu queria uma vista melhor — justifica Marco.

— Veio de longe.

— Eu queria férias.

Celia olha para as mãos.

— Não esperava que eu viesse até aqui, não é? — pergunta Marco.

— Não, não esperava.

— É difícil se esconder quando se viaja com um circo inteiro, sabe.

— Eu não estava me escondendo — diz Celia.

— Estava, sim — insiste Marco. — Tentei falar com você no funeral de *Herr* Thiessen, mas você foi embora antes de eu conseguir encontrá-la e aí levou o circo para o outro lado o oceano. Está me evitando.

— Não foi inteiramente intencional — assume ela. — Eu precisava de um tempo para pensar. Obrigada pelo Poço de Lágrimas — acrescenta.

— Eu queria que tivesse um lugar onde se sentisse à vontade para chorar se eu não pudesse estar com você.

Ela fecha os olhos, mas não responde.

— Você roubou meu caderno — afirma Marco após um momento.

— Desculpe.

— Contanto que esteja em algum lugar seguro, não importa onde, eu ou você o guardemos. Você podia ter pedido. Podia ter se despedido.

Celia assente.

— Eu sei — afirma.

Nenhum dos dois fala por um tempo.

— Estou tentando tornar o circo independente — revela Celia. — Desvinculá-lo do desafio, de nós. De mim. Precisava aprender seu sistema para fazer isso funcionar direito. Não posso deixar morrer um lugar tão importante para tantas pessoas. Algo que é maravilha, conforto e mistério combinados, que eles não encontram em nenhum outro lugar. Se tivesse algo assim, não iria querer mantê-lo?

— Eu tenho, sempre que estou com você — diz Marco. — Me deixe ajudá-la.

— Não preciso da sua ajuda.

— Não pode fazer isso sozinha.

— Tenho Ethan Barris e Lainie Burgess — conta Celia. — Eles concordaram em assumir a direção das operações básicas. Com um pouco mais de treinamento, Poppet e Widget devem conseguir lidar com os aspectos de manipulação que Ethan e Lainie não conseguem. Eu… não preciso de você.

Ela não consegue olhá-lo nos olhos.

— Você não confia em mim — conclui ele.

— Isobel confiava em você — diz Celia, mirando o chão. — Chandresh também. Como posso acreditar que é honesto comigo e não com eles, se sou a pessoa que você tem mais motivos para enganar?

— Eu jamais disse a Isobel que a amava — pontua. — Era jovem e me sentia solitário de uma maneira desesperadora, e não devia ter deixado-a pensar que meus sentimentos eram tão intensos, mas o que eu sentia por ela não é nada comparado ao que sinto por você. Essa não é uma tática para enganá-la. Acha que sou cruel a esse ponto?

Celia se ergue da cadeira.

— Boa noite, sr. Alisdair — despede-se.

— Celia, espere — pede Marco, erguendo-se, mas não se aproximando. — Você está partindo meu coração. Uma vez me disse que eu a lembrava do seu pai, que não queria sofrer como sua mãe sofreu por ele, mas está fazendo exatamente isso comigo. Você sempre vai embora. Sempre me deixa ansiando por você, quando eu daria tudo para que ficasse, e isso está me matando.

— Tem que matar um de nós — anuncia Celia em voz baixa.

— O quê? — pergunta Marco.

— Quem sobreviver é o vencedor — explica. — O vencedor vive e o perdedor morre. É assim que o jogo termina.

— Isso… — Marco para e sacode a cabeça. — Esse não pode ser o propósito do jogo.

— Mas é. É um teste de resistência, não de habilidade. Estou tentando tornar o circo autossuficiente antes de…

Ela não consegue pronunciar as palavras, ainda mal consegue fitá-lo.

— Você vai fazer o que seu pai fez — arrisca Marco. — Vai se retirar do tabuleiro.

— Não exatamente — responde. — Suponho que sempre fui mais a filha da minha mãe.

— Não — objeta Marco. — Não pode estar falando sério.

— É o único jeito de parar o jogo.

— Então vamos continuar jogando.

— Não posso — diz ela. — Não aguento mais. A cada noite fica mais difícil. E eu... tenho de deixar você vencer.

— Eu não quero *vencer* — diz Marco. — Eu quero *você*. Francamente, Celia, você não entende isso?

Celia não se pronuncia, mas lágrimas começam a escorrer pelas suas faces. Ela não as enxuga.

— Como pode pensar que não a amo? — questiona Marco. — Celia, você é tudo para mim. Não sei quem está tentando convencê-la do contrário, mas tem que acreditar em mim, por favor.

Ela se limita a fitá-lo com os olhos marejados; é a primeira vez que o encara diretamente.

— Foi aqui que eu soube que amava você — conta ele.

Eles estão parados em lados opostos de um cômodo pequeno e redondo, pintado de azul-escuro e pontilhado de estrelas, em uma passarela cercando uma piscina de almofadas coloridas. Há um lustre cintilante acima.

— Fiquei encantado desde o primeiro momento em que a vi — lembra Marco —, mas foi aqui que eu soube.

O cômodo muda ao redor deles de novo, expandindo-se e tornando-se um salão de baile vazio. O luar entra pelas janelas.

— Foi aqui que eu soube — diz Celia, num sussurro que ecoa suavemente pela sala.

Marco diminui a distância entre eles, beijando as lágrimas dela antes de capturar seus lábios com os dele.

Enquanto a beija, a fogueira resplandece mais forte. Os acrobatas refletem a luz perfeitamente ao girar. O circo inteiro cintila, deslumbrando todos os visitantes.

E então a coesão perfeita cessa quando Celia se afasta com relutância.

— Sinto muito — diz ela.

— Por favor — pede Marco, recusando-se a deixá-la ir, fechando os dedos na renda do seu vestido. — Por favor, não me deixe.

— É tarde demais — comenta ela. — Era tarde demais quando cheguei em Londres para transformar seu caderno num pombo; já havia pessoas demais envolvidas. Qualquer coisa que um de nós faça tem um efeito sobre todos aqui, sobre cada visitante que atravessa os portões. Centenas, se não milhares, de pessoas. Todas elas, moscas em uma teia de aranha que foi tecida quando eu tinha seis anos, e agora mal consigo me mover de tanto medo de perder outra pessoa.

Celia levanta os olhos para ele, erguendo a mão para acariciar seu rosto.

— Pode fazer uma coisa por mim? — pergunta.

— Qualquer coisa — responde Marco.

— Não venha de novo — pede, com a voz falhando.

Ela desaparece antes que Marco possa protestar, com tanta simplicidade e elegância quanto no final do seu número, o vestido se esvanecendo sob as mãos dele. Só o perfume permanece no espaço que ela ocupava momentos antes.

Marco fica parado em uma tenda vazia, sem nada além de dois círculos de cadeiras e uma porta aberta, esperando que ele vá embora.

Antes de partir, tira uma única carta de baralho do bolso e a deixa na cadeira dela.

Aparições

SETEMBRO DE 1902

Celia Bowen está sentada a uma mesa cercada por pilhas de livros. Ela ficou sem espaço para a biblioteca já há algum tempo, mas, em vez de aumentar a sala, optou por deixar os livros se tornarem a sala. Pilhas deles servem como mesas e outros estão suspensos do teto, junto com grandes gaiolas douradas contendo vários pombos brancos.

Outra gaiola redonda, apoiada na mesa em vez de pendurada, contém um relógio elaborado. Ele marca tanto o tempo quanto os movimentos dos astros enquanto tica regularmente a passagem da tarde.

Um grande corvo preto dorme fora de qualquer gaiola ao lado das obras completas de Shakespeare.

Velas desparelhadas em candelabros prateados, queimando em trios, cercam a mesa no centro da sala. Sobre ela há uma xícara de chá esfriando, um cachecol parcialmente desfiado até voltar a ser um novelo carmesim, uma foto emoldurada de um relojoeiro falecido, uma única carta há muito separada de seu baralho, e um caderno aberto cheio de sinais, símbolos e assinaturas obtidas de outros pedaços de papel.

Celia senta-se com um caderno e caneta, tentando decifrar o sistema completo com o qual o livro foi escrito.

Ela tenta entender como Marco pode ter pensado conforme o escrevia, imaginando-o redigir cada página, reproduzindo os ramos de tinta delicados da árvore que serpenteiam por todo o caderno.

Lê cada assinatura várias vezes, conferindo se cada mecha de cabelo está firmemente colada e analisando cada símbolo.

Passou tanto tempo repetindo o processo que poderia reproduzir o caderno de cor, mas ainda não entende por completo o funcionamento do sistema.

O corvo se remexe e crocita para algo nas sombras.

— Você está incomodando Huginn — diz Celia, sem erguer os olhos.

A luz das velas só roça a silhueta do pai, que revoa por perto. Realça as pregas do seu paletó, o colarinho da camisa. Reluz no vazio de seus olhos escuros.

— Você deveria arranjar outro — fala o pai, examinando o corvo agitado. — Um Muninn, para completar o par.

— Eu prefiro raciocínio a memória, papai — diz Celia.

— Hunf. — É a única resposta.

Celia o ignora quando ele se inclina sobre o seu ombro e a observa folhear as páginas inscritas.

— Que bagunça infernal — reclama ele.

— Uma língua que você mesmo não fala não é necessariamente uma bagunça infernal — aponta, transcrevendo uma linha de símbolos no próprio caderno.

— É um trabalho desordenado, com vinculações e encantamentos — observa Hector, flutuando para o outro lado da mesa a fim de analisar melhor. — Bem ao estilo de Alexander, desnecessariamente complexo e sigiloso.

— Mas, com estudo suficiente, qualquer um poderia fazer o mesmo. Muito diferente dos seus discursos sobre como eu era especial.

— Você é especial. É melhor do que esse... — Ele passa a mão transparente sobre a pilha de livros. — Uso de ferramentas e construtos. Poderia realizar muito mais com seus talentos. Poderia explorar muito mais.

— "Há mais coisas entre o céu e a terra, Horácio, do que sonha a nossa vã filosofia" — recita ela.

— Por favor, chega de Shakespeare.

— Eu sou assombrada pelo fantasma do meu pai, acho que isso me dá o direito de citar *Hamlet* o quanto quiser. Você costumava gostar muito de Shakespeare, Prospero.

— Você é inteligente demais para se comportar assim. Eu esperava mais.

— Peço desculpas por não estar à altura de suas expectativas absurdas para mim, papai. Não tem mais ninguém para incomodar?

— Há pouquíssimas pessoas com quem posso conversar nesse estado. Alexander é terrivelmente entediante, como sempre. Chandresh era interessante, mas aquele garoto alterou a memória dele tantas vezes que é quase melhor falar sozinho. Embora seja uma mudança de cenário agradável.

— Você fala com Chandresh? — pergunta.

— Às vezes — responde Hector, inspecionando o relógio que gira dentro da gaiola.

— Você disse a ele que Alexander estaria no circo naquela noite. Você o mandou para lá.

— Fiz uma sugestão a um bêbado. Bêbados são altamente sugestionáveis. E aceitam sem questionar conversas com pessoas mortas.

— Você devia saber que ele não poderia fazer nada contra Alexander — diz Celia. O raciocínio não faz sentido, mas, é claro, o raciocínio do pai quase raramente faz.

— Pensei que o velho merecia uma facada nas costas, para variar. Aquele aluno dele estava morrendo de vontade de cravá-la pessoalmente, tanto que a ideia já estava na cabeça de Chandresh, toda aquela raiva infiltrando-se no subconsciente após ficar exposto a ela por tanto tempo. Só precisei dar um empurrãozinho na direção certa.

— Você disse que havia uma regra sobre interferência — pontua Celia, abaixando a caneta.

— Interferir no que você ou o seu oponente fazem — esclarece o pai. — Eu posso interferir no comportamento dos outros o quanto quiser.

— A sua *interferência* matou Friedrick!

— Há outros relojoeiros no mundo — diz Hector. — Pode achar outro se está precisando de relógios novos.

As mãos de Celia tremem quando pega um volume da pilha de livros de Shakespeare e o arremessa. *Como gostais* atravessa o peito dele sem obstáculos, atingindo a parede da tenda e caindo ao chão. O corvo crocita, eriçando as penas.

As jaulas ao redor dos pombos e o relógio começam a estremecer. O vidro que cobre a foto emoldurada racha.

— Vá embora, papai — pede Celia entre dentes cerrados, tentando se controlar.

— Você não pode continuar me expulsando — adverte.

Celia volta a atenção para as velas na mesa, concentrando-se em uma única chama dançante.

— Acha que está criando conexões pessoais com essa gente? — continua Hector. — Acha que significa algo para essas pessoas? Eventualmente todas vão morrer. Você está deixando as emoções triunfarem sobre seu poder.

— Você é um covarde — retruca. — Vocês dois são. Lutam por procuração porque são covardes demais para se desafiarem diretamente. Têm medo de fracassar e não ter ninguém para culparem exceto vocês mesmos.

— Isso não é verdade — protesta Hector.

— Eu te odeio — esbraveja Celia, ainda encarando a chama da vela.

A sombra do pai oscila e desaparece.

Não há gelo nas janelas do apartamento de Marco, então ele escreve linhas de símbolos na forma de uma letra *A* com tinta, pressionando os dedos escuros contra os painéis. A tinta pinga sobre o vidro como chuva.

Ele espera sentado, encarando a porta, girando o anel de prata no dedo em círculos ansiosos até que a batida vem cedo na manhã seguinte.

O homem de terno cinza não o repreende por chamá-lo. Fica parado no corredor do lado de fora da porta com as mãos na bengala e espera Marco falar.

— Ela acha que um de nós tem que morrer para o jogo acabar — afirma Marco.

— Ela está correta.

Ter a confirmação é pior do que ele esperava. A ínfima centelha de esperança que tinha de que ela estivesse enganada é esmagada por três palavrinhas.

— Ganhar seria pior do que perder — diz ele.

— Eu o informei de que seus sentimentos pela srta. Bowen tornariam o desafio mais difícil — responde o instrutor.

— Por que você faria isso comigo? — pergunta Marco. — Por que passaria todo aquele tempo me treinando para algo assim?

A pausa antes da resposta é pesada.

— Pensei que seria preferível à vida que você poderia ter levado, independentemente das consequências.

Marco fecha e tranca a porta.

O homem de terno cinza ergue a mão para bater de novo, mas então a abaixa e vai embora.

ENCANTADOR, MAS MORTAL

Você acompanha o som de uma flauta até um canto escondido, seguindo a melodia hipnótica.

Sentadas no chão, aconchegadas numa alcova sobre almofadas de seda listrada, estão duas mulheres. Uma toca a flauta que você ouviu. Há uma vareta ardente de incenso entre elas, junto a uma grande cesta com tampa preta.

Uma pequena plateia está se reunindo. A mulher mais velha cuidadosamente remove a tampa da cesta antes de pegar uma flauta própria e acrescentar um contraponto à primeira.

Duas serpentes brancas se entrelaçam uma na outra enquanto sobem do cesto trançado, em perfeita sintonia com a música. Por um momento, parecem ser uma cobra e não duas, mas depois se separam, descendo pelos lados da cesta e deslizando para o chão, bem perto dos seus pés.

As cobras se movem juntas para um lado e para o outro, com movimentos que lembram uma dança formal. Elegantes e graciosas.

O ritmo da música acelera, e agora os movimentos das cobras parecem mais abruptos. A valsa se metamorfoseia em uma batalha. Elas se rodeiam, e você espera que alguma dê o bote.

Uma delas sibila com suavidade e a outra responde à altura. As duas continuam se rodeando conforme a música e o incenso sobem para o céu estrelado.

Você não consegue ver qual ataca primeiro — elas são idênticas, afinal. Quando recuam e sibilam e pulam uma na outra, você se distrai ao perceber que ambas não são mais imaculadamente brancas, mas perfeitamente pretas como ébano.

Precognição

DURANTE O PERCURSO ENTRE BOSTON E NOVA YORK, 31 DE OUTUBRO DE 1902

A maioria dos passageiros do trem se acomodou em seus respectivos vagões e compartimentos para ler ou dormir ou passar a jornada de outra forma. Corredores que estavam abarrotados na partida estão quase vazios conforme Poppet e Widget atravessam um vagão após o outro, silenciosos como gatos.

Há etiquetas penduradas na porta de cada compartimento com nomes manuscritos. Eles param em frente da que diz "C. Bowen", e Widget ergue a mão para bater de modo suave no vidro fosco.

— Entrem — convida uma voz de dentro, e Poppet abre a porta de correr.

— Estamos interrompendo algo? — pergunta a garota.

— Não — responde Celia. — Podem entrar. — Ela fecha o caderno coberto de símbolos que estava lendo e o coloca em uma mesa. O compartimento inteiro parece uma biblioteca depois de uma explosão, com pilhas de livros e papéis entre bancos cobertos de veludo e mesas de madeira polida. A luz dança ao redor do cômodo com o movimento do trem, refletindo dos lustres de cristal.

Widget fecha e tranca a porta atrás deles.

— Aceitam um chá? — oferece Celia.

— Não, obrigada — diz Poppet. Ela olha com nervosismo para Widget, que só assente.

Celia observa os dois, Poppet mordendo o lábio e se recusando a encontrar o seu olhar enquanto Widget se inclina contra a porta.

— Desembuchem — fala ela.

— Nós... — começa Poppet. — Nós temos um problema.

— Que tipo de problema? — indaga Celia, afastando pilhas de livros para que eles possam se sentar nos bancos violeta. Mas os gêmeos permanecem onde estão.

— Acho que uma coisa que devia acontecer não aconteceu — diz Poppet.

— E o que seria? — pergunta Celia.

— Nosso amigo Bailey devia ter vindo com a gente.

— Ah, sim, Widget mencionou algo sobre isso — diz Celia. — Ele não veio, então?

— Não — nega Poppet. — Esperamos e ele não veio, mas não sabemos se é porque não queria ou porque partimos mais cedo.

— Entendo — comenta Celia. — Me parece uma grande decisão, resolver se você vai fugir com o circo. Talvez ele não tenha tido tempo o bastante para considerá-la com calma.

— Mas era para ele ter vindo — insiste Poppet. — Sei que ele devia ter vindo.

— Você viu algo? — pergunta Celia.

— Mais ou menos.

— Como alguém vê algo mais ou menos?

— Não está tão claro quanto antes — explica Poppet. — Não consigo ver nada com a clareza de antes. Só aparecem vislumbres que não fazem sentido. Nada aqui faz sentido há um ano, e você sabe disso.

— Acho que está exagerando, mas entendo por que poderia parecer assim — replica Celia.

— Não é exagero — enfatiza Poppet, erguendo a voz.

Os lustres começam a chacoalhar, e Celia fecha os olhos, respirando fundo e esperando que eles voltem a oscilar gentilmente antes de falar.

— Poppet, não há ninguém aqui mais chateada pelo que aconteceu ano passado do que eu. E já disse a você que não é culpa sua e que nada poderia ter sido feito para impedir o que ocorreu. Nem por você, nem por mim, nem por mais ninguém. Entende isso?

— Sim — confirma Poppet. — Mas de que adianta ver o futuro se não posso fazer nada para mudá-lo?

— Você não pode mudar o que vai acontecer — assevera Celia. — Só pode se preparar para quando acontecer.

— Você poderia mudá-las — murmura Poppet, observando a infinitude de livros ao redor. Celia põe um dedo sob o queixo da garota e vira a cabeça dela para que ambas se encarem.

— Há pouquíssimas pessoas neste trem que fazem qualquer ideia de como eu sou essencial ao funcionamento do circo — explica. — E, por mais que vocês dois estejam entre elas e sejam ambos extremamente espertos, não compreendem o escopo do que acontece aqui e não gostariam muito se compreendessem. Agora, me conte o que você viu *mais ou menos*.

Poppet fecha os olhos e tenta se concentrar.

— Não sei — diz ela. — Estava muito brilhante, tudo estava pegando fogo, e Bailey estava lá.

— Você vai ter de ser mais clara — diz Celia.

— Não consigo — protesta Poppet. — Não vejo nada com clareza desde antes que...

— E isso é provavelmente porque não queria ver nada com clareza depois daquilo, e não posso dizer que a culpo. Mas, se você quer que eu faça algo para impedir seja lá o que for isso, vou precisar de mais informações.

Ela desprende a longa corrente de prata ao redor do pescoço, conferindo a hora no relógio de bolso pendurado na corrente antes de erguê-lo ao nível dos olhos de Poppet.

— Por favor, Poppet — pede Celia. — Você não precisa das estrelas para isso. Só se concentre. Mesmo que não queira.

Poppet franze o cenho, mas volta o olhar para o relógio prateado que oscila com suavidade na luz quente.

Seus olhos se apertam, focando-se nos reflexos na curva do relógio e, em seguida, se suavizam, observando algo além dele, além do trem.

A garota começa a cambalear quando suas pálpebras tremulam e ela cai para trás. Widget salta para segurá-la antes que atinja o chão.

Celia o ajuda a levar Poppet para um dos bancos de veludo perto da mesa, enquanto, em uma estante próxima, um pouco de chá serve a si mesmo, fumegando e preparando-se instantaneamente em uma xícara de porcelana com estampa florida.

Poppet pisca, olhando para os lustres como se os visse pela primeira vez, depois se vira para Celia a fim de aceitar o chá.

— Isso doeu — comenta ela.

— Sinto muito, querida — diz Celia. — Acho que sua visão está ficando mais forte, o que torna ainda mais difícil para você suprimi-la.

Poppet assente, esfregando as têmporas.

— Me conte tudo que viu — pede Celia. — Tudinho. Não tem problema se não fizer sentido. Tente descrever.

Poppet encara o chá antes de começar.

— Há um incêndio — conta. — Começa com a fogueira, mas... fica maior e não há nada o contendo. É como se o pátio inteiro estivesse pegando fogo, e há um barulho alto e o calor e... — Ela pausa, fechando olhos ao tentar se concentrar nas imagens em sua mente. Abre os olhos e fita Celia. — Você está lá. Está lá com outra pessoa e acho que está chovendo, e daí você não está mais, mas ainda está, não consigo explicar. E então Bailey aparece, não durante o incêndio, mas depois, acho.

— Como era a outra pessoa? — pergunta Celia.

— Era um homem. Alto. Usava um terno e um chapéu-coco, acho. Era difícil ver.

Celia segura a cabeça nas mãos por um momento antes de falar.

— Se é quem eu estou pensando, sei que ele está em Londres no momento, então talvez isso não seja tão imediato quanto você pensa.

— Mas é, tenho certeza — protesta Poppet.

— Identificar o momento nunca foi sua especialidade. Você mesma disse que esse seu amigo também está presente no incidente, e sua primeira reclamação foi que ele não está aqui. Isso pode acontecer daqui a semanas ou meses ou anos, Pet.

— Mas a gente tem de *fazer alguma coisa* — exclama Poppet, levando a xícara à mesa com força. O chá para antes de se entornar em um caderno aberto, como se estivesse cercado por uma parede invisível. — Temos de estar preparados, como você disse.

— Farei tudo que puder para evitar que o circo queime. Vou torná-lo o mais à prova de fogo possível. Isso é suficiente por ora?

Depois de um momento, Poppet assente.

— Bom — diz Celia. — Vamos desembarcar em algumas horas e podemos falar mais sobre isso depois.

— Espere — intervém Widget. Ele permaneceu sentado no encosto de um dos bancos de veludo, mantendo-se fora da conversa. Agora se vira para Celia. — Tenho uma pergunta antes de você nos expulsar.

— O que é? — Ela quer saber.

— Você disse que a gente não entende o escopo do que está acontecendo aqui — pontua.

— Provavelmente não foi a melhor escolha de palavras.

— É um jogo, não é? — pergunta Widget.

Celia olha para ele, um sorriso lento e triste repuxando seus lábios.

— Você levou dezesseis anos para compreender — diz ela. — Eu esperava mais de você, Widget.

— Faz um tempo que adivinhei — responde. — Não é fácil ver coisas que você não quer que eu saiba, mas venho captando uns indícios ultimamente. Você não está tão reservada quanto de costume.

— Um jogo? — pergunta Poppet, olhando do irmão para Celia.

— Como um jogo de xadrez — explica Widget. — O circo é o tabuleiro.

— Não exatamente — diz Celia. — Não é nada tão simples quanto xadrez.

— Estamos todos jogando? — pergunta Poppet.

— A gente, não — responde Widget. — Ela e mais alguém. Nós, os que sobram, somos, o quê, peças sobressalentes?

— Não é assim — objeta Celia.

— Então como é? — questiona Widget.

Em resposta, Celia só o encara, fitando seus olhos diretamente sem hesitar.

Widget retribui o olhar em silêncio por um tempo enquanto Poppet os observa com curiosidade. Por fim, Widget pisca, a surpresa evidente em seu rosto. Ele baixa os olhos para os sapatos.

Celia suspira, então se dirige a ambos.

— Se não fui inteiramente honesta com vocês, é só porque sei muitas coisas que vocês não querem saber. Vou pedir que confiem em mim quando lhes digo que estou tentando melhorar as coisas. É um equilíbrio muito delicado, e há uma série de fatores envolvidos. O melhor que podemos fazer agora é enfrentar tudo que acontece, e não nos preocupar com coisas que aconteceram ou que ainda vão acontecer. Combinado?

Widget assente e Poppet relutantemente o imita.

— Obrigada — agradece Celia. — Agora, por favor, voltem para seu vagão e tentem descansar.

Poppet dá um abraço nela antes de sair no corredor.

Widget se demora um momento.

— Sinto muito — diz ele.

— Não tem por que sentir — replica Celia.

— Sinto muito, mesmo assim.

Ele beija a bochecha dela antes de partir, sem esperar uma resposta.

— O que foi isso? — pergunta Poppet quando Widget se junta a ela no corredor.

— Ela deixou que eu a lesse — conta Widget. — Por inteiro, sem esconder nada. Nunca fez isso antes. — Ele se recusa a fornecer mais detalhes enquanto voltam lentamente pelo trem.

— O que acha que devemos fazer? — pergunta Poppet ao chegarem ao seu vagão, onde um gato cor de marmelada pula no colo dela.

— Acho que devemos esperar — diz Widget. — Acho que não podemos fazer mais nada agora.

———···———

Sozinha em sua cabine repleta de livros, Celia começa a rasgar o lenço em faixas. Um por um, ela joga cada retalho de seda e renda em uma xícara vazia e ateia fogo. Repete esse processo inúmeras vezes, até que o tecido queima sem chamuscar, permanecendo branco e brilhante em meio às chamas.

Perseguição

DURANTE O PERCURSO ENTRE BOSTON E NOVA YORK, 1º DE NOVEMBRO DE 1902

É uma manhã fria, o casaco cinza desbotado de Bailey não parece particularmente elegante combinado com seu novo terno cinza-carvão e ele não tem certeza se os dois tons se complementam, mas as ruas e a estação de trem estão movimentadas demais para que se preocupe com a aparência.

Há outros *rêveurs* a caminho de Nova York, mas eles acabam comprando passagens para outro trem, então há uma rodada de despedidas e a confusão de separar dezenas de malas antes que consigam embarcar.

A jornada é lenta. Bailey senta-se junto à janela e observa a paisagem mudar, distraidamente roendo as unhas.

Victor senta-se ao lado dele com um livro encadernado em couro vermelho.

— Achei que gostaria de ler algo para passar o tempo — diz ele ao estender o livro para Bailey.

Bailey abre a capa e folheia o livro — que, para sua surpresa, é um álbum de recortes meticulosamente organizado. A maioria das páginas pretas está coberta de artigos de jornais, mas também há cartas escritas à mão, cujas datas variam entre apenas alguns anos antes a mais de uma década.

— Nem tudo está em inglês — explica Victor —, mas você deve conseguir ler a maioria dos artigos, pelo menos.

— Obrigado — diz Bailey.

Victor assente e retorna ao seu lugar, do outro lado do vagão.

Enquanto o trem sacoleja adiante, Bailey se esquece completamente da paisagem. Lê e relê as palavras de *Herr* Friedrick Thiessen, achando-as tanto familiares como hipnotizantes.

— Nunca vi você se interessar tanto por um novo *rêveur*. — Ele ouve Lorena comentar com o irmão. — Especialmente não a ponto de compartilhar seus livros.

— Ele me lembra de Friedrick. — É tudo que Victor diz.

Estão quase em Nova York quando Elizabeth se senta na frente dele. Bailey marca a página no meio de um artigo comparando a interação de luz e sombra em uma tenda específica ao teatro de marionetes indonésio antes de abaixar o álbum.

— Levamos uma vida estranha, perseguindo nossos sonhos de um lugar para o outro — começa Elizabeth em voz baixa, olhando pela janela. — Nunca conheci um *rêveur* tão jovem que claramente ama tanto o circo quanto aqueles de nós que o seguem há anos. Quero que fique com isso.

Ela lhe estende o cachecol de lã vermelha que veio tricotando todo esse tempo. É mais comprido do que Bailey esperava por vê-la trabalhar, com padrões intricados em cada extremidade.

— Não posso aceitar — diz ele, profundamente lisonjeado e ao mesmo tempo desejando que as pessoas parassem de lhe dar presentes.

— Bobagem — objeta Elizabeth. — Eu os faço sempre, não faltam novelos. Comecei este sem nenhum *rêveur* específico em mente, então com certeza estava destinado a ser seu.

— Obrigado — agradece Bailey, enrolando o cachecol ao redor do pescoço, apesar do calor do trem.

— De nada — responde Elizabeth. — Devemos chegar em breve, e será só uma questão de esperar o sol se pôr.

Ela o deixa no lugar à janela. Bailey contempla o céu cinzento com uma mistura de conforto, empolgação e nervosismo que não consegue conciliar.

Ao chegar em Nova York, ele fica impressionado de imediato com a estranheza de tudo. Embora não seja tão diferente de Boston, lá era levemente familiar. Agora, sem o embalo reconfortante do trem, ele se dá conta de como está longe de casa.

Victor e Lorena parecem igualmente desconcertados, mas Elizabeth está em território familiar. Ela os conduz através de cruzamentos e os empurra a bordo de bondes até que Bailey começa a se sentir como uma de suas ovelhas. Mas não demora muito a chegarem ao destino, um ponto fora da cidade onde eles vão encontrar outro *rêveur* local chamado August, que graciosamente os convidou para se hospedarem em sua casa até que encontrem acomodações em outro lugar.

August é um sujeito simpático e robusto, e a primeira impressão de Bailey é que o homem se parece com a própria casa: uma construção meio atarracada com uma varanda na frente, calorosa e convidativa. Ele praticamente ergue Elizabeth do chão quando a cumprimenta e aperta as mãos de Bailey com tanto entusiasmo ao serem apresentados que os seus dedos ficam doloridos depois.

— Tenho boas e más notícias — anuncia August enquanto os ajuda a erguer as malas à varanda. — Qual querem ouvir primeiro?

— As boas — responde Elizabeth antes que Bailey tenha tempo para considerar o que seria preferível. — Viajamos demais para ser recebidos com más notícias logo de cara.

— A boa notícia — diz August — é que eu estava mesmo certo ao prever a localização exata em que Le Cirque se estabeleceu, a menos de dois quilômetros daqui. Vocês podem ver as tendas da ponta da varanda, se inclinando um pouco. — Ele aponta para o lado esquerdo da varanda de onde está, na escada.

Bailey corre para a extremidade, com Lorena logo atrás. Os topos das tendas listradas estão visíveis através das árvores a certa distância, pontos brancos brilhantes contra o céu cinza e as árvores marrons.

— Maravilha — diz Elizabeth, rindo ao ver Lorena e Bailey curvados sobre o parapeito. — Qual é a má notícia, então?

— Não tenho certeza se é uma má notícia, exatamente — diz August, como se não soubesse bem como explicar. — Talvez só decepcionante. Tem a ver com o circo.

Bailey desce do parapeito e se vira para a conversa, toda a exultação que sentiu momentos atrás se dissolvendo.

— Decepcionante? — pergunta Victor.

— Bem, o clima não está ideal, como tenho certeza de que repararam — diz August, gesticulando para as nuvens cinza e pesadas. — Tivemos uma tempestade e tanto ontem à noite. O circo ficou fechado, é claro, o que já foi estranho considerando que, em todo o tempo que o sigo, nunca o vi ser montado e não abrir na primeira noite devido ao clima. De todo modo, houve um tipo de, nem sei como chamar, um estrondo de algum tipo perto da meia-noite. Um som de colisão que praticamente chacoalhou a casa. Achei que alguma coisa tinha sido atingida por um raio. Havia muita fumaça em cima do circo, e um dos vizinhos jura que viu um clarão tão forte como se fosse dia. Dei uma volta perto dele esta manhã e nada parece errado, mas o aviso de fechamento continua nos portões.

— Que estranho — comenta Lorena.

Sem se pronunciar, Bailey pula sobre o parapeito da varanda e sai em disparada através das árvores. Ele corre até as tendas listradas o mais rápido possível, o cachecol vermelho esvoaçando atrás de si.

Antigos fantasmas

LONDRES, 31 DE OUTUBRO DE 1902

Está tarde e a rua está escura, apesar dos postes diante da fileira de prédios de pedra cinza. Isobel está parada perto das escadas sombreadas do edifício que ela chamou de casa por quase um ano, o que agora parece ter acontecido uma vida atrás. Ela espera do lado de fora por Marco, com um xale azul-claro ao redor dos ombros como um faixa de céu diurno na noite.

Horas se passam antes que Marco apareça na esquina. Ele aperta a maleta com mais força quando a vê.

— O que está fazendo aqui? — pergunta ele. — Deveria estar nos Estados Unidos.

— Eu deixei o circo — conta Isobel. — Fui embora. Celia disse que eu podia.

Ela tira um pedaço desbotado de papel do bolso, contendo o próprio nome, seu nome real, que Marco a convenceu a contar anos antes e pediu que escrevesse em um dos seus cadernos.

— É claro que ela disse — Marco murmura.

— Posso subir? — pergunta, enrolando a ponta do xale.

— Não — responde Marco, erguendo os olhos para as janelas. Uma luz baça e tremulante ilumina os vidros. — Por favor, só fale logo o que veio dizer.

Isobel franze o cenho. Ela olha para a rua, mas está escura e vazia; só uma brisa fria sopra e faz as folhas na sarjeta farfalharem.

— Eu queria dizer que sinto muito — admite a mulher em voz baixa. — Por não contar a você sobre a minha interferência. Sei que o que aconteceu ano passado foi parcialmente culpa minha.

— Você deveria se desculpar com Celia, não comigo.

— Já me desculpei — replica Isobel. — Eu sabia que ela estava apaixonada por alguém, mas achei que fosse por *Herr* Thiessen. Não percebi até aquela noite que era você. Mas ela também o amava, e o perdeu, e eu fui a causa.

— Não foi culpa sua. Havia muitos fatores envolvidos.

— Sempre houve muitos fatores envolvidos — pontua Isobel. — Eu não pretendia me intrometer tanto nisso. Só queria ajudar. Queria superar... *isso* e voltar para o jeito como as coisas eram antes.

— Não podemos voltar atrás — corrige-a Marco. — Muita coisa já não é como antes.

— Eu sei — concorda Isobel. — E não posso odiá-la. Tentei, mas não consigo nem antipatizar com ela. Ela me deixou continuar assim por anos, ainda que eu obviamente desconfiasse, mas sempre foi gentil comigo. E eu amava o circo. Senti que enfim tinha um lar, um lugar ao qual pertencia. Depois de um tempo, parei de sentir que precisava proteger você dela e passei a sentir que precisava proteger todos os outros de vocês dois, e vocês um do outro. Começou depois que me visitou em Paris, quando estava aborrecido por causa da Árvore dos Desejos, mas eu sabia que tinha que continuar depois que li as cartas para Celia.

— Quando foi isso? — pergunta Marco.

— Naquela noite em Praga, quando você devia ter ido me encontrar — responde Isobel. — Você nunca me deixou ler para você, nem uma única carta, antes do ano passado. Eu nunca tinha reparado. Me pergunto se eu teria deixado isso se prolongar tanto se tivesse tido a oportunidade. Levei uma eternidade para entender de verdade o que as cartas dela estavam dizendo. Eu não conseguia enxergar o que estava bem na minha frente. Desperdicei tanto tempo. Tudo isso sempre girou em torno de vocês dois, até antes de se conhecerem. Fui só uma distração.

— Você não foi uma distração — intervém Marco.

— Você chegou a me amar?

— Não — admite ele. — Pensei que talvez pudesse, mas...

Isobel assente.

— Eu achava que amava — confessa ela. — Tinha tanta certeza, mesmo que você nunca tivesse verbalizado. Eu não sabia diferenciar o que era real do que eu queria que fosse real. Achei que isso seria temporário, mesmo quando a situação continuou se arrastando. Mas não é. Nunca foi. Eu que era temporária. Eu costumava pensar que, se ela não estivesse mais aqui, você voltaria para mim.

— Sem ela, eu não seria nada — diz Marco. — Você deveria se valorizar mais e não aceitar tão pouco.

Ambos ficam em silêncio na rua vazia, o ar frio da noite caindo entre os dois.

— Boa noite, srta. Martin — despede-se Marco, subindo as escadas.

— A coisa mais difícil de ler é o tempo — diz Isobel, e Marco para e se vira para ela. — Talvez porque mude tantas coisas. Li a sorte de incontáveis pessoas sobre inúmeros assuntos e a coisa mais difícil de entender nas cartas é sempre o momento. Eu sabia disso, mas ainda me surpreendeu... quanto tempo eu estava disposta a esperar por algo que era só uma possibilidade. Sempre achei que era só uma questão de tempo, mas estava errada.

— Eu não esperava que fosse demorar tanto quanto... — começa Marco, mas Isobel o interrompe.

— Foi tudo uma questão de momento — ela diz. — Meu trem atrasou naquele dia, o dia em que vi você derrubar seu caderno. Se estivesse no horário certo, nunca teríamos nos conhecido. Talvez não estivesse destinado de fato. Era uma possibilidade, uma entre milhares, e não inevitável como certas coisas são.

— Isobel, sinto muito — diz Marco. — Sinto muito por tê-la envolvido em tudo isso. Sinto muito por não ter contado antes sobre meus sentimentos por Celia. Não sei o que mais você quer de mim que eu possa lhe dar.

Isobel assente, puxando o xale sobre os ombros.

— Eu li para outra pessoa uma semana atrás — conta. — Ele era jovem, mais jovem do que eu era quando conheci você. Alto do jeito de alguém que ainda não se acostumou a ser alto. Ele era sincero e doce. Até perguntou meu nome. E vi tudo nas cartas dele. Tudo. Foi como ler para o circo, e isso só aconteceu comigo uma vez antes, quando eu li para Celia.

— Por que está me contando isso?

— Porque pensei que ele poderia ter salvado você. Não sabia como me sentir sobre isso, ainda não sei. Estava nas cartas dele, junto de todo o restante, tão claro quanto qualquer outra coisa que já vi. Pensei então que isso ia terminar de outro jeito. Eu estava errada. Pareço errar com frequência. Talvez seja hora de encontrar outra profissão.

Marco congela, o rosto empalidecendo à luz dos postes.

— O que está dizendo? — ele pergunta.

— Estou dizendo que você tinha uma chance — diz Isobel. — Uma chance de ficar com ela. Uma chance de tudo se resolver de um jeito favorável. Eu quase queria isso para você, de verdade, apesar de tudo. Ainda quero que você seja feliz. E a possibilidade existia. — Ela dá um sorrisinho triste enquanto enfia a mão no bolso. — Mas não é o momento certo.

Ela tira a mão do bolso e abre os dedos. Na palma há um montinho de cristais pretos brilhantes, tão finos quanto cinzas.

— O que é isso? — pergunta Marco quando ela ergue a palma até os lábios.

Em resposta, Isobel sopra suavemente, e as cinzas voam em direção a ele numa nuvem preta ardente.

Quando a poeira abaixa, a maleta de Marco está abandonada na calçada aos pés dela. Isobel a leva consigo ao partir.

Consequências

NOVA YORK, 1º DE NOVEMBRO DE 1902

Embora a paisagem tenha mudado, o circo parece igual ao que ele viu em seus próprios campos, pensa Bailey quando enfim alcança a cerca, apertando a lateral do corpo e respirando pesadamente após correr por uma área com mais bosques do que campos abertos.

Mas há algo de diferente. Ele leva um momento para recuperar o fôlego ao lado dos portões, encarando uma placa que diz:

Fechado devido ao tempo inclemente

pendurada sobre a placa habitual informando o horário de funcionamento.

É o cheiro, ele percebe. Não é o cheiro de caramelo mesclado perfeitamente à fumaça de madeira de uma fogueira aconchegante. Em vez disso, é o aroma pesado de algo queimado e úmido, com um travo nauseantemente com um fundo doce.

Ele sente ânsia.

Não há som algum dentro da cerca de ferro curva. As tendas estão imóveis. Só o relógio além dos portões faz qualquer movimento, marcando com lentidão a passagem das horas vespertinas.

Bailey logo descobre que não consegue se espremer através das barras da cerca com tanta facilidade quanto fez aos dez anos. O vão é estreito demais, por mais que tente encaixar os ombros. Ele quase esperava que Poppet estivesse ali à sua espera, mas não há vivalma à vista.

A cerca é alta demais para escalar, e Bailey está considerando apenas sentar-se diante dos portões até o pôr do sol quando vê um galho curvo que não chega bem ao topo da cerca, mas perto, pendendo abaixo das lanças de ferro retorcido.

Ele poderia pular dali. Se acertar o ângulo, vai aterrissar em um caminho entre tendas. Se errar o ângulo, talvez quebre a perna, mas isso seria só um problema menor que poderia ser enfrentado e então pelo menos estaria dentro do circo.

É relativamente fácil escalar a árvore, e o ramo mais próximo do circo é largo o suficiente para sustentá-lo até chegar perto da cerca. Mas ele não consegue se equilibrar bem e, embora tente dar um salto gracioso, acaba executando algo mais próximo de uma queda planejada. Ele pousa pesadamente no chão, rolando para o lado de uma tenda e levando uma boa quantidade do pó branco no chão consigo.

Suas pernas doem, mas parecem funcionar, ainda que pareça ter machucado feio os ombros e as palmas estejam cobertas de arranhões, terra e pó. O pó sai das mãos com facilidade, mas se gruda como tinta ao casaco e às pernas da calça nova. E agora ele está sozinho no circo outra vez.

— Verdade ou desafio — murmura consigo mesmo.

Folhas secas e frágeis dançam ao redor dos seus pés, puxadas pelo vento através da cerca. Pontos de cor pálida outonal entre o preto e o branco.

Bailey não sabe bem aonde ir. Ele vaga pelos caminhos, esperando encontrar Poppet a cada curva, mas só encontra listras e espaços desertos. Enfim, segue em direção ao pátio e à fogueira.

Ao virar em uma esquina que se abre para o espaço aberto do pátio da fogueira, fica mais surpreso com o fato de que o fogo não está aceso do que ao descobrir que há de fato alguém esperando por ele.

Mas a figura em pé ao lado do caldeirão de ferro retorcido não é Poppet. Essa mulher é baixa demais, com cabelo escuro demais.

Quando ela se vira, ele vê que tem uma longa piteira nos lábios e a fumaça se enrodilha ao redor da cabeça dela como serpentes.

Ele leva um momento para reconhecer a contorcionista, uma vez que só a viu sobre uma plataforma se dobrando em formas impossíveis.

— Você é Bailey, não é? — pergunta ela.

— Sim — responde Bailey, conjecturando se todo mundo no circo sabe quem ele é.

— Está atrasado.

— Atrasado para o quê? — pergunta, confuso.

— Duvido que ela vai aguentar muito mais.

— Quem? — De repente lhe ocorre que a contorcionista pode estar se referindo ao próprio circo.

— E, é claro — continua ela —, se tivesse chegado antes, isso poderia ter se desenrolado de outro modo. O tempo é uma coisa delicada.

— Onde está Poppet?

— A srta. Penelope está indisposta no momento.

— Como ela pode não saber que estou aqui? — pergunta ele.

— Ela pode muito bem saber, mas isso não muda o fato de que está, como mencionei, indisposta no momento.

— Quem é você? — pergunta Bailey. Seu ombro está latejando e ele não consegue apontar exatamente quando tudo parou de fazer sentido.

— Você pode me chamar de Tsukiko. — Ela dá uma longa tragada no cigarro.

Além dela, o monstruoso caldeirão de ferro forjado retorcido espera vazio e imóvel. O terreno ao redor, geralmente pintado em um padrão de espirais pretas e brancas, agora não é nada exceto escuridão, como se tivesse sido engolido pelo vácuo.

— Achei que a fogueira nunca se apagasse — comenta Bailey, aproximando-se dela.

— Nunca se apagou antes.

O rapaz vai até a borda com as curvas de ferro ainda quentes e se ergue na ponta dos pés a fim de espiar no interior. O caldeirão está quase cheio de água da chuva, a superfície escura ondulando na brisa. O chão abaixo de seus pés é preto e enlameado, e, quando ele recua um passo, acidentalmente chuta um chapéu-coco.

— O que aconteceu? — pergunta Bailey.

— É um pouco difícil de explicar — responde Tsukiko. — É uma história longa e complicada.

— E você não vai me contar, vai?

Ela inclina a cabeça de leve, e Bailey pode vislumbrar o esboço de um sorriso brincando em seus lábios.

— Não, não vou.

— Ótimo — murmura Bailey baixinho.

— Notei que você aderiu ao movimento — observa Tsukiko, apontando o cigarro para o cachecol vermelho dele. Bailey não sabe como responder, mas ela continua sem esperar resposta. — Acho que você poderia chamar o que ocorreu de explosão.

— A fogueira explodiu? Como?

— Lembra que eu disse que era difícil explicar? Isso não mudou.

— Por que as tendas não queimaram? — pergunta Bailey, olhando ao redor para as listras aparentemente sem fim. Algumas das tendas mais próximas estão sujas de lama, mas nenhuma queimou apesar do terreno chamuscado que as cerca.

— Foi graças à srta. Bowen — diz Tsukiko. — Suspeito que, sem essa precaução, os danos teriam sido mais extensos.

— Quem é a srta. Bowen?

— Você faz muitas perguntas — responde Tsukiko.

— Você não responde a muitas delas — retruca Bailey.

O sorriso se abre por completo agora, curvando-se de um jeito que Bailey acha quase perturbadoramente simpático.

— Sou só uma emissária — diz Tsukiko. — Estou aqui para escoltá-lo a uma reunião, em que você vai discutir tais questões, suponho, porque no momento sou a única pessoa viva que faz qualquer ideia do que aconteceu e do motivo de você estar aqui. É melhor guardar suas perguntas para outra pessoa.

— E quem seria ela? — pergunta Bailey.

— Você verá. Venha comigo.

Ela gesticula para que ele a siga, levando-o ao redor da fogueira até o outro lado do pátio. Ambos caminham um trecho curto por uma passagem adjacente, camadas de lama grudando-se nos sapatos de Bailey que já foram lustrosos.

— Cá estamos. — Tsukiko para na entrada de uma tenda, e Bailey se aproxima para ler a placa, sabendo de qual se trata assim que lê as palavras.

Feras temíveis e criaturas estranhas
Maravilhas de papel e névoa

— Você vem comigo? — pergunta Bailey.

— Não — responde. — Só uma emissária, lembra? Estarei no pátio, se precisar de mim.

Com isso, ela dá um aceno educado e volta pelo caminho pelo qual vieram, e, enquanto Bailey a vê partir, repara que a lama não gruda nas botas de Tsukiko.

Depois que ela desaparece numa curva, Bailey entra na tenda.

Incendiário

NOVA YORK, 31 DE OUTUBRO DE 1902

As costas de Marco batem no chão como se ele tivesse sido empurrado com força, fazendo-o tossir tanto pelo impacto como pela nuvem de cinzas pretas que o cerca.

Uma garoa leve cai enquanto ele se ergue com um empurrão e, à medida que o ar ao seu redor fica claro, ele vê uma fileira de arvorezinhas e estrelas, cercada por engrenagens prateadas e peças de xadrez brancas e pretas.

Leva um momento para entender que está parado ao lado do relógio *Wunschtraum*.

O relógio está girando rumo à meia-noite, o malabarista arlequim no topo equilibrando onze bolas entre as estrelas cintilantes e as peças em movimento.

A placa anunciando o fechamento do circo devido ao tempo inclemente chacoalha ao vento, ainda que, no instante, a chuva não seja muito mais do que uma névoa densa.

Marco limpa o pó cintilante do rosto, que se reverteu à sua aparência verdadeira e ele está desorientado demais para mudar. Tenta examinar melhor as cinzas escuras no terno, mas já estão desaparecendo.

A cortina listrada além da bilheteria está aberta e, através da névoa, Marco consegue vislumbrar uma figura parada nas sombras, iluminadas pela fagulha de luz nítida de um isqueiro.

— *Bonsoir* — cumprimenta Tsukiko alegremente quando ele se aproxima, guardando o isqueiro de volta no bolso e equilibrando o cigarro na longa piteira prateada. Uma lufada de vento uiva pelo espaço, chacoalhando os portões do circo.

— Como... como ela fez isso? — pergunta Marco.

— Isobel, você diz? — responde Tsukiko. — Ensinei esse truque específico para ela. Não sei se ela entendeu as nuances, mas parece que se virou bem o bastante. Está atordoado?

— Estou bem — afirma Marco, embora as costas estejam doloridas por causa da queda e os olhos ainda estejam ardendo. Ele observa Tsukiko com curiosidade. Nunca conversou muito com a contorcionista, e a presença dela é quase tão enigmática quanto o fato de que, momentos antes, ele estava em um lugar completamente diferente.

— Venha, saia do vento pelo menos. — Tsukiko faz um gesto, com a mão que não segura o cigarro, para que ele siga pelo túnel acortinado. — Este rosto é melhor que o outro — comenta a mulher, examinando a aparência dele através de névoa e fumaça. — Combina com você. — Ela solta a cortina depois que ele passa, deixando-os mergulhados na escuridão pontilhada por luzes fracas, a extremidade brilhante do seu cigarro sendo a única cor entre os pontos brancos.

— Onde está todo mundo? — pergunta Marco, sacudindo o chapéu-coco para tirar a água da chuva.

— Festa do tempo inclemente — explica Tsukiko. — Tradicionalmente realizada na tenda dos acrobatas, dado que é a maior de todas. Mas você não saberia disso porque não é realmente um membro da trupe, é?

Ele não consegue distinguir a expressão dela bem o suficiente para lê-la, mas consegue sentir que Tsukiko está sorrindo largamente.

— Não, suponho que não — responde. Segue-a pelo túnel labiríntico, avançando para o interior do circo. — Por que estou aqui?

— Chegaremos nisso no devido tempo — pontua. — Quanto Isobel contou a você?

A conversa com Isobel do lado de fora do prédio está quase perdida na memória de Marco, apesar de ter acontecido meros momentos antes. Ele se lembra de algumas partes, mas nada coerente o bastante para articular.

— Não importa — determina Tsukiko quando ele não responde de imediato. — Às vezes é difícil se recobrar de uma travessia assim. Ela contou a você que temos algo em comum?

Marco lembra que Isobel mencionou Celia e mais alguém, mas não exatamente quem.

— Não.

— Somos ambos alunos do mesmo instrutor — revela Tsukiko. A ponta do cigarro brilha mais forte quando ela inala na escuridão. — É só uma cobertura temporária, infelizmente — acrescenta ao alcançarem outra cortina. Ela a abre, e o espaço é inundado pela luz intensa do pátio. Gesticula para Marco sair na chuva, tragando o cigarro enquanto ele obedientemente atravessa a cortina aberta, tentando compreender a última declaração.

As luzes que adornam as tendas estão apagadas, mas no centro do pátio a fogueira queima com força, branca e brilhante. A chuva leve que cai ao seu redor cintila.

— É um lindo trabalho — elogia Tsukiko, acompanhando-o até o pátio. — Isso tenho que admitir.

— Você é ex-aluna de Alexander? — pergunta Marco, sem saber se entendeu de fato.

Tsukiko assente.

— Cansei de escrever coisas em livros, então comecei a gravá-las no meu corpo. Não gosto de sujar as mãos — conta, indicando os dedos dele, manchados de tinta. — Fiquei surpresa por ele ter aceitado um palco tão aberto para o desafio. Ele sempre preferiu a privacidade. Suspeito que não está feliz com o modo como as contingências progrediram.

Conforme a escuta falar, Marco repara que a contorcionista está seca. Cada gota de chuva que cai nela evapora no mesmo instante, chiando e transformando-se em vapor assim que a toca.

— Você ganhou o último jogo — conclui ele.

— Sobrevivi ao último jogo — corrige ela.

— Quando? — pergunta Marco ao caminharem em direção à fogueira.

— Ele acabou oitenta e três anos, seis meses e vinte e um dias atrás. Era um dia que as cerejeiras floriam.

Tsukiko dá uma longa tragada no cigarro antes de continuar.

— Nossos instrutores não entendem como é — explica ela. — Estar conectado a uma pessoa de tal forma. Estão velhos demais, desconectados demais das próprias emoções. Não se lembram mais como é viver e respirar dentro do mundo. Acham que é simples jogar duas pessoas quaisquer uma contra a outra. Nunca é simples. A outra pessoa se torna como você define sua vida, como define a si mesmo. Ela se torna tão necessária quanto o ar. E então esperam que o vencedor siga em frente sem isso. Seria como separar os gêmeos Murray e esperar que eles continuem os mesmos. Eles estariam inteiros, mas não completos. Você a ama, não ama?

— Mais do que tudo no mundo.

Tsukiko assente, pensativa.

— O nome da minha oponente era Hinata — conta. — A pele dela cheirava a gengibre e creme. Eu a amava mais que tudo no mundo também. Naquele dia de floração das cerejeiras, ela ateou fogo a si mesma. Acendeu uma coluna de chamas e entrou nela como se fosse água.

— Sinto muito — diz Marco.

— Obrigada — responde Tsukiko, com uma sombra do sorriso geralmente radiante. — É isso que a srta. Bowen pretende fazer por você. Para deixá-lo ganhar.

— Eu sei.

— Eu não desejaria essa dor a ninguém... a dor de ser o vencedor. Hinata teria adorado isso — comenta assim que chegam à fogueira, observando as chamas dançarem na chuva, que fica mais forte. — Ela gostava muito do fogo. A água sempre foi o meu elemento. Antes.

Ela estende a mão e observa as gotas de chuva se recusarem a atingir sua pele.

— Você conhece a história do feiticeiro na árvore? — pergunta a contorcionista.

— A história de Merlin? — indaga Marco. — Conheço várias versões.

— Há muitas — concorda Tsukiko com um aceno. — Velhas histórias costumam ser contadas, recontadas e alteradas. Cada contador subsequente coloca a sua marca nela. Qualquer verdade que a história pudesse conter fica enterrada sob diferentes vieses e embelezamentos. Os motivos não importam tanto quanto a história em si. — A chuva continua a aumentar, caindo pesadamente enquanto ela prossegue. — Às vezes é uma caverna, mas gosto da versão da árvore. Talvez uma árvore seja mais romântica.

Ela tira o cigarro ainda aceso da piteira e o equilibra de modo gentil entre os dedos graciosos.

— Embora haja uma série de árvores aqui que possam servir a esse propósito — diz —, pensei que isso poderia ser mais apropriado.

Marco volta sua atenção à fogueira, que ilumina a chuva que cai de tal forma que as gotas reluzem como neve.

Todas as versões da história de Merlin que ele conhece terminam com o mágico aprisionado — em uma árvore, caverna ou rocha.

Sempre como punição, a consequência de um amor insensato.

Ele olha para Tsukiko.

— Você entende — comenta antes que ele possa falar.

Marco assente.

— Eu sabia que entenderia — ela diz. A luz das chamas brancas ilumina seu sorriso através da chuva.

— O que está fazendo, Tsukiko? — pergunta uma voz de trás dela. Quando Tsukiko se vira, Marco consegue ver Celia parada nas margens do pátio. Seu vestido cinza como o luar está encharcado e opaco, os laços entrelaçados arrastando-se atrás de si como rastros pretos, brancos e cor de carvão, emaranhando-se com seu cabelo ao vento.

— Volte para a festa, querida — sugere Tsukiko, guardando a piteira prateada no bolso. — Você não vai querer estar aqui para isso.

— Para o quê? — pergunta Celia, encarando Marco.

Quando Tsukiko fala, ela se dirige a ambos.

— Estive cercada pelas cartas de amor que vocês dois construíram um ao outro por anos, contidas em tendas. Elas me lembram de como era estar com ela. É maravilhoso e terrível. Ainda não estou preparada para desistir disso, mas vocês estão deixando esse lugar esvanecer.

— Você me disse que o amor era fugaz e volúvel — comenta Celia, confusa.

— Eu menti — responde Tsukiko, rolando o cigarro entre os dedos. — Achei que seria mais fácil se você desconfiasse dele. E lhe dei um ano para descobrir um jeito de permitir que o circo continuasse sem você. Você não descobriu. Então vou intervir.

— Eu estou tent… — começa Celia, mas Tsukiko a interrompe.

— Você vem deixando de considerar um fato essencial — afirma. — Você carrega o circo dentro de si. Ele usa o fogo como ferramenta. Você representa uma perda maior, mas é egoísta demais para admitir. Acredita que não poderia viver com a dor. Mas com uma dor como essa não se vive, apenas a suportamos. Sinto muito.

— Kiko, por favor — pede Celia. — Preciso de mais tempo.

Tsukiko balança a cabeça.

— Já falei — observa —, o tempo não é algo que eu possa controlar.

Marco não tirou os olhos de Celia desde que ela apareceu no pátio, mas agora lhe dá as costas.

— Vá em frente. — Ele se dirige a Tsukiko, gritando mais alto do que o ruído cada vez maior da chuva. — Faça o que for preciso! Prefiro queimar ao lado de Celia do que viver sem ela.

O que poderia ser um simples apelo de "Não" é distorcido pelo vento e se torna algo maior quando Celia grita. A agonia na voz perfura Marco como todas as lâminas da coleção de Chandresh juntas, mas ele mantém o foco na contorcionista.

— Isso vai concluir o jogo, não vai? — pergunta ele. — Vai terminar mesmo se eu estiver preso no fogo e não estiver morto.

— Você não vai poder continuar — diz Tsukiko. — Isso é tudo que importa.

— Então vá em frente — consente Marco.

Tsukiko sorri para ele. Junta as palmas, e fios de fumaça do seu cigarro sobem sobre os dedos.

Ela faz uma mesura baixa e respeitosa.

Nenhum deles vê Celia correr em sua direção sob a chuva.

Tsukiko joga o cigarro aceso no fogo.

Ele ainda está no ar quando Marco grita a Celia que pare.

Mal tocou as chamas brancas tremeluzentes da fogueira quando ela pula nos braços dele.

Marco sabe que não tem tempo de empurrá-la, então a puxa para perto, enterrando o rosto no cabelo dela, sentindo o chapéu-coco ser arrancado da cabeça pelo vento.

Então, a dor começa. Uma dor afiada e dilacerante como se ele estivesse sendo destroçado.

— Confie em mim — Celia sussurra em seu ouvido, e ele para de resistir e esquece tudo, exceto ela.

No momento antes da explosão, antes que a luz branca se torne ofuscante demais para se discernir o que está acontecendo, ambos se dissolvem no ar. Em um momento estão lá, o vestido de Celia esvoaçando ao vento e à chuva, as mãos de Marco apertando as costas dela, e no seguinte são apenas um borrão de luz e sombra.

Os dois sumiram e o circo está em chamas, o fogo lambendo as tendas e erguendo-se alto na chuva.

Sozinha no pátio, Tsukiko suspira. As chamas passam sem tocá-la, revolvendo-se num vórtice. Iluminando-a com um clarão impossível.

Então, tão depressa quanto surgiram, elas diminuem até sumir.

A gaiola retorcida que abrigava a fogueira está vazia, sem sequer as brasas ardendo baixo. A chuva tamborila em um eco contra o metal, as gotas evaporam onde o ferro permanece quente.

Tsukiko tira outro cigarro do casaco, abrindo o isqueiro com um gesto preguiçoso e experiente.

A centelha se acende com facilidade, apesar da chuva.

Ela assiste ao caldeirão se encher de água conforme espera.

Transmutação

NOVA YORK, 1º DE NOVEMBRO DE 1902

Se Celia pudesse abrir a boca, gritaria.

Mas há coisas demais para controlar, entre o calor e a chuva e Marco em seus braços.

Ela se concentra apenas nele, puxando consigo tudo do cerne dele conforme se despedaça. Aferra-se à lembrança de cada toque da pele de Marco contra a sua, cada momento passado com ele. Carrega-o junto a si.

De repente, não há mais nada. Nem chuva. Nem fogo. Apenas uma imensidão branca, calma e vazia.

Em algum lugar em meio ao nada, um relógio começa a bater a meia-noite.

Pare, ela pensa.

O relógio continua a bater, mas ela sente a imobilidade cair.

Quebrar é a parte fácil, Celia percebe.

Juntar as partes é o difícil.

É como sarar os dedos cortados quando criança, mas levado ao extremo.

Há tantos elementos para equilibrar à medida que tenta encontrar as margens novamente.

Seria tão simples soltar tudo.

Seria tão mais fácil soltar tudo.

Tão menos doloroso.

Ela resiste à tentação, resiste à dor e ao caos. Luta por controle consigo mesma e com seu entorno.

Escolhe um local para se concentrar, o lugar mais familiar em que consegue pensar.

E, com lentidão, uma lentidão agonizante, reúne as suas partes em segurança.

Até que está em pé, na própria tenda, no centro de um círculo de cadeiras vazias.

Sente-se mais leve. Diluída. Levemente atordoada.

Mas ela não é um eco do seu eu anterior. Está inteira de novo, respirando. Consegue sentir o coração batendo, num ritmo acelerado, mas constante. Até o vestido está parecido, espalhando-se ao redor e não mais molhado de chuva.

Ela gira em um círculo e ele se infla.

A tontura começa a passar assim que se recompõe, ainda maravilhada com a façanha.

Então nota que tudo na tenda ao seu redor é transparente. As cadeiras, as luzes acima da sua cabeça, até as listras nas paredes parecem insubstanciais.

E ela está sozinha.

—•••—

Para Marco, o momento da explosão dura muito mais.

O calor e a luz se estendem infinitamente conforme se agarra a Celia em meio à dor.

Então ela desaparece.

Não resta nada. Nem fogo. Nem chuva. Nem o chão sob seus pés.

Sua visão começa a passar continuamente da sombra para a luz, a escuridão substituída por uma brancura vasta e em seguida consumida de novo pela escuridão. Sem se assentar jamais.

—•••—

O circo muda ao redor de Celia, tão fluido quanto uma das ilusões de Marco.

Ela visualiza a parte ali dentro em que gostaria de estar e então se encontra lá. Não consegue nem determinar se está se movendo ou manipulando o circo ao seu redor.

O Jardim de Gelo está silencioso e imóvel, sem nada além de uma brancura fria e brilhante em todas as direções.

Só uma fração da Sala dos Espelhos reflete seu próprio rosto, e alguns dos espelhos mostram apenas um borrão cintilante do vestido cinza-claro ou o movimento dos laços esvoaçantes flutuando atrás de si.

Tem a impressão de captar vislumbres de Marco nos espelhos, a bainha do paletó ou um lampejo brilhante do colarinho branco, mas não consegue ter certeza.

Muitos espelhos estão vazios em suas molduras ornamentadas.

A névoa no Zoológico lentamente se dissipa quando a tenda é vasculhada, mas não encontra nada ali exceto papel.

O Poço de Lágrimas sequer ondula, a superfície calma e lisa, e ela não consegue apanhar uma pedra para jogar ali. Não consegue acender uma vela na Árvore dos Desejos, embora os desejos que pendem dos galhos continuem queimando.

Atravessa uma sala após a outra no Labirinto. Salas que ela criou levam àquelas que ele criou e então de volta a uma sala dela.

Consegue senti-lo. Tão próximo que espera vê-lo a cada curva, atrás de cada porta.

Mas só encontra penas flutuando lentamente e cartas de baralho tremulantes. Estátuas prateadas com olhos que nada veem. Pisos pintados como tabuleiros de xadrez com quadrados vazios.

Há traços dele em todo canto, mas nada em que ela possa se focar. Nada em que possa se agarrar.

O corredor ladeado por portas desparelhadas e coberto de neve traz vestígios que poderiam ser pegadas — ou poderiam ser sombras.

E Celia não sabe dizer aonde elas levam.

—··—

Marco arqueja quando o ar preenche seus pulmões, como se estivesse submerso sem sabê-lo.

E o primeiro pensamento coerente é que não esperava que ficar preso em uma fogueira seria tão gelado.

O ar frio é cortante e ardente, e ele só vê branco em todas as direções.

À medida que os olhos se adaptam, consegue discernir a sombra de uma árvore. Os galhos de um salgueiro branco enregelado caem como uma cascata ao redor.

Ele dá um passo à frente, e o chão é estranhamente macio sob seus pés.

Para no meio do Jardim de Gelo.

A fonte no centro cessou o movimento; a água normalmente borbulhante está calma e imóvel.

E a brancura torna o efeito difícil de ver, mas o jardim inteiro está transparente.

Ele contempla as mãos. Estão tremendo de leve, mas parecem sólidas. O terno continua escuro e opaco.

Marco ergue a mão para uma rosa próxima e os dedos atravessam as pétalas com uma resistência suave, como se fossem feitas de água em vez de gelo.

Está olhando para a rosa ao ouvir um arquejo atrás de si.

—·—

Celia leva as mãos à boca, sem acreditar inteiramente em seus olhos. Ela imaginou tantas vezes, sozinha, naquela vastidão de flores gélidas, ver Marco parado no Jardim de Gelo, que agora a imagem não parece real, apesar de o terno escuro contrastar com o caramanchão de rosas pálidas.

Então Marco se vira e a fita. Assim que encontra os seus olhos, todas as dúvidas se dissolvem.

Por um momento, ele parece tão jovem que ela pode ver o garoto que costumava ser, anos antes de o conhecer, quando eles já estavam conectados, mas tão distantes.

Há tantas coisas que ela deseja dizer, coisas que temeu nunca ter a oportunidade de lhe contar novamente. Só uma parece importante de verdade.

— Eu te amo — diz ela.

As palavras ecoam pela tenda, fazendo as folhas congeladas farfalharem com suavidade.

—···—

Marco só a encara enquanto ela se aproxima, pensando se tratar de um sonho.

— Achei que tinha perdido você — fala ela quando o alcança, a voz um sussurro trêmulo.

Ela parece tão sólida quanto ele, e não transparente como o jardim. Parece forte e vibrante contra o fundo branco, com um rubor intenso nas faces e os olhos escuros transbordando de lágrimas.

Marco leva a mão ao rosto de Celia, temendo ver seus dedos a atravessarem com a mesma facilidade com que atravessaram a rosa.

O alívio quando a sente firme e cálida e viva é arrebatador.

Ele a puxa para os braços, lágrimas caindo no cabelo dela.

— Eu te amo — repete ele ao recuperar a voz.

—···—

Os dois ficam abraçados, nenhum disposto a largar o outro.

— Eu não podia permitir que você fizesse isso — diz Celia. — Não consegui deixá-lo partir.

— O que você fez? — Ele ainda não tem certeza se entendeu o que aconteceu.

— Usei o circo como uma pedra de toque — explica. — Não sabia se ia funcionar, mas não podia deixá-lo partir e tive que tentar. Tentei levá-lo comigo, mas não conseguia te encontrar e achei que tivesse o perdido.

— Estou aqui — enfatiza Marco, afagando o cabelo dela. — Estou aqui.

Ser tirado do mundo e restabelecido em um local confinado não é como ele esperava. Ele não se sente confinado, apenas separado, como se ambos estivessem sobrepostos ao circo em vez de contidos ali dentro.

Ele analisa as árvores ao redor, os galhos compridos e enregelados do salgueiro pendendo e as topiarias que margeiam o caminho próximo como fantasmas.

Só então repara que o jardim está derretendo.

— A fogueira se apagou — observa Marco. Ele consegue sentir o vazio agora. Consegue sentir o circo ao redor, como névoa agarrando-se a ele, como se pudesse estender a mão e tocar a cerca de ferro apesar da distância. Perceber a cerca e sua distância em todas as direções, onde cada tenda se encontra, até o pátio escuro e Tsukiko em pé nele, quase não requer esforço. Consegue sentir todo o lugar com tanta facilidade quanto sente a camisa contra a pele.

E a única coisa ardendo dentro do circo é Celia.

Mas é um brilho tremeluzente, tão frágil quanto a chama de uma vela.

— Você está mantendo o circo inteiro — afirma o jovem.

Celia assente. Só agora está começando a pesar, mas é muito mais difícil de sustentar sem a fogueira. Ela não consegue se concentrar o suficiente para manter os detalhes intactos. Alguns elementos já lhe escapam pelos dedos, pingando como as flores ao seu redor.

E ela sabe que, se ele quebrar, não conseguirá juntar as partes outra vez.

Está tremendo e, embora fique mais firme quando Marco a abraça com mais força, continua frágil em seus braços.

— Solte, Celia.

— Não posso. Se eu soltar, ele vai desmoronar.

— O que acontece conosco se ele desmoronar? — pergunta Marco.

— Não sei — responde ela. — Eu o suspendi. Ele não pode ser autossuficiente sem nós. Precisa de um guardião.

Suspenso

NOVA YORK, 1º DE NOVEMBRO DE 1902

Na última vez em que Bailey entrou nesta tenda específica, Poppet o acompanhava e o lugar estava preenchido por uma névoa branca espessa.

Naquele momento — e Bailey tem dificuldade em crer que foi meros dias antes — a tenda parecia infinita. Mas agora, sem a névoa encobrindo-a, consegue ver as paredes brancas e todas as criaturas que ela contém, exceto que nenhuma delas está se movendo.

Aves, morcegos e borboletas pendem no espaço como se segurados por cordas, completamente imóveis. Não há o farfalhar de asas de papel. Nenhum tipo de movimento.

Outras criaturas estão no chão perto dos seus pés, incluindo um gato preto prestes a saltar perto de uma raposa branca com focinho prateado. Há animais maiores também. Uma zebra com listras perfeitamente contrastantes. Um leão recostado com uma juba nevada. Um cervo branco com galhadas altas.

Ao lado do cervo há um homem de terno escuro.

Ele é quase transparente, como um fantasma ou um reflexo no espelho. Partes do terno são meras sombras. Bailey consegue enxergar o cervo com clareza através da manga do paletó.

Ele está questionando se a visão é ou não fruto de sua imaginação quando o homem o encara com olhos surpreendentemente vivos, embora Bailey não consiga identificar a cor deles.

— Pedi a ela para não mandar você por aqui — declara ele. — Embora seja o caminho mais direto.

— Quem é você? — pergunta Bailey.

— Meu nome é Marco — replica o homem. — E você deve ser Bailey.

O garoto assente.

— Preferia que você não fosse tão jovem assim — pontua Marco. Algo na voz parece profundamente triste, mas Bailey ainda está distraído pelo aspecto fantasmagórico do homem.

— Você está morto? — Bailey quer saber, aproximando-se. Com a mudança de ângulo, Marco parece quase sólido em um momento e transparente no outro.

— Não exatamente — responde Marco.

— Tsukiko disse que ela era a única pessoa viva aqui que sabia o que aconteceu.

— Suspeito que a srta. Tsukiko nem sempre fala toda a verdade.

— Você parece um fantasma — comenta Bailey, sem conseguir pensar num jeito melhor de descrevê-lo.

— Você também parece assim para mim, então qual de nós é real?

Bailey não tem ideia de como responder à pergunta, então faz a primeira que lhe vem à mente.

— Aquele chapéu-coco no pátio é seu?

Para sua surpresa, Marco sorri.

— É, sim. Eu o perdi antes de tudo acontecer, então ficou para trás.

— O que aconteceu?

Marco faz uma pausa.

— É uma história um tanto longa.

— Foi o que Tsukiko disse — responde Bailey. Ele pondera se seria melhor encontrar Widget para que ele conte a história direito.

— Ela falou a verdade quanto a isso, então — declara Marco. — Tsukiko pretendia me aprisionar na fogueira, por motivos que consistem numa história maior do que temos tempo de contar agora, e houve uma mudança de planos que resultou na situação atual. Fui desintegrado e reconstruído em um estado menos concentrado.

Marco estende a mão e Bailey tenta pegá-la. Seus dedos o atravessam, mas há uma leve resistência, a impressão de que há algo ocupando o espaço, mesmo que não seja completamente sólido.

— Não é um truque ou ilusão — esclarece Marco.

Bailey franze o cenho, pensativo, mas após um momento assente. Poppet havia mencionado que nada é impossível, e ele se vê começando a concordar.

— Não estou interagindo com o entorno tão diretamente quanto você — continua Marco. — Você e tudo aqui parecem igualmente insubstanciais da minha perspectiva. Talvez possamos discutir a questão com mais detalhes em outro momento. Venha comigo. — Ele se vira e começa a se dirigir aos fundos da tenda.

Bailey o segue, tomando uma rota sinuosa ao redor dos animais. É difícil encontrar lugares onde pisar, embora Marco deslize à frente com muito menos dificuldade.

Ele perde o equilíbrio ao contornar um urso-polar deitado. O ombro bate num corvo que pende no ar, e o pássaro cai ao chão, com as asas tortas e quebradas.

Antes que Bailey possa dizer alguma coisa, Marco se abaixa e ergue o corvo, girando-o nas mãos. Afasta as asas quebradas e enfia a mão dentro do corvo, girando algo até se ouvir um clique. O corvo vira a cabeça e solta um crocito afiado e metálico.

— Como consegue tocá-los? — pergunta Bailey.

— Ainda estou entendendo a logística de interagir com coisas físicas — explana Marco, alisando as asas do corvo e deixando-o descer mancando pelo seu braço. O animal bate as asas de papel, mas não consegue voar. — Provavelmente tem algo a ver com o fato de que eu os criei. Elementos do circo que ajudei a criar parecem ser mais tangíveis.

O corvo sai dando pulinhos sobre uma pilha enorme de escamas de papel com uma cauda, que parece já ter sido um dragão.

— Eles são incríveis — elogia Bailey.

— São papel e engrenagens envoltos em feitiços bastante simples. Você poderia fazer o mesmo com um pouco de estudo.

Nunca ocorreu a Bailey que ele poderia executar tais feitos, mas a declaração é tão simples e direta que parece estranhamente possível.

— Aonde estamos indo? — indaga Bailey ao se aproximarem dos fundos da tenda.

— Há alguém que gostaria de falar com você. Ela está esperando junto à Árvore dos Desejos; parece ser o lugar mais estável.

— Acho que nunca vi a Árvore dos Desejos — comenta Bailey, tomando cuidado com cada passo até chegarem ao outro lado.

— Não é uma tenda em que alguém tropeça por acaso — revela Marco. — Ela é encontrada quando é necessária. É uma das minhas preferidas. Você pega uma vela de uma caixa na entrada e a acende a partir de outra que já queima na árvore. O seu desejo é aceso pelo desejo de outra pessoa. — Eles chegaram à parede da tenda e Marco aponta para um rasgo no tecido, uma fileira quase indistinguível de laços que fazem Bailey se lembrar da entrada da tenda de Widget, com todas as garrafas estranhas. — Se sair por aqui, vai ver a entrada da tenda dos acrobatas logo à frente. Estarei atrás, mas talvez não consiga me ver até estarmos dentro de novo. Tome... tome cuidado.

Bailey desfaz os laços e sai com cautela, encontrando-se em um caminho sinuoso entre outras tendas. O céu acima está cinzento, mas claro, apesar da garoa que começa a cair.

A tenda dos acrobatas assoma mais alta do que aquelas que a cercam, e a placa que diz EM DESAFIO À GRAVIDADE balança sobre a entrada a poucos passos dele.

Bailey esteve nessa tenda várias vezes e conhece bem o piso amplo sobre o qual os artistas ficam pendurados.

Mas, quando atravessa a entrada, não encontra o espaço aberto que esperava.

Ele entra numa festa. Uma celebração que foi congelada e está suspensa, da mesma forma que os pássaros de papel estavam parados no ar.

Há dezenas de artistas no recinto, banhados com a luz de lâmpadas redondas que pendem do alto entre cordas, cadeiras e gaiolas redondas. Alguns estão parados em grupos e pares, outros sentados em almofadas, caixas e cadeiras que acrescentam lampejos de cor ao grupo predominantemente branco e preto.

Cada figura está perfeitamente imóvel. Tão imóvel que parecem nem respirar. Como estátuas.

Uma perto de Bailey tem uma flauta nos lábios, o instrumento silencioso em seus dedos.

Outra serve uma garrafa de vinho, e o líquido paira acima da taça.

— Devíamos ter dado a volta — conclui Marco, aparecendo como uma sombra ao seu lado. — Estou de olho neles há horas e não ficaram menos perturbadores.

— O que aconteceu com eles? — pergunta Bailey.

— Nada, até onde sei — diz Marco. — Todo o circo foi suspenso para nos dar mais tempo, então… — Ele ergue uma mão e gesticula para a festa.

— Tsukiko é parte do circo e não está assim — pontua Bailey, confuso.

— Acredito que ela joga com as próprias regras. Por aqui — acrescenta ele, movendo-se entre as figuras.

Abrir caminho entre a festa se mostra mais difícil do que contornar os animais de papel, e Bailey dá cada passo com extremo cuidado, com medo do que poderia acontecer se por acidente trombasse com alguém do jeito que bateu no corvo.

— Estamos quase lá — relata Marco assim que contornam uma aglomeração de pessoas reunidas em um círculo incompleto.

Mas Bailey para, encarando a figura que o grupo está olhando.

Widget usa a fantasia do circo, mas a jaqueta de retalhos foi descartada e o colete está aberto sobre a camisa preta. Os braços estão levantados e gesticulam de um jeito tão familiar que Bailey tem certeza de que ele parou no meio de uma história.

Poppet está ao lado do irmão. A cabeça está virada para o pátio, como se algo a tivesse distraído da história do irmão no exato momento que a festa foi congelada. O cabelo escorre às costas, as ondas ruivas flutuando no ar como se suspensas na água.

O rapaz dá a volta para examiná-la, estendendo uma mão hesitante para tocar o cabelo. Ele ondula sob seus dedos lentamente antes de congelar-se outra vez.

— Ela consegue me ver? — Os olhos de Poppet ainda estão brilhando. Ele espera que ela pisque a qualquer momento, mas ela não o faz.

— Não sei — replica Marco. — Talvez, mas…

Antes que possa concluir o pensamento, uma das cadeiras pendendo acima deles cai assim que seus nós se desfazem. Ela quase atinge Widget ao desabar no chão, estilhaçando-se.

— Que diabos — comenta Marco enquanto Bailey dá um salto, quase colidindo com Poppet e fazendo o cabelo dela ondular de novo.

— Por aqui — indica o homem, apontando o lado da tenda que ainda está a certa distância. E desaparece.

Bailey olha para Poppet e Widget. O cabelo dela se assenta outra vez, imóvel. Fragmentos da cadeira caída cobrem as botas de Widget.

Virando-se, o rapaz se move com cuidado ao redor de figuras imóveis para alcançar a margem da tenda. Lança olhares preocupados para as outras cadeiras e as gaiolas de ferro redondas suspensas apenas por fitas se desfiando.

Os dedos tremem enquanto desfaz os laços na parede.

Assim que a atravessa, sente que entrou num sonho.

Dentro da tenda adjacente, há uma árvore gigantesca. Tão grande quanto o seu velho carvalho, crescendo a partir do chão. Os galhos são nus e pretos, mas estão cobertos com velas brancas que derretem e camadas translúcidas de cera que secam sobre o tronco da árvore.

Só uma fração das velas queima, mas a visão não é menos reluzente enquanto chamas iluminam os galhos pretos e retorcidos, projetando sombras dançantes sobre as paredes listradas.

Embaixo da árvore, Marco abraça uma mulher que Bailey reconhece de imediato como a ilusionista.

Ela parece tão transparente quanto Marco. O vestido parece névoa à luz das velas.

— Olá, Bailey — cumprimenta ela ao se aproximarem. A voz ecoa ao redor do garoto, suavemente, tão próxima como se ela estivesse parada logo ao lado e sussurrasse em seu ouvido. — Gostei do cachecol — acrescenta, já que o rapaz não responde de imediato. As palavras nos ouvidos dele são calorosas e estranhamente reconfortantes. — Eu sou Celia. Acho que nunca fomos devidamente apresentados.

— É um prazer — replica Bailey.

Celia sorri e Bailey fica impressionado ao notar como ela é diferente fora das apresentações, mesmo sem contar o fato de que ele pode olhar através dela e enxergar os galhos escuros da árvore.

— Como você sabia que eu viria? — pergunta ele.

— Poppet o mencionou como parte de uma sequência de eventos que ocorreu mais cedo, então eu esperava que você chegasse em determinado momento.

À menção de Poppet, Bailey espia sobre o ombro rumo à parede da tenda. A festa suspensa parece muito distante, embora esteja logo além da lona listrada.

— Precisamos de sua ajuda com algo — continua Celia quando ele se vira de novo. — Precisamos que assuma o circo.

— O quê? — Bailey não sabe bem o que esperava, mas não era isso.

— No momento, o circo precisa de um novo guardião — explica Marco. — Ele está à deriva, como um navio sem âncora. Precisa de alguém que o ancore.

— E esse alguém seria eu?

— Gostaríamos que fosse, sim — responde Celia. — Se você estiver disposto a assumir o compromisso. Devemos conseguir auxiliá-lo, e Poppet e Widget devem ajudar também, mas a responsabilidade maior será sua.

— Mas eu não sou… especial — informa Bailey. — Não como eles são. Não sou ninguém importante.

— Eu sei — declara Celia. — Você não está destinado a isso nem foi escolhido. Gostaria de afirmar que, se fosse, isso seria mais fácil, mas não é verdade. Você está no lugar certo na hora certa, e se importa o suficiente para fazer o que precisa ser feito. Às vezes isso é o bastante.

Observando-a sob a iluminação tremeluzente, Bailey percebe que ela é bem mais velha do que aparenta e que o mesmo talvez possa ser dito de Marco. É como perceber que alguém em uma fotografia não tem mais a mesma idade de quando ela foi tirada, e a pessoa parece mais distante por causa disso. O circo em si já parece muito distante, embora Bailey esteja ali dentro. Como se estivesse fugindo do rapaz.

— Tudo bem — diz Bailey, mas Celia ergue uma mão transparente para interrompê-lo antes que ele concorde.

— Espere. Isso é importante. Quero que você tenha algo que nenhum de nós realmente teve. Quero que tenha uma escolha. Você pode aceitar ou pode ir embora. Não é obrigado a ajudar, e não quero que sinta que é.

— O que acontece se eu for embora? — pergunta Bailey. Celia olha para Marco antes de responder.

Ambos apenas se entreolham em silêncio, mas o gesto é tão íntimo que Bailey desvia os olhos, encarando os galhos retorcidos da árvore.

— Isso não vai durar — declara Celia após um momento. Ela não explica, virando-se de novo para Bailey enquanto prossegue: — Sei que estou pedindo muito, mas não tenho mais ninguém a quem pedir.

De repente, as velas na árvore começam a faiscar. Algumas se apagam e fios de fumaça substituem as chamas fortes por um momento antes de desaparecerem também.

Celia oscila. Por um momento, Bailey teme que ela vá desmaiar, mas Marco a sustenta.

— Celia, amor — diz Marco, passando a mão no cabelo dela. — Você é a pessoa mais forte que conheço. Consegue aguentar mais um pouco, sei que consegue.

— Sinto muito — comenta Celia.

Bailey não sabe com qual dos dois ela está falando.

— Você não tem por que se desculpar — anuncia Marco.

Celia aperta a mão dele com força.

— O que aconteceria com vocês dois se o circo... parasse? — pergunta Bailey.

— Para ser sincera, não sei — responde Celia.

— Nada bom — murmura Marco.

— O que precisam que eu faça? — pergunta Bailey.

— Preciso que termine algo que comecei — explica Celia. — Eu... agi meio impulsivamente e joguei minhas cartas fora de ordem. E há a questão da fogueira também.

— A fogueira? — pergunta Bailey.

— Pense no circo como uma máquina — explica Marco. — A fogueira é uma das fontes que a alimentam.

— Há duas coisas que precisam acontecer — informa Celia. — Primeiro, a fogueira precisa ser acesa. Isso vai... alimentar metade do circo.

— E a outra metade? — pergunta Bailey.

— Isso é mais complicado — diz Celia. — Eu a carrego comigo. E teria que dá-la para você.

— Ah.

— Você então a carregaria consigo — continua Celia. — O tempo todo. Estaria atado muito intimamente ao próprio circo. Poderia se afastar, mas não por períodos extensos. Não sei se você conseguiria dá-lo a outra pessoa. Ele seria seu. Para sempre.

Só então Bailey percebe a magnitude do compromisso que estão lhe pedindo para assumir.

Não são os meros anos que ele devotaria a Harvard. É, ele pensa, um compromisso até maior do que herdar a responsabilidade pela fazenda da família.

Ele olha de Marco para Celia e sabe, pelo olhar dela, que o deixará partir se Bailey quiser, não importa o que isso signifique para eles ou para o circo.

O garoto pensa em uma ladainha de perguntas, mas nenhuma delas importa de verdade.

Ele já sabe a resposta.

Sua escolha foi feita quando ele tinha dez anos e estava sob uma árvore diferente, atado a bolotas, a desafios e a uma única luva branca.

Ele sempre vai escolher o circo.

— Aceito — afirma. — Vou ficar. Vou fazer o que você precisa que eu faça.

— Obrigada, Bailey — agradece Celia suavemente. As palavras, que ressoam nos ouvidos dele, dissipam o restante do seu nervosismo.

— Nesse caso — diz Marco —, acho que devemos oficializar.

— Acha que é absolutamente necessário? — pergunta Celia.

— A esta altura, não vou aceitar um contrato verbal — afirma Marco. Celia franze o cenho por um momento, mas então assente, e Marco cuidadosamente solta a mão dela. Ela continua firme e sua aparência não oscila.

— Você quer que eu assine algo? — pergunta Bailey.

— Não exatamente — diz Marco. Ele tira um anel prateado da mão direita, com uma gravação que Bailey não consegue distinguir na luz fraca. Marco estende a mão para um galho acima da cabeça e passa o anel através de uma das velas ardentes até que ele brilha, branco e escaldante.

Bailey se pergunta a quem pertenceria o desejo daquela chama específica.

— Fiz um desejo nesta árvore anos atrás — explica Marco, como se lesse pensamentos do rapaz.

— O que desejou? — pergunta Bailey, esperando que não seja uma pergunta atrevida demais, mas Marco não responde.

Em vez disso, fecha os dedos sobre o anel brilhante e então estende a palma a Bailey, que estende a mão hesitante, esperando os dedos atravessarem os de Marco com a mesma facilidade de antes.

Mas eles param, e a mão do homem sob a sua está quase sólida. Marco se inclina para a frente e sussurra no ouvido do rapaz:

— Meu desejo foi ela.

Então a mão de Bailey começa a doer. A dor é afiada e escaldante à medida que o anel queima a sua pele.

— O que você está fazendo? — pergunta quando consegue reunir fôlego suficiente. A dor é pungente e abrasadora, atravessando o corpo inteiro, e ele mal consegue impedir os joelhos de vacilarem.

— Um vínculo — explica Marco. — É uma das minhas especialidades.

Ele solta a mão de Bailey. A dor some de imediato, mas as pernas do garoto continuam a tremer.

— Você está bem? — pergunta Celia.

Bailey assente, fitando a palma. O anel sumiu, mas há um círculo vermelho-vivo queimado na pele. Ele tem certeza, sem ter de perguntar, que sempre vai carregar essa cicatriz. Fecha a mão e olha para Marco e Celia.

— Digam o que preciso fazer agora.

A segunda cerimônia da fogueira

NOVA YORK, 1º DE NOVEMBRO DE 1902

Sem muita dificuldade, Bailey encontra a pequena sala abarrotada de livros. O grande corvo preto sentado num canto o fita com curiosidade conforme ele vasculha os conteúdos da mesa.

Ele folheia ansiosamente o grande caderno de couro até encontrar a página com as assinaturas de Poppet e Widget. Arranca-a da encadernação com cuidado, removendo-a por completo.

Encontra uma caneta numa gaveta e escreve o próprio nome na página, como instruído. Enquanto a tinta seca, reúne o restante dos itens de que vai precisar, repassando a lista vez após vez na cabeça para não esquecer nada.

A lã é encontrada com facilidade — há um novelo apoiado precariamente sobre uma pilha de livros.

As duas cartas, uma de baralho, familiar, e a outra de tarô, com a imagem de um anjo, estão entre os papéis na mesa. Ele as guarda dentro do caderno.

Os pombos na gaiola acima se remexem com um leve farfalhar de penas.

O relógio de bolso com a longa corrente de prata se prova mais difícil de localizar. Ele o acha no chão ao lado da mesa e, quando tenta retirar um pouco do pó, consegue vislumbrar as iniciais H. B. gravadas no verso. O relógio não está funcionando.

Bailey põe a página arrancada sobre o caderno e o enfia sob o braço. Coloca o relógio e a lã nos bolsos, junto à vela que tirou da Árvore dos Desejos.

O corvo inclina a cabeça conforme o rapaz vai embora. Os pombos permanecem adormecidos.

Bailey atravessa a tenda adjacente, contornando o círculo duplo de cadeiras, sentindo como se passar ali no meio não parecesse apropriado.

Do lado de fora, cai uma chuva leve.

Volta depressa ao pátio, onde encontra Tsukiko à sua espera.

— Celia diz que preciso pegar o seu isqueiro emprestado — informa.

Tsukiko inclina a cabeça, curiosa, parecendo estranhamente com um pássaro com um sorriso felino.

— Suponho que seja aceitável — replica ela após um momento. Tira o isqueiro de prata do bolso do casaco e o joga para o garoto.

É mais pesado do que ele esperava, um mecanismo com engrenagens parcialmente revestido de prata antiga e embaciada, com símbolos que ele não consegue distinguir gravados na superfície.

— Tome cuidado com isso.

— É mágico? — pergunta Bailey, virando-o na mão.

— Não, mas é antigo, e foi feito por uma pessoa muito querida para mim. Imagino que esteja tentando acender aquilo de novo? — Ela gesticula para o enorme recipiente de metal retorcido que costumava conter a fogueira.

Bailey assente.

— Quer ajuda?

— Está oferecendo?

Tsukiko dá de ombros.

— Não me importo particularmente com o resultado — diz, mas algo no modo como ela olha para as tendas e a lama ao redor faz Bailey duvidar das palavras.

— Não acredito em você. Mas eu me importo, e acho que preciso fazer isso sozinho.

Tsukiko sorri, e é o primeiro sorriso dela que parece genuíno.

— Vou deixá-lo com o seu trabalho, então. — Corre uma mão pelo caldeirão de ferro e a maior parte da água da chuva no interior se transforma em vapor, erguendo-se em uma nuvem suave que se dissipa na névoa.

Sem mais conselhos ou instruções, ela se afasta num caminho de listras brancas e pretas, com um fino fio de fumaça ao encalço, deixando Bailey sozinho no pátio.

Ele se lembra de quando Widget contou a história sobre a cerimônia em que a fogueira foi acesa pela primeira vez. Mas só agora se dá conta de que também foi a noite em que Widget nasceu. Ele contou a história com tantos detalhes que Bailey imaginou que a tivesse testemunhado pessoalmente. Os arqueiros, as cores, o espetáculo.

E agora cá está Bailey, tentando realizar a mesma façanha só com um livro, um novelo e um isqueiro emprestado. Na chuva.

Ele murmura para si mesmo o que consegue se lembrar das instruções de Celia, aquelas mais complicadas do que encontrar livros e amarrar fios. Coisas sobre foco e intenção que ele não entende por completo.

Envolve o livro com um fio de lã tingido de carmesim-escuro, alguns trechos manchados de um tom mais intenso com algo seco e marrom.

Faz três nós, amarrando o livro com a página arrancada contra a capa e as cartas firmemente prensadas no interior.

Prende também o relógio de bolso, dando voltas com a corrente o melhor que consegue.

Por fim, joga-o no caldeirão vazio, onde aterrissa com um baque surdo e úmido, o relógio tinindo contra o metal.

O chapéu-coco de Marco jaz na lama aos seus pés. Ele o joga lá dentro também.

Lança um olhar para a tenda dos acrobatas, cujo topo consegue ver do pátio, erguendo-se mais alta do que as tendas ao redor.

E então, por impulso, tira os conteúdos restantes dos bolsos e os acrescenta à coleção no caldeirão. O ingresso prateado. A rosa seca que ele usou na lapela no jantar com os *rêveurs*. A luva branca de Poppet.

Ele hesita, girando na mão a garrafinha de vidro que contém a versão de Widget da sua árvore, mas então a joga também, estremecendo quando ela se estilhaça contra o ferro.

Pega a única vela branca com uma mão e o isqueiro de Tsukiko com a outra.

Atrapalha-se com o isqueiro antes de conseguir uma faísca.

Depois, acende a vela com a chama de um laranja intenso.

Joga a vela acesa no caldeirão.

Nada acontece.

Escolhi isso, pensa Bailey. *Quero isso. Eu preciso disso. Por favor. Funcione.*

Ele deseja aquilo com mais força do que jamais desejou qualquer coisa sobre velas de aniversário ou para estrelas cadentes. Deseja por si mesmo. Pelos *rêveurs* com os cachecóis vermelhos. Por um relojoeiro que nunca conheceu. Por Celia, Marco, Poppet e Widget, e até por Tsukiko, por mais que ela alegue não se importar.

Bailey fecha os olhos.

Por um momento, tudo fica imóvel. Até a chuva leve subitamente cessa.

Sente um par de mãos apoiado nos ombros.

Um peso no peito.

Algo dentro do caldeirão de ferro retorcido começa a chispar.

Quando as chamas se acendem, são carmesins.

Quando se tornam brancas, o brilho é ofuscante e a chuva de centelhas cai como estrelas.

A força do calor empurra Bailey para trás, movendo-o como uma onda, o ar queimando em seus pulmões. Ele cai num chão que não está mais chamuscado e enlameado, e sim firme, seco e pintado em uma espiral de branco e preto.

Ao redor, luzes começam a iluminar as tendas, piscando como vaga-lumes.

—···—

Marco está sob a Árvore dos Desejos, observando as velas se acenderem nos galhos.

Um momento depois, Celia reaparece ao seu lado.

— Funcionou? — pergunta ele. — Por favor, diga que funcionou.

Em resposta, ela o beija tal qual Marco a beijou certa vez, no meio de uma sala de baile lotada.

Como se eles fossem as duas únicas pessoas no mundo.

PARTE V

ADIVINHAÇÃO

Percebi que não penso em mim mesmo tanto como um escritor, e mais como alguém que fornece uma porta de entrada, uma rota tangencial para que os leitores alcancem o circo. Para que o visitem, mesmo que só na imaginação, quando não podem estar nele fisicamente. Eu o transmito através de palavras impressas em páginas amassadas, palavras que eles podem ler e reler, retornando ao circo sempre que desejam, independentemente da hora do dia ou da localização. Transportando-os sempre que quiserem.

Posto assim, parece um tanto com magia, não é?

— FRIEDRICK THIESSEN, 1898

Nossa festa terminou. Esses nossos atores,
Como já lhe havia adiantado, são todos espíritos e
Dissolveram-se no ar, no ar diáfano,
E tal como a construção irreal dessa visão,
As torres que rompem as nuvens, os palácios magníficos,
Os templos solenes, mesmo o grande globo,
Sim, tudo que nele virá a ser, se dissolverá
Como essa insubstancial dança se desvaneceu,
Sem deixar traço. Somos da mesma matéria
Da qual são feitos os sonhos e nossa vida breve
É cingida pelo sono.

— PROSPERO, *A TEMPESTADE*, ATO IV, CENA I

DESTINOS VATICINADOS

É tarde, então não há fila para a tenda da vidente.

Embora do lado de fora o ar noturno fresco exale o aroma de caramelo e fumaça, esta tenda é quente e cheira a incenso, rosas e cera de abelha.

Você não espera muito tempo na antecâmara antes de cruzar a cortina de contas.

Quando as contas colidem umas contra as outras, o som é como chuva. A sala além dela está revestida de velas.

Você se senta na mesa no centro da sala. Sua cadeira é surpreendentemente confortável.

O rosto da vidente está oculto atrás de um véu preto e fino, mas os olhos dela refletem a luz ao sorrir.

Ela não tem uma bola de cristal. Não tem um baralho de cartas.

Só um punhado de estrelas prateadas cintilantes que espalha sobre a mesa coberta de veludo e lê como runas.

Com uma especificidade assustadora, ela se refere a eventos sobre os quais não tem como saber.

Conta fatos que você já sabia. Informações que poderia ter adivinhado. Possibilidades que não consegue conceber.

As estrelas na mesa quase parecem se mover na luz ondulante das velas, tremeluzindo e mudando diante dos seus olhos.

Antes de partir, a vidente lembra você que o futuro nunca é imutável.

Projetos

LONDRES, DEZEMBRO DE 1902

Poppet Murray para nos degraus de entrada da *maison* Lefèvre, com uma maleta de couro na mão e uma bolsa grande aos pés. Ela toca a campainha uma dúzia de vezes, alternando com uma série de batidas altas, embora consiga ouvir o sinal ecoar dentro da casa.

Quando a porta enfim se abre, o próprio Chandresh está atrás dela, com a camisa violeta solta e um pedaço de papel amassado na mão.

— Você era menor da última vez em que a vi — anuncia, examinando Poppet desde as botas até o cabelo ruivo desgrenhado. — E havia dois de você.

— Meu irmão está na França — diz ela, erguendo a bolsa e seguindo Chandresh para dentro.

A estátua dourada com cabeça de elefante no saguão requer um polimento. A casa está em desordem, pelo menos na medida que uma casa abarrotada do chão ao teto com antiguidades, livros e objetos de arte pode ser no seu jeito aconchegante e atulhado. Não brilha tão forte quanto brilhava na vez em que Poppet se apressou pelos corredores com Widget no que parecem ser mais do que alguns anos antes, perseguindo gatinhos cor de marmelada em meio a um arco-íris de convidados.

— O que aconteceu com os criados? — pergunta ela ao subirem as escadas.

— Dispensei todos — responde Chandresh. — Eram inúteis, não conseguiam manter nada organizado. Fiquei só com os cozinheiros. Não dou um jantar há algum tempo, mas pelo menos eles sabem o que estão fazendo.

Poppet o segue pelo corredor margeado por colunas até o escritório. Ela nunca esteve nesse cômodo em particular, mas duvida de que sempre tenha estado tão coberto de projetos, rascunhos e garrafas de conhaque vazias.

Chandresh vaga pela sala, acrescentando o papel amassado em sua mão a uma pilha sobre uma cadeira e encarando distraidamente um conjunto de projetos que revestem as janelas.

Poppet libera um espaço na escrivaninha para apoiar a maleta, afastando livros e galhadas de cervo e tartarugas de jade entalhadas. Deixa a bolsa no chão.

— Por que está aqui? — pergunta Chandresh, virando-se e olhando para Poppet como se tivesse acabado de notar a sua presença.

Poppet abre a maleta na escrivaninha, tirando um maço denso de papéis.

— Preciso que faça um favor para mim, Chandresh.

— E o que seria?

— Gostaria que transferisse a posse do circo. — Poppet encontra uma caneta-tinteiro em meio à bagunça da mesa, e faz um teste num pedaço de papel para ver se tem tinta.

— O circo nunca foi meu, para início de conversa — resmunga Chandresh.

— É claro que foi — discorda Poppet, desenhando um *P* floreado. — Foi ideia sua. Mas sei que você não tem tempo para ele e achei que seria melhor abdicar da posição como proprietário.

Chandresh reflete por um momento, mas então assente e vai até a escrivaninha a fim de ler o contrato.

— Você tem Ethan e Lainie listados aqui, mas não *tante* Padva — comenta ele ao examinar o documento.

— Já falei com todos — explica Poppet. — Madame Padva não quis mais estar envolvida, mas está confiante de que a srta. Burgess conseguirá assumir as responsabilidades dela.

— Quem é esse sr. Clarke? — pergunta Chandresh.

— Um amigo muito querido — diz Poppet, um leve rubor tomando as faces. — E tomará o maior cuidado com o circo.

Quando Chandresh chega ao fim do documento, ela lhe estende uma caneta.

Ele assinala o nome com um floreio trêmulo e deixa a caneta cair na escrivaninha.

— Aprecio isso mais do que posso expressar. — Poppet sopra a tinta para secá-la antes de devolver o contrato à maleta. Chandresh dispensa as palavras com um aceno preguiçoso, voltando à janela e encarando a extensão de papéis azuis que a recobrem.

— Para que são esses projetos? — pergunta Poppet depois de fechar a maleta.

— Tenho todos esses… *planos* de Ethan e não sei o que fazer com eles — explica, gesticulando com um braço para a profusão de papéis.

Poppet tira o casaco, jogando-o sobre as costas da cadeira da escrivaninha, e examina mais de perto os projetos e rascunhos pendurados de prateleiras e presos em espelhos, pinturas e janelas. Alguns são cômodos completos; já outros são fachadas, arcadas e corredores elaborados.

Ela faz uma pausa ao notar um alvo com uma adaga prateada fincada na cortiça estampada, cuja lâmina exibe manchas escuras. A faca desaparece quando Poppet segue em frente, mas Chandresh não repara.

— Deveriam ser reformas na casa — diz o homem conforme ela passeia pelo cômodo —, mas não se encaixam direito.

— É um museu — comenta Poppet, sobrepondo os papéis na mente e vendo como combinam com uma construção que ela já viu nas estrelas. Estão fora de ordem, mas é inconfundível. Ela puxa um conjunto de projetos e o troca de lugar com outros, arranjando-os por história. — Não é essa casa — explica a Chandresh, que a fita com curiosidade. — É um lugar novo. — Ela pega uma série de portas, versões alternativas da mesma entrada possível, e as dispõe no chão lado a lado, deixando que cada uma conduza a uma sala diferente.

Chandresh a observa rearranjar os projetos e um sorriso se abre em seu rosto quando começa a ver o que ela está fazendo.

O homem faz ajustes à profusão de papéis azul da Prússia, respondendo aos arranjos dela, cercando réplicas de antigos templos egípcios com colunas das prateleiras curvas. Os dois se sentam juntos no chão, combinando salas, corredores e escadas.

Chandresh começa a gritar por Marco, mas então se cala.

— Vivo esquecendo que ele não está aqui — diz a Poppet. — Foi embora um dia e nunca voltou. Nem deixou um bilhete. Seria de pensar que alguém que estava constantemente escrevendo deixaria um bilhete.

— Acredito que a partida dele não foi planejada — esclarece Poppet. — E sei que ele se arrepende por não ter deixado as coisas organizadas por aqui.

— Você sabe por que ele foi? — pergunta Chandresh, olhando para ela.

— Ele partiu para ficar com Celia Bowen — diz Poppet, sem conseguir evitar um sorriso.

— Há! — exclama Chandresh. — Não achei que tivesse essa coragem. Bom para eles. Vamos fazer um brinde.

— Um brinde?

— É verdade, não temos champanhe — diz Chandresh, afastando uma pilha de garrafas de conhaque vazias para dispor outra fileira de rascunhos no chão. — Vamos dedicar uma sala a eles, qual você acha que eles gostariam?

Poppet examina os projetos e rascunhos. Há vários que ela pensa que um ou ambos podem gostar. Pega o desenho de uma sala redonda e sem janelas, iluminada apenas pela luz que se infiltra pelo lago de carpas contido num aquário de vidro no teto. Sereno e encantador.

— Este — responde ela.

Chandresh pega um lápis e escreve "Dedicar a M. Alisdair e C. Bowen" na margem do papel.

— Posso ajudá-lo a encontrar um novo assistente — oferece Poppet. — Posso ficar em Londres um tempo.

— Eu apreciaria muito, querida.

A grande bolsa que Poppet tinha colocado no chão subitamente quase tomba de lado com um baque suave.

— O que tem na bolsa? — pergunta Chandresh, fitando-a com um pouco de agitação.

— Trouxe um presente para você — conta Poppet alegremente.

Ela endireita a bolsa, abrindo-a com cuidado e tirando uma gatinha preta com manchas brancas nas pernas e no rabo. Parece que foi mergulhada em creme.

— O nome dela é Ara — explica Poppet. — Ela vem quando é chamada e conhece alguns truques, mas principalmente gosta de atenção e de se sentar em janelas. Achei que gostaria da companhia.

Ela apoia a gatinha gentilmente no chão e segura a mão acima dela. A gata se alonga apoiada nas pernas traseiras com um miado baixinho e lambe os dedos de Poppet antes de voltar a atenção a Chandresh.

— Olá, Ara — cumprimenta o homem.

— Não vou devolver sua memória — fala Poppet, observando Chandresh enquanto a gata tenta subir no colo dele. — Nem sei se conseguiria se tentasse, embora Widget provavelmente fosse capaz. A esta altura, acho que você não precisa desse peso. Acho que olhar para a frente será melhor que olhar para trás.

— Do que está falando? — pergunta Chandresh, apanhando a gatinha e afagando-a atrás das orelhas conforme ela ronrona.

— Nada. Obrigada, Chandresh.

Ela se inclina e o beija na bochecha.

Assim que os lábios dela tocam a sua pele, Chandresh se sente melhor do que se sente há anos, como se os últimos resquícios de uma névoa tivessem sido erguidos de si. Sua mente está desanuviada, os planos para o museu se tornam coesos, e ideias para projetos futuros se alinham de modos que parecem completamente manejáveis.

Chandresh e Poppet passam horas arranjando e acrescentando detalhes aos projetos, criando um espaço que será preenchido com antiguidades, arte e visões para o futuro.

A gatinha branca e preta brinca com os papéis enrolados e os dois trabalham.

Histórias

PARIS, JANEIRO DE 1903

— As histórias não são mais as mesmas, meu caro rapaz — declara o homem de terno cinza, a voz quase imperceptivelmente triste. — Não há mais batalhas entre o bem e o mal, não há monstros para matar nem donzelas precisando ser salvas. A maioria das donzelas é perfeitamente capaz de salvar a si mesma, na minha experiência, pelo menos as que valem algo. Não há mais contos de fadas simples com missões, feras e finais felizes. As missões não têm objetivo ou caminho nítidos. As feras assumem formas diferentes e são difíceis de identificar. E nunca haverá finais de verdade, felizes ou não. As coisas seguem em frente, sobrepõem-se e mesclam-se; a sua história é parte da história da sua irmã, que é parte de muitas outras histórias, e nunca podemos saber aonde qualquer uma delas vai levar. O bem e o mal são muito mais complexos do que uma princesa e um dragão, ou um lobo e uma garotinha vestida de vermelho. E o dragão não é o herói de sua própria história? O lobo não está simplesmente agindo como um lobo deve agir? Mas talvez seja um lobo singular, se chega ao ponto de se vestir como uma vovozinha para brincar com a sua presa.

Widget dá um gole no seu vinho, considerando as palavras antes de responder.

— Mas isso não significaria que nunca houve nenhuma história simples, na verdade? — pergunta ele.

O homem de terno cinza dá de ombros e ergue a garrafa de vinho da mesa para encher a taça mais uma vez.

— Essa é uma questão complexa. O âmago da história e as ideias por trás dela são simples. O tempo alterou e condensou suas nuances, tornou-a mais do que uma história, maior do que a soma de suas partes. Mas isso exige tempo. As histórias mais verdadeiras exigem tempo e familiaridade para se tornar o que são.

Um garçom para na mesa deles e fala brevemente com Widget, sem prestar qualquer atenção ao homem de terno cinza.

— Quantas línguas você fala? — pergunta o homem quando o garçom se afasta.

— Nunca parei para contar — diz Widget. — Consigo falar qualquer coisa se ouvir o bastante para entender os fundamentos.

— Impressionante.

— Fui captando algumas partes naturalmente, e Celia me ensinou a encontrar os padrões e juntar os sons em conjuntos completos.

— Espero que tenha sido uma professora melhor do que o pai dela.

— Pelo que sei do pai dela, os dois são bem diferentes. Ela nunca obrigou Poppet e a mim a participar de jogos complicados, por exemplo.

— Você sequer sabe o que era o desafio a que está aludindo? — pergunta o homem de terno cinza.

— *Você* sabe? — retruca Widget. — Me parece que nunca foi muito evidente.

— Poucas coisas neste mundo são muito evidentes. Muito tempo atrás... suponho que você poderia começar com *era uma vez*, se quiser fazer parecer um conto mais grandioso do que é... um dos meus primeiros alunos e eu discordamos sobre o funcionamento do mundo, sobre permanência, resistência e tempo. Ele achava que meus sistemas eram obsoletos e desenvolveu métodos próprios que considerava superiores. Acredito que nenhuma metodologia vale a pena se não puder ser ensinada, então ele começou a dar aulas. Os confrontos de nossos respectivos alunos começaram como simples testes, embora ao longo do tempo tenham se tornado mais complexos. Eram sempre, no cerne, desafios de caos e controle para ver qual técnica era mais forte. Uma coisa é colocar dois competidores sozinhos num ringue e esperar que um caia ao chão, outra é ver como se saem quando há outros fatores no local da luta. Quando há repercussões a cada ação tomada. Esse último desafio foi particularmente interessante. Admito que a srta. Bowen encontrou uma saída engenhosa, embora eu sinta muito por perder um aluno no processo. — Ele dá um gole no vinho. — Talvez tenha sido o melhor aluno que já tive.

— Acredita que ele está morto? — pergunta Widget.

O homem abaixa sua taça.

— Acredita que não está? — retruca o homem após uma pausa significativa.

— Sei que não está. Assim como sei que o pai de Celia, que também não está precisamente morto, está parado naquela janela. — Widget ergue a taça e a inclina na direção da janela escura próxima à porta.

A imagem no vidro, que poderia ser um homem grisalho usando um terno elegante feito sob medida, ou poderia ser um amálgama dos reflexos de clientes e garçons e da luz vergada e refratada da rua, ondula de leve antes de se tornar completamente indistinguível.

— Nenhum deles está morto — continua Widget. — Mas eles também não são aquilo. — Ele inclina a cabeça para a janela. — Estão no circo. *São* o circo. Podemos ouvir os passos dele no Labirinto. Sentir o perfume dela no Labirinto de Nuvens. É maravilhoso.

— Você acha que estar aprisionado é maravilhoso?

— É uma questão de perspectiva — diz Widget. — Eles têm um ao outro. Estão confinados num espaço extraordinário, um espaço que pode crescer, e que *vai* crescer e mudar ao redor deles. De certa forma, eles têm o mundo, limitado apenas pela imaginação dele. Marco está me ensinando sua técnica de ilusão, mas ainda não a dominei. Então, sim, eu acho maravilhoso. Ele via você como um pai, sabe?

— Ele lhe disse isso? — pergunta o homem de terno cinza.

— Não em palavras. Ele deixou que eu o lesse. Eu vejo o passado das pessoas, às vezes com muitos detalhes se a pessoa em questão me permite. Ele confia em mim porque Celia confia em mim. Não acho que ainda o culpe. Por sua causa, ele está com ela.

— Eu o escolhi para contrastar com ela e para complementá-la. Talvez tenha escolhido bem demais. — O homem de terno cinza se inclina sobre a mesa, como se fosse sussurrar em um tom conspiratório, mas o tom de sua voz não muda. — Esse foi o erro, entende. Eles se complementavam demais. Estavam envolvidos demais um pelo outro para serem competitivos. E agora jamais poderão ser separados. Uma pena.

— Vejo que você não é romântico — diz Widget, pegando a garrafa para se servir.

— Eu era, na juventude. O que foi há muito, muito tempo.

— Posso ver. — Widget devolve a garrafa à mesa. O passado do homem de terno cinza se estende por muito, muito tempo. Mais tempo do que o de qualquer outra pessoa que Widget já conheceu. Ele só consegue ler algumas partes, e alguns trechos estão muito desgastados e esvanecidos. As partes relacionadas ao circo são as mais claras e fáceis de captar.

— Eu pareço tão velho?

— Você não tem sombra.

O homem de terno cinza abre um sorriso, a primeira mudança identificável em sua expressão esta noite.

— Você é muito perceptivo — comenta. — Nenhuma pessoa em cem, talvez até mil, repara nisso. Sim, sou bastante avançado em anos. Vi muitas coisas na minha época. Algumas que eu preferiria esquecer. Elas pesam sobre alguém, afinal. Tudo pesa, a seu próprio modo. Assim como tudo desbota com o tempo. Eu não sou exceção a essa regra.

— Você vai acabar como ele? — Widget indica a janela.

— Certamente espero que não. Contento-me em aceitar inevitabilidades, ainda que tenha um jeito de postergá-las. Ele estava buscando a imortalidade, o que é uma coisa terrível de se almejar. Não é procurar nada, e sim evitar o inevitável. Ele vai passar a desprezar essa condição, se é que já não despreza. Espero que meu aluno e sua professora tenham mais sorte.

— Você quer dizer… espera que eles possam morrer?

— Só quero dizer que espero que encontrem a escuridão ou o paraíso sem medo, se puderem. — Ele faz uma pausa antes de acrescentar: — Espero o mesmo para você e para os seus companheiros.

— Obrigado. — Widget não tem certeza de que entende o sentimento.

— Eu mandei o seu berço quando vocês nasceram para dar as boas-vindas a este mundo a você e à sua irmã. O mínimo que posso fazer é desejar-lhes uma saída agradável dele, uma vez que duvido que estarei aqui para vê-la pessoalmente. Espero não estar, inclusive.

— A magia não é razão suficiente para viver? — pergunta Widget.

— Magia — repete o homem de terno cinza, transformando a palavra em uma risada. — Isso não é magia. É o que o mundo é, só que pouquíssimas pessoas param para notar. Olhe ao seu redor — diz, acenando para as mesas no entorno. — Nenhum deles faz a mínima ideia das coisas que são possíveis neste mundo e, o que é pior, nenhum deles ouviria se você tentasse esclarecê-las. Querem acreditar que a magia não é nada além de um truque habilidoso, porque pensar que é real os manteria acordados à noite, com medo da própria existência.

— Mas algumas pessoas podem ser esclarecidas — argumenta Widget.

— De fato, tais coisas podem ser ensinadas. É mais fácil com mentes mais jovens do que essas. Existem truques, é claro. Não me refiro àquela bobagem de coelhos em cartolas, mas a modos de tornar o universo mais acessível. Poucas, pouquíssimas pessoas se dedicam a aprendê-los hoje em dia, infelizmente, e ainda menos têm um acesso natural. Você e sua irmã têm, como um efeito imprevisto da *abertura* do seu circo. O que fazem com o seu talento? A qual propósito ele serve?

Widget reflete antes de responder. Além dos confins do circo, parece haver pouco lugar para tais coisas, embora talvez isso seja parte do argumento do homem.

— Eu conto histórias — replica. É a resposta mais verdadeira de que dispõe.

— Você conta histórias? — pergunta o homem, o aumento de seu interesse quase palpável.

— Histórias, contos de fadas, crônicas celtas — continua Widget. — Como quer que queira chamá-las. As coisas que estávamos discutindo antes, que são mais complicadas do que costumavam ser. Pego pedaços do passado que vejo e os combino para criar narrativas. Não é tão importante, e não é por isso que estou aqui...

— É importante — interrompe o homem de terno cinza. — Alguém precisa contar essas histórias. Quando as batalhas são travadas, e vencidas e perdidas, quando os piratas encontram seus tesouros e os dragões comem seus inimigos no café da manhã com uma bela xícara de chá preto *Lapsang souchong*, alguém precisa contar os pedacinhos das narrativas sobrepostas. Há magia nisso. Ela existe no ouvinte, e para cada ouvido será diferente, e afetará as pessoas de formas que jamais podem prever. Das mais mundanas às mais profundas. Você pode contar uma história que marca a alma de alguém, que se torna o seu sangue, identidade e propósito. Essa história vai movê-lo e impeli-lo e quem sabe o que mais poderá fazer por causa dela, por causa das suas palavras. Esse é o seu papel, a sua dádiva. Sua irmã pode ser capaz de ver o futuro, mas você mesmo pode moldá-lo, garoto. Não se esqueça disso. — Ele toma outro gole de vinho. — Há muitos tipos de magia, afinal.

Widget faz uma pausa, considerando a mudança no modo como o homem de terno cinza o observa. Ele se pergunta se todas as palavras pomposas de antes sobre histórias não serem mais o que já foram eram só afetação, algo em que o homem não acredita de fato.

Se antes o nível de interesse dele beirava a indiferença, agora encara Widget como uma criança observaria um novo brinquedo ou um lobo contemplaria uma presa particularmente interessante, vestida de vermelho ou não.

— Você está tentando me distrair — declara Widget.

O homem de terno cinza só beberica o vinho, fitando Widget sobre a borda da taça.

— O jogo terminou, então? — pergunta Widget.

— Sim e não. — Ele abaixa a taça antes de prosseguir. — Tecnicamente, ele caiu numa brecha imprevista nas regras. Não foi apropriadamente concluído.

— E quanto ao circo?

— Suponho que seja por isso que tenha vindo falar comigo?

Widget assente.

— Bailey herdou o cargo dele dos seus jogadores. Minha irmã cuidou dos negócios com Chandresh. No papel e em princípio, nós já somos os proprietários e gestores do circo. Eu me voluntariei para lidar com o restante da transição.

— Não gosto de pontas soltas, mas temo que não seja tão simples.

— Não quis sugerir que seria — pontua Widget.

Na pausa que se segue, uma explosão de gargalhadas se ergue a algumas mesas dali, ondulando no ar antes de se acomodar e desaparecer no zumbido baixo e constante de conversas e tinidos de taças.

— Você não faz ideia de onde está se metendo, meu garoto — adverte o homem de terno cinza em voz baixa. — De como toda essa empreitada é frágil. De como as consequências são incertas. O que o seu Bailey seria, se não tivesse sido adotado pelo seu circo? Nada além de um sonhador ansiando por algo que não entende.

— Não acho que haja algo errado em ser um sonhador.

— Não há. Mas os sonhos podem se tornar pesadelos. Suspeito que monsieur Lefèvre sabe algo sobre isso. Seria melhor para vocês se deixassem toda essa empreitada se esvanecer como um mito rumo ao esquecimento. Todos os impérios caem uma hora. É o modo como as coisas funcionam. Talvez seja hora de abrir mão deste.

— Sinto muito, mas não estou disposto a fazer isso — diz Widget.

— Você é muito jovem.

— Eu apostaria que, combinados, e mesmo considerando que comparativamente Bailey e minha irmã e eu somos, como você diz, muito jovens, se eu calculasse a idade de todo mundo que está apoiando a proposta, o total poderia superar a sua própria idade.

— Talvez.

— E não sei exatamente que tipo de regras o seu jogo tinha, mas suspeito que você nos deve ao menos isso, se todos fomos postos em risco por causa de suas apostas.

O homem de terno cinza suspira. Ele dá um olhar breve para a janela, mas a sombra de Hector Bowen não está à vista.

Se Prospero, o Mágico, tem alguma opinião a respeito, escolhe não a verbalizar.

— Creio que seja um argumento válido — concede o homem de terno cinza após certa consideração. — Mas não lhe devo nada, jovem.

— Então por que está aqui?

O homem sorri, mas não responde.

— Estou negociando o que é, essencialmente, um tabuleiro de jogo usado — continua Widget. — Ele já não serve de nada para você, mas é muito importante para mim. Não serei dissuadido. Diga o seu preço.

O sorriso do homem de terno cinza se alarga consideravelmente.

— Eu quero uma história — diz o homem.

— Uma história?

— Eu quero esta história. A sua história. A história do que nos trouxe a este lugar, a estas cadeiras, com este vinho. Não uma história que você crie aqui — ele bate na têmpora com o dedo —, quero a que está aqui. — Ele deixa a mão pairar sobre o coração por um momento antes de se recostar na cadeira.

Widget considera a oferta por um momento.

— E se eu contar essa história a você, vai me dar o circo? — indaga o rapaz.

— Vou passar a você o pouco que me resta para dar. Quando deixarmos esta mesa, não terei nenhum direito sobre o seu circo e nenhuma conexão com ele. Quando esta garrafa de vinho estiver vazia, um desafio que começou antes mesmo de você ter nascido terá acabado e será oficialmente declarado um empate. Deverá ser suficiente. Temos um acordo, sr. Murray?

— Temos um acordo — concorda Widget.

O homem de terno cinza serve o restante do vinho. A luz das velas se reflete e refrata na garrafa vazia quando ele a põe na mesa.

Widget gira o vinho na taça. *O vinho é poesia engarrafada*, pensa. É uma frase que ouviu de *Herr* Thiessen, mas sabe que é corretamente atribuída a outro escritor, embora no momento ele não consiga se lembrar quem.

Há tantos lugares por onde começar.

Tantos elementos a serem considerados.

Ele se pergunta se o poema do circo poderia ser engarrafado.

Widget toma um gole de vinho e abaixa a taça na mesa. Reclina--se na cadeira e retribui o olhar fixo nele. Com calma, como se tivesse todo o tempo do mundo, do universo, desde os dias em que histórias significavam mais do que significam agora, mas talvez menos do que um dia vão significar, ele toma um fôlego que solta o nó emaranhado de palavras no seu coração, e elas jorram de seus lábios sem esforço.

— O circo chega sem aviso.

BEAUX RÊVES

Há poucas pessoas passeando em Le Cirque des Rêves com você nestas horas que precedem o amanhecer. Algumas vestem cachecóis vermelhos que são especialmente vibrantes contra o entorno preto e branco.

Você não tem muito tempo antes que o sol inevitavelmente nasça. Enfrenta o dilema de como ocupar os últimos minutos da noite. Deveria visitar uma última tenda? Uma em que já entrou e gostou ou uma tenda inexplorada que permanece um mistério? Ou deveria comprar uma última maçã caramelizada antes do café da manhã? A noite que parecia conter horas infinitas agora está deslizando por entre seus dedos, os segundos ficando no passado e empurrando você para o futuro.

Você passa seus últimos momentos no circo como deseja, pois esse momento é seu e apenas seu. Mas logo é a hora de Le Cirque des Rêves fechar, pelo menos por enquanto.

O túnel repleto de estrelas foi desmontado e apenas uma cortina separa o pátio da entrada.

Quando ela se fecha atrás de você, a distância parece maior do que poucos passos separados por uma cortina listrada.

Você hesita antes de sair, parando para contemplar o relógio intricado e dançante bater os segundos, as peças se movendo em perfeita sintonia. Você consegue observá-lo mais de perto do que quando entrou, já que não há mais uma multidão obscurecendo-o.

Abaixo do relógio, há uma placa de prata discreta. Você tem de se agachar para ler a inscrição gravada no metal polido.

IN MEMORIAM

está escrito no topo, com nomes e data abaixo em uma fonte menor.

FRIEDRICK STEFAN THIESSEN
9 de setembro de 1846 — 1º de novembro de 1901

e

CHANDRESH CHRISTOPHE LEFÈVRE
3 de agosto de 1847 — 15 de fevereiro de 1932

Alguém observa você ler a placa memorial. Sente olhos sobre si antes de perceber a direção de onde vem o olhar inesperado. A bilheteria ainda está ocupada. A mulher no interior observa e sorri. Você não sabe bem o que fazer. Ela acena, um aceno curto, mas simpático, como se quisesse garantir que está tudo bem. Que os visitantes muitas vezes param antes de sair de Le Cirque des Rêves para encarar o vislumbrante relógio que fica junto aos portões. Que alguns até leem o memorial inscrito para dois homens que morreram tantos anos atrás. Que você está numa posição na qual muitos já estiveram, sob as estrelas esvanecidas e as luzes cintilantes.

A mulher chama você até a bilheteria. Ao ir até lá, vê que ela está remexendo em pilhas de papel e ingressos. Há um punhado de penas pretas e pratas no cabelo dela que esvoaça ao redor da cabeça conforme ela se move. Ao encontrar o que está procurando, ela estende um cartão com a mão enluvada e você o aceita. Um lado é preto e o outro branco.

Le Cirque des Rêves

está impresso em letras prateadas cintilantes no lado preto. No verso, em tinta preta sobre o fundo branco, ele diz:

Sr. Bailey Alden Clarke, proprietário
bailey@nightcircus.com

Você vira o cartão na mão, perguntando-se o que poderia escrever ao sr. Clarke. Talvez o agradeça por esse circo tão singular e talvez isso seja o bastante.

Você agradece a mulher pelo cartão e ela só sorri em resposta.

Seguindo em direção aos portões, você lê o cartão de novo. Antes de atravessar para o campo além, você se volta para a bilheteria, mas ela já está vazia e fechada atrás de barras pretas.

Você guarda o cartão com cuidado no bolso.

Atravessa os portões que o levam do chão pintado a uma grama nua, em uma transição que parece pesada.

Considera, à medida que se afasta de Le Cirque des Rêves em direção ao amanhecer que se espalha pelo céu, que se sentia mais acordado dentro dos limites do circo.

Não tem mais tanta certeza de qual lado da cerca é o sonho.

O CIRCO da NOITE

Os bastidores

Descubra as inspirações de Erin Morgenstern para criar Le Cirque des Rêves

CONHEÇA ERIN MORGENSTERN

O mundo de* O circo da noite *é tudo o que um leitor poderia desejar: mágico, fantástico, encantador e exótico. Como você criou esse mundo extremamente intrincado e seus exuberantes habitantes?

Eu o criei por acidente. Estava trabalhando em uma história diferente e não estava indo a lugar nenhum, me sentindo frustrada e entediada com ela, então, em um ato de desespero, mandei meus personagens para um circo. De imediato o circo se tornou muito mais interessante. Em minha mente, surgiram milhares de tendas e uma fogueira no meio, mas demorou um tempo até que eu descobrisse a história dele. Tentei transformar o circo em meu lugar ideal para entretenimento: algo entre um teatro e um museu, algo para ser explorado em vez de assistido. E, então, dei ao circo a minha paleta de cores favoritas.

Comecei a adicionar personagens conforme eles se tornavam necessários antes mesmo de saber quais papéis iriam desempenhar. Marco foi criado porque eu sabia que Chandresh não escreveria suas próprias anotações. Eu não tinha a menor ideia de como Marco se tornaria importante quando surgiu em minha imaginação com seu chapéu-coco.

Escrevi o livro da mesma forma que você talvez conheça um circo, como um visitante: primeiro, cheguei ao lugar; em seguida, conheci as pessoas que fazem parte dele e só depois que visitei cada tenda e comi uma enorme quantidade de pipoca com cobertura de chocolate descobri a história por trás daquilo tudo.

Por qual personagem (ou personagens) de* O circo da noite *você é mais afeiçoada? E os seus sentimentos sobre algum dos personagens mudou conforme o livro foi escrito?

Tenho uma fraqueza por Chandresh, porque ele passou por coisas que eu também experienciei: trabalhar em um projeto que cria vida própria e o sentimento de estar perdido até encontrar o próximo projeto. Também tenho muito carinho por Poppet e Widget, já que eles foram os primeiros personagens que criei, muito antes de eu saber qual seria a história deles.

No início, eu não sabia o que fazer com Celia, o que pode ser uma surpresa. Ela não estava nem no primeiro rascunho, e levou um tempo até eu conhecê-la, mas então o livro começou a tomar forma quando eu a entendi. À medida que editava e chegava a uma cena antiga, pensava "Celia nunca diria isso", então era preciso reescrever tudo. Reescrevo bastante.

Vemos Bailey no meio de uma situação complicada em relação ao que o futuro lhe reserva e por qual caminho ele deve seguir. Você sempre soube que seria escritora? O que estaria fazendo se não fosse uma escritora?

Eu não queria ser escritora quando mais jovem e, às vezes, ainda me surpreendo com isso. Bailey resolveu sua vida muito antes do que eu. Estudei teatro na faculdade e, em retrospecto, eu estava bem esperançosa com a minha escrita porque dirijo histórias como teatro na minha cabeça. Fiz uma aula de iluminação, então agora me vejo pensando em como a cena está iluminada. Sempre fui interessada em teatro e arte e acho que, se eu não estivesse escrevendo, estaria fazendo algo relacionado a isso. Gosto de escrever histórias, sejam elas em peças, pinturas ou livros.

Quais livros e autores você amava quando mais jovem, e no que acha que eles influenciaram em sua escrita?

Há tantos livros que li quando era criança e que influenciaram como escrevo agora, tenho certeza. Alguns dos quais me lembro mais são *The Egypt Game*, de Zilpha Keatley Snyder (construí pequenos templos no meu quintal depois de lê-lo) e *O jardim secreto*, de Frances Hodgson Burnett. Sempre me interessei por lugares reais, mas mágicos.

Também li Stephen King quando eu tinha doze anos e Harry Potter aos 21, então suspeito que o obscuro e o extravagante estão misturados no meu cérebro e isso aparece na minha escrita.

Além de livros, há filmes, obras ou séries que tiveram influência nas histórias que você deseja contar e em como você as conta?
Existem — vários deles! Na verdade, prefiro consumir coisas relacionadas a histórias através de outra mídia, porque muda a maneira como penso sobre o que posso fazer com as minhas próprias histórias. Tenho uma imaginação bem visual, então tendo a idealizar visualmente e criar a história em imagens antes mesmo de encontrar as palavras certas. Para mim, é mais fácil decompor a narrativa enquanto assisto a alguma coisa, o que me ajuda a compreender a estrutura.

O circo da noite foi fortemente influenciado pelo filme *O grande truque* e a imersiva produção teatral com toques de Macbeth chamada *Sleep No More*. O esquema de cores tem inspiração no cinema preto e branco onde, geralmente, tudo é luz e sombra.

O livro que estou escrevendo agora não seria o mesmo se eu não tivesse começado a jogar videogames com mais afinco conforme o escrevo (especialmente *Dragon Age*) e, algum dia, quero escrever algo inspirado nas pinturas de Magritte.

Que conselho você daria aos autores aspirantes que existem por aí?
Gosto de pegar emprestado meu pedaço favorito de um conselho sobre escrita do Neil Gaiman: *continue escrevendo e terminando as coisas*. É simples, mas a parte sobre finalizar as coisas é particularmente importante. Também encorajo qualquer escritor a não se preocupar demais com qualquer suposta "regra" de escrita, porque elas são mais como guias, e o que funciona para um escritor pode não funcionar para outro. (Também, lembre de se divertir com o que escreve. Preciso me lembrar disso às vezes.)

RODADA PINGUE-PONGUE

Camundongos de chocolate ou maçãs caramelizadas?
Maçã caramelizada com sabor de camundongos de chocolate. Elas são novas. Chocolate branco com caramelo, pequenos pedaços de maçã e uma pitada de sal.

Paris ou Nova York?
Considerando que nunca estive em Paris e estou escrevendo isso em Manhattan, tenho de escolher Nova York.

Widget ou Poppet?
Isso depende inteiramente da atividade para a qual estão sendo escolhidos. Widget para jantares, dançar, resolver crimes e explorar sebos. Poppet para longas caminhadas, observar as estrelas, teatro *avant-garde* e discussões filosóficas tarde da noite.

Verdade ou desafio?
Sou muito melhor com palavras, então tenho que escolher verdade. Espero ser uma pessoa desafiadora algum dia.

Mágica ou ilusão?
Mágica. Sempre.

QUEM É QUEM EM LE CIRQUE DES RÊVES...

Hector Bowen: Também conhecido como Prospero, o Mágico, é um artista e um mágico de palco com grande renome — ele também é o pai de Celia Bowen (ele ignorou essa última ocupação até que a Celia de cinco anos fosse colocada no camarim dele em um teatro em Nova York). Hector foi um antigo aluno do sr. A. H—, mas agora os dois são adversários, cada qual escolhendo seu protegido para treinar e competir. No decorrer do desafio, houve um acidente, significando que, em grande parte de nossa história, Hector é quase uma sombra de seu antigo eu…

Sr. A. H—: Também conhecido como o homem de terno cinza, é um antigo oponente de Hector, é o mentor por trás de Marco, Tsukiko e, voltando às brumas do tempo, do próprio Hector.

Celia Bowen: A filha de Hector Bowen, entregue a um estranho pai aos cinco anos de idade após sua mãe cometer suicídio. Hector é rápido para discernir as habilidades especiais em Celia e, então, a define como competidora no desafio — uma decisão que leva ao seu emprego como ilusionista em Le Cirque des Rêves e isso muda sua vida para sempre.

Marco Alisdair: Retirado de um orfanato em Londres pelo sr. A. H— e, consequentemente, treinado como seu protegido. Tal qual Celia, sua oponente no desafio, Marco possui habilidades mágicas. Ele é designado como assistente de Chandresh e logo se torna parte fundamental do circo.

Chandresh Christophe Lefèvre: Um produtor teatral que, durante uma de suas festas exuberantes e exclusivas, concebe a ideia do circo. A questão é se isso foi realmente uma ideia dele…

Madame Padva: A resplandecente figurinista do circo e uma antiga *prima ballerina* da Romênia.

As irmãs Burgess, Lainie e Tania: São mulheres de diversos ofícios — dançarinas, atrizes e, em uma vida antiga, bibliotecárias (mas não lhes pergunte sobre isso a menos que você consiga oferecer um conhaque). Convidadas das festas de Chandresh, estavam envolvidas na criação do circo — embora sem saber que isso poderia muito bem ser o motivo da ruína de uma das irmãs.

Sr. Ethan Barris: Ele também tem um papel na criação do circo e era responsável pela encomenda do relógio.

***Herr* Friedrick Thiessen:** Sua reputação como o artesão responsável pelo relógio cuco de maior qualidade o precede, e sua oficina em Munique é visitada pelo único sr. Ethan Barris. Ao aceitar a encomenda para criar um relógio espetacular que estará no epicentro do circo, *Herr* Thiessen sela o seu destino de forma definitiva: daquele dia em diante, ele será arrebatado por Le Cirque, escrevendo as crônicas de suas viagens e tornando-se o líder dos *rêveurs*.

Tsukiko: Uma excêntrica contorcionista tatuada que se junta a Le Cirque depois de impressionar a todos com suas habilidades nos jantares de Chandresh. Logo torna-se claro que sua história é uma daquelas complicadas — história essa que tem um grande impacto em ambos os competidores e no circo.

Poppet e Widget: Os gêmeos Murray, nascidos na noite de abertura de Le Cirque des Rêves. Ao crescer no circo, seus espetáculos consistem em apresentações com gatinhos, porém os verdadeiros dons dos irmãos residem em um domínio muito mais perspicaz.

Bailey Clarke: Um jovem que cresceu em Concord, Massachusetts. Uma rodada de verdade ou desafio é o catalisador para o seu primeiro encontro com o circo — um encontro que o deixa encantado com Le Cirque e suas possibilidades.

Isobel Martin: Ela constrói uma relação próxima com Marco e logo se torna uma vidente em Le Cirque.

Hinata: Uma antiga participante da competição. O seu destino é uma lenda de advertência não apenas sobre participar do desafio, mas também sobre não se apaixonar por um dos competidores.

COISAS PARA SE PENSAR...

"O sonhador é aquele que encontra seu caminho ao luar, e sua punição é ver a aurora antes do restante do mundo."
Como a epígrafe de Oscar Wilde, que aparece no começo do livro, se relaciona com a história?

"Um espetáculo sem plateia não é nada, afinal. A resposta da plateia — é aí que reside o poder de uma apresentação."
Pense sobre a relação entre o público e os artistas do circo — quem você acha que tem mais poder? E sempre há um limite claro entre os dois grupos?

"Prefiro permanecer sem esclarecimentos, para apreciar melhor a escuridão."
No lugar de Friedrick, você iria preferir permanecer sem esclarecimentos também?

"O futuro nunca é imutável, lembre-se disso."
Qual é o conceito de destino *versus* vontade própria que é explorado em *O circo da noite*?

"Velhas histórias costumam ser contadas, recontadas e alteradas. Cada contador subsequente coloca a sua marca nela. Qualquer verdade que a história pudesse conter fica enterrada sob diferentes vieses e embelezamentos."
Como Le Cirque des Rêves e seus habitantes se encaixam nessa visão sobre a contação de histórias? Você concorda com a afirmação final de Tsukiko?

"O bem e o mal são muito mais complexos do que uma princesa e um dragão, ou um lobo e uma garotinha vestida de vermelho. E o dragão não é o herói de sua própria história? O lobo não está simplesmente agindo como um lobo deve agir?"
O quanto você concorda com sr. A. H—? Como essa ideia de contos de fadas e bem *versus* mal é explorada em *O circo da noite*? Quem você acha que são os dragões, heróis e lobos neste livro?

"Você não está destinado a isso nem foi escolhido. Gostaria de afirmar que, se fosse, isso seria mais fácil, mas não é verdade. Você está no lugar certo na hora certa, e se importa o suficiente para fazer o que precisa ser feito. Às vezes isso é o bastante."

Você acredita que a afirmação de Celia sobre Bailey está correta? E, se ele realmente está no lugar certo na hora certa, isso é mesmo o suficiente?

MÁGICOS DA VIDA REAL...

Prospero, o Mágico, não é o único mágico de grande renome que atuou nos palcos. Aqui estão alguns outros ilusionistas que cativaram o público ao longo das décadas:

Harry Houdini

Harry Quem-dini? Houdini ascendeu à fama na virada do século XX e seu nome tem sido sinônimo de ilusões e escapismo desde então. Algemas, camisas de força, a barriga de uma baleia encalhada, latas gigantes de leite... É só escolher, Houdini conseguiria escapar de qualquer lugar.

Ato de assinatura: Provavelmente tornou-se famoso com o ato discretamente nomeado Cela da Tortura Chinesa com Água, um número no qual Houdini escapava de um gabinete trancado cheio de água gelada até o topo. Escapar disso significava que Houdini deveria segurar o fôlego por três minutos. Famoso por outras razões, em 1915 Houdini tentou ser enterrado vivo — o que, como ele aprendeu, é mais difícil do que parece. A tentativa de escapar debaixo de 1,8 metro de terra (sem um caixão) o deixou gritando por ajuda, antes de ser puxado do buraco e desmaiar de exaustão de imediato.

Lulu Hurst

Lu-Quem Hurst? Se você era um fã do gênero teatral vaudevile em 1880 nos Estados Unidos, você a conheceria melhor como Georgia Wonder ou Garota Elétrica.

Ato de assinatura: Com quatorze anos, Lulu acordou uma manhã depois de uma enorme tempestade e descobriu que, se ela tocasse uma cadeira e alguém se sentasse nela, essa pessoa azarada poderia voar pelo quarto em alta velocidade. Aproveitando a nova habilidade descoberta, Lulu foi aos palcos e embarcou em uma turnê por diversos estados exibindo a habilidade de eletrocutar pessoas — desnecessário dizer, ela tomou a cena vaudevile como uma tempestade.

Ionia, a Feiticeira

Quem-nia? Conhecida como a Deusa do Mistério ou apenas IONIA, essa ilusionista belga nasceu como Clementine de Vere em 1888. Fugindo com um acrobata aéreo do circo quando era adolescente, Clementine começou a apresentar extravagantes shows de mágica que se tornaram populares sob o seu nome artístico.

Ato de assinatura: Pouco se sabe sobre suas apresentações, mas sabe-se que ela magicamente tornou a si mesma em uma princesa — casando-se com o príncipe Vladimir Eristavi-Tchitcherine em 1919.

Servais Le Roy

Servais Le Quem? Outro ilusionista belgo, ele é mais conhecido por ser um terço dos "Comediantes da Mephisto Co", ao lado de sua esposa e o mágico Leon Bosco.

Ato de assinatura: Le Roy é creditado por ter criado o clássico número da levitação, "Arash, a Princesa Flutuante", no qual sua esposa era coberta com um lençol e começava a levitar do chão. Curiosamente, outro número de Le Roy era chamado "Para onde os patos vão?"

James Randi

James Rand-Quem? Você talvez o conheça como O Incrível Randi, um ilusionista que começou a enfeitiçar os Estados Unidos com seus números de mágica em 1946.

Ato de assinatura: Em 1946, O Incrível Randi provou que ele era realmente incrível quando, em rede nacional, foi trancafiado em um caixão de metal que foi submerso em uma piscina... E lá permaneceu por 104 minutos antes de escapar com sucesso. Mais tarde, O Incrível Randi tornou-se notório por desmascarar a mesma coisa que desencadeou sua carreira: Randi se especializou em investigar e desmascarar declarações de fenômenos mágicos. Celia e Marco, fiquem atentos...

AGRADECIMENTOS

Há uma série de sócios e conspiradores por trás deste livro, e tenho com eles uma enorme dívida de gratidão.

Em primeiro lugar há meu agente, Richard Pine, que viu potencial em algo que já foi uma bagunça terrível e acreditou em mim a cada passo do caminho. Ele mereceu o cachecol vermelho milhares de vezes.

Minha editora, Alison Callahan, é um sonho realizado, e todos na Doubleday merecem mais camundongos de chocolate do que eu poderia providenciar.

Sou grata a todos que doaram seu tempo e opiniões revisão após revisão, particularmente Kaari Busick, Elizabeth M. Thurmond, Diana Fox e Jennifer Weltz.

Levanto minha taça aos habitantes do Purgatório. São pessoas estranhas, maravilhosas e talentosas, e eu não estaria aqui sem vocês.

Kyle Cassidy acidentalmente me incentivou a comprar a caneta-tinteiro vintage que foi usada para compor uma porção significativa da Parte IV, então disse que o mencionaria nos agradecimentos. Ele provavelmente achou que eu estava brincando.

O circo teve muitas influências, mas duas que merecem reconhecimento especial são os gênios olfatórios da Black Phoenix Alchemy

Lab e a experiência imersiva de Punchdrunk, em que tive sorte de cair graças ao American Repertory Theater de Cambridge, Massachusetts.

Por fim, minha eterna gratidão a Peter e Clovia. Este livro não existiria sem um deles, e é melhor do que eu jamais teria imaginado graças ao outro. Adoro vocês dois.

© Allan Amato

ERIN MORGENSTERN

É escritora e artista multimídia que descreve todos os seus trabalhos como "contos de fadas, de uma forma ou de outra". É ganhadora dos prêmios Alex e Locus e suas obras foram publicadas em diversos idiomas ao redor do mundo. É autora de *O Mar Sem Estrelas*, considerado um dos melhores livros de 2019 segundo o *The Guardian*, best-seller do *The New York Times* e publicado no Brasil pela Morro Branco. *O circo da noite*, seu romance de estreia, figurou na lista de mais vendidos do *The Wall Street Journal*, *USA Today*, *Los Angeles Times*, *San Francisco Chronicle* e *Publishers Weekly*. A obra também é considerada um dos 100 melhores livros de todos os tempos segundo a revista *Time* e seus direitos cinematográficos foram vendidos para a produtora Lionsgate. Erin é formada em Teatro pela Smith College e atualmente vive em Massachusetts.

1ª REIMPRESSÃO

ESTA OBRA FOI COMPOSTA EM CASLON PRO E IMPRESSA
EM PAPEL PÓLEN NATURAL 70g COM REVESTIMENTO DE
CAPA EM COUCHÉ BRILHO 150g PELA IPSIS GRÁFICA PARA
A EDITORA MORRO BRANCO EM OUTUBRO DE 2022